Sporen van sandelhout

Asha Miró en Anna Soler-Pont

Sporen van sandelhout

Uit het Spaans vertaald
door Corina Blank

DE GEUS

Oorspronkelijke titel *Rastros de sándalo*, verschenen bij Planeta, Spanje

Omslagontwerp Stef van Zimmeren | Riesenkind
Omslagillustratie (detail) © Raghu Rai/Magnum Photos
Druk Koninklijke Wöhrmann BV, Zutphen
ISBN 978 90 445 1113 0
NUR 302

Aan Iris, Roger en Jan Soler Pont,

aan Fàtima Miró,

aan Asha Meherkhamb en

aan Saku Jagtap,

voor de gedeelde jeugd en alles wat erop volgde.

Dit verhaal is fictie, hoewel het is gebaseerd op
persoonlijke ervaringen en veel personages
zijn geïnspireerd op bestaande of reeds overleden personen.
Elke overeenkomst met de werkelijkheid berust
op werkelijke feiten of op toeval.

‘Grenzen overschrijden is de ware zin van het leven. [...] Er zijn veel grenzen die niet fysiek zijn, maar die je wel moet overgaan: die van de cultuur, familie, taal, liefde ...’

Ryszard Kapuściński in een interview met Ramón Lobo,
gepubliceerd in *El País*, 23 april 2006

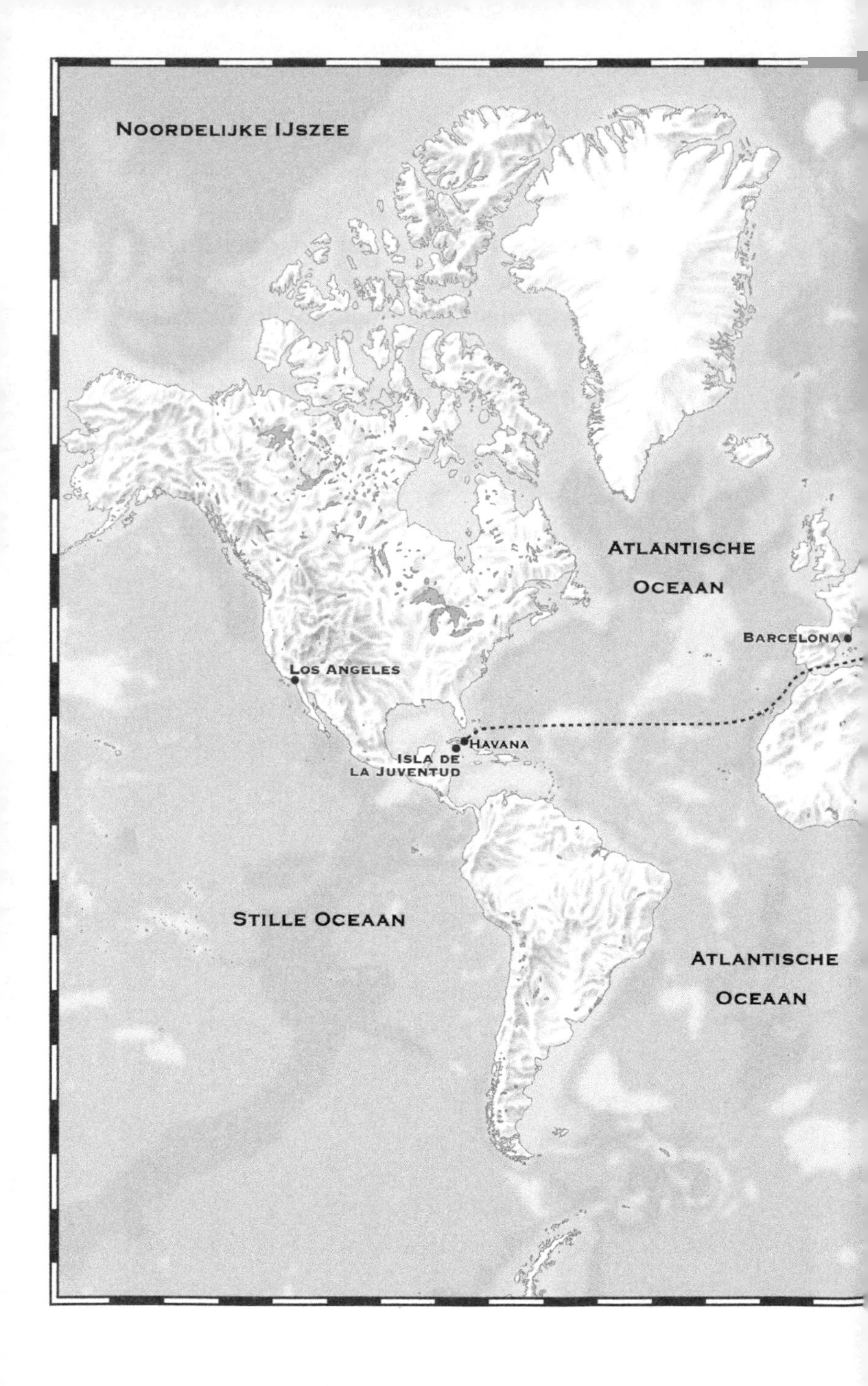
Noordelijke IJszee
Atlantische
Oceaan
Barcelona
Los Angeles
Havana
Isla de
la Juventud
Stille Oceaan
Atlantische
Oceaan

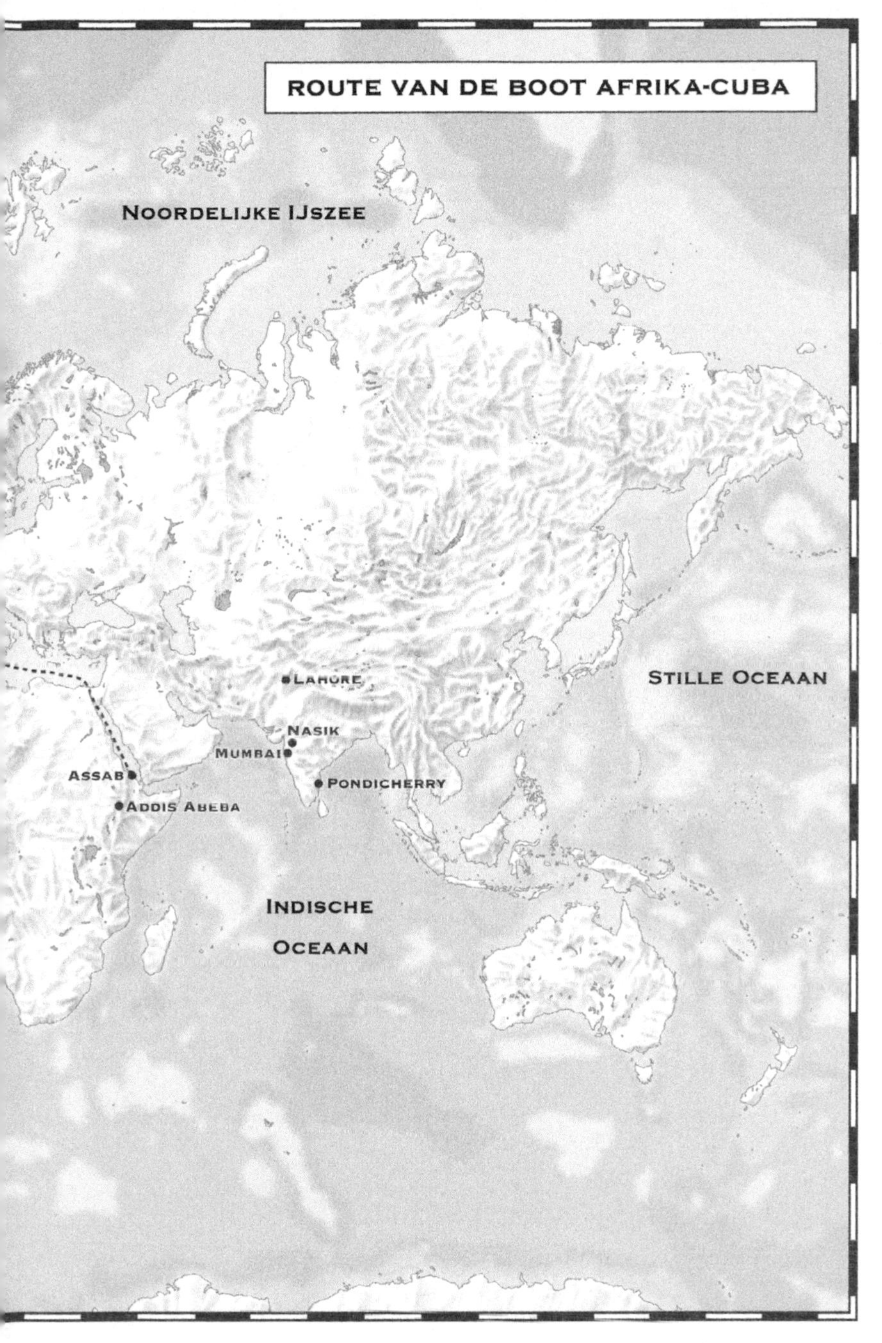

Noot: In de roman wordt de oude naam Bombay gebruikt als het gaat om de periode voor 1995, het jaar waarin de stad officieel in Mumbai werd omgedoopt.

Inhoud

EERSTE DEEL

Addis Abeba, 1974

Het was heel snel dag geworden. Bij het ochtendgloren, zodra het eerste daglicht zich aandiende, trok de nacht zich schielijk terug. Vanuit de vensterbank keek Solomon naar een van de buitenmuren van de Entoto Mariamkerk. Hij zag al voor zich hoe de mensen achter die muren om het gebouw stonden in hun witte, katoenen gewaden, leunend tegen de gevels of tegen de bomen. Er waren altijd zieke mensen rond de kerk. Ze wachtten af. De meesten hoopten op een snelle dood. In de lucht hing de geur van eucalyptus en in de verte, achter dat achthoekige, orthodoxe gebedshuis kon je de stad in een dikke nevel ontwaren. De heuvels rond Addis Abeba liggen op drieduizend meter hoogte en zijn dichtbegroeid met groene eucalyptusbossen. Zoals altijd waren de hyena's die nacht ook vlak bij de huizen op zoek geweest naar eten. Ze struinden de natte en modderige straten af op zoek naar botten, restjes, een lammetje dat buiten de kraal was gebleven, of een oude, manke hond. De stilte werd doorbroken door het wilde gejank van de hyenaclan, dat veel weg had van hysterisch gelach, en de jammerlijke kreten van hun prooien. De zure, onaangename stank die ze achterlieten om hun territorium af te bakenen, herinnerde aan hun strooptocht.

'Solomon, kleed je aan en eet iets. Als je niet opschiet, kom je te laat op school.'

'Is papa al weg?'

'Ja, die is de deur al uit. Aster ook. Alleen jij moet nog weg. Vooruit, schiet op.'

Maskarem was druk bezig in het huis en luisterde ondertussen naar de radio die de hele dag aanstond. Er klonken militaire marsen, een repetitieve muziek die de laatste tijd vaak te horen was. Ze moest de houtskool gloeiend houden in de kleine stenen oven die hun vader had gebouwd, zodat er als het nodig was, *injera*•* kon worden gebakken. In een hoek, tussen een paar grote stenen, brandde het vuur waar het water op werd verwarmd en gekookt. Sinds de dood van hun moeder, nu twee jaar geleden, bleef Maskarem thuis terwijl de anderen naar hun werk of school gingen. Het huis was klein en bestond uit één woonlaag waar ze met zijn vieren woonden.

Solomon deed eindelijk wat zijn oudste zus hem had gevraagd. Hij kleedde zich aan en ging ontbijten. Hij scheurde stukken injera af, pakte daarmee wat overgebleven *shiro wot*• mee en propte alles in zijn mond. Hij pakte de stoffen tas waar zijn schriften en pen in zaten en stoof de deur uit, de weg op naar beneden, naar Shiro Meda, een wijk aan de voet van de Entoto, zo'n vijfhonderd meter lager. Soms nam hij een kortere weg en sprong hij als een geit naar beneden waarbij hij goed oplette dat hij niet uitgleed. Vandaag nam hij de hoofdweg en versnelde hij waar hij kon. De weg was steil met veel haarspeldbochten. Er was niet veel verkeer, alleen andere voetgangers die omlaag- of omhoogliepen en veel ezels, bepakt met stenen kruiken of plastic jerrycans vol water, vastgemaakt aan de zadeltassen. Op dit uur van de dag, nu het nog niet zo warm was, liepen veel vrouwen met takkenbossen op hun hoofd of rug. Ze wilden ze verkopen of zelf gebruiken. Anderen sjouwden emmers verse melk. In de lucht hing de geur van verbrande eucalyptusbomen.

Solomon passeerde het huis van zijn vriend Sintayehu. Hij hoefde hem niet te roepen want zijn vriend kwam al naar

---

* Zie voor de betekenis van woorden voorzien van een • de verklarende woordenlijst achter in het boek.

buiten met zijn spullen in zijn hand. Zijn moeder die druk in de weer was met emmers water, zwaaide hem na vanuit het raam. De ochtenden stonden voor de meeste vrouwen in het teken van water halen. Soms bracht iemand het voor ze mee, maar meestal moesten ze er zelf op uitgaan vóór ze konden beginnen met schoonmaken of koken. In die regio waren er nauwelijks huizen met stromend water. Solomon en Sintayehu liepen samen verder naar school, het was nog een flink eind. Ze waren allebei acht jaar en zaten in dezelfde klas. Ze hadden een bruine huid en kort, donker kroeshaar.

'Heb je je vader al gevraagd wanneer we mogen komen?'

'Nee, nog niet', antwoordde Solomon.

'Waar wacht je op? Mijn vader zegt dat ze binnenkort de keizer afzetten en als jij het nog lang uitstelt, kunnen we die leeuwen wel vergeten.'

'Hoe kom je erbij dat ze de keizer gaan afzetten? Mijn vader is een van zijn koks.'

'Mijn vader praat de laatste dagen over niets anders met mijn oom en andere vrienden die bij ons thuis komen. Ik snap niet goed waar ze het over hebben, maar ze winden zich behoorlijk op. Ik hoorde ze zeggen dat ze Ras Tafari beu waren en dat het de hoogste tijd werd om hem van de troon te stoten.'

'Waarom noem je hem Ras Tafari als hij Haile Selassie heet?'

Een kudde geiten graasde naast de smalle straten, onverstoorbaar knabbelend aan het groene gras, onverschillig voor de auto's en bussen die langsreden.

'Nu noemen ze hem koning der koningen, de Leeuw van Juda, Gods uitverkorene, maar mijn vader zegt dat hij Tafari Makonnen heet en dat hij een gewone sterveling is, die niet eens kan lezen of schrijven.'

'Daar geloof ik niets van. Jij altijd met je rare verhalen.'

'Dan geloof je me toch niet. Maar als mijn vader zegt dat de keizer nog nooit naar school is geweest, dan is dat zo', antwoordde Sintayehu en liet Solomon met zijn mond vol tanden staan. 'Zouden we ze mogen voeren?' drong hij aan.

'De leeuwen van het paleis? Ben jij gek geworden? Dat mag alleen de keizer doen!'

'Maar je vader kan misschien vragen of wij het mogen doen. Of dat we ten minste naar ze mogen kijken in de kooien in de tuin.'

Ze kwamen bij de school aan. Tientallen jongetjes als zij en meisjes met vlechtjes betraden het gebouw. Solomon en Sintayehu hoorden een menigte, voornamelijk jongemannen, schreeuwen. Ze scandeerden leuzen tegen de keizer. Het was een betoging van studenten die over de boulevard liepen en het verkeer ophielden. Automobilisten, bestuurders van busjes die dienstdeden als collectieve taxi's, en autobussen toeterden ongeduldig. Dat soort demonstraties was schering en inslag. Waren het geen studenten, dan waren het wel boeren die hun rechten opeisten. Er kwamen steeds meer demonstranten bij, ook niet-studenten, en samen riepen ze allemaal hetzelfde.

'*Meret le arashu*! "Het land voor wie het bewerkt!"'

'Weg met het feodale regime!'

'Meret le arashu!'

'Geef ons het land terug!'

'We zijn de tirannie zat!'

De leuzen werden herhaald door de massa. Solomon en Sintayehu keken elkaar nieuwsgierig aan zonder goed te begrijpen wat er aan de hand was. De gezichten van sommige mannen waren rood aangelopen van woede. Ze leken in staat iedereen die hen voor de voeten liep, te vermoorden.

De laatste tijd zagen ze meer militairen dan ooit.

'Kom, allemaal naar binnen. Snel!' riep een schoolmeester hun toe.

'Toe, doe wat er gezegd wordt, anders krijgen we problemen.' De bewaker van de school pakte het hek vast en sloot het zodra alle leerlingen binnen waren. Daarna bleef hij alleen achter, tussen het hek en de Ethiopische vlag die wapperde in de ochtendwind.

De schooldag begon altijd met het gezamenlijk zingen van het volkslied op het binnenplein bij de vlaggenstok, terwijl de directeur de driekleur hees. Maar vandaag niet. Op dagen dat er gedemonstreerd werd, moesten de kinderen onmiddellijk naar de klas, zonder zich op te stellen in rijen, zonder volkslied, zonder pardon. Ze schoven achter hun tafeltjes en de onderwijzers kwamen de lokalen binnen en sloten de ramen die op straat uitkeken. Zowel de leerkrachten als de leerlingen hadden moeite zich te concentreren. Soms overstemden de straatgeluiden alles en kwam de meester er niet boven uit. Dan konden ze alleen maar teksten overschrijven, de ene na de andere, terwijl de onderwijzer aandachtig keek naar wat er op straat gebeurde.

'Maak een einde aan de honger!' schreeuwden de betogers tussen het getoeter van de auto's en minibusjes door.

'Meret le arashu!'

Soms hielden de taxichauffeurs een protestactie en klaagden ze over de benzineprijzen. Addis Abeba zonder taxi's was een dode stad. Maar als bovendien de werknemers van busmaatschappij Ambessa de straat opgingen en tevergeefs loonsverhogingen eisten, was de chaos compleet.

'Over welk land hebben ze het?' vroeg Solomon aan Sintayehu.

'Wat denk je? Dat van ons natuurlijk!'

Solomon begreep absoluut niet waar al die opwinding om

te doen was, waarom zo veel mensen op straat schreeuwden, waarom iedereen zo gespannen was.

'Stilte!' vermaande de leerkracht.

Solomon wist dat er dingen in het land gebeurde die hij niet begreep, maar die niemand hem uitlegde. Hij speelde weinig. Hij vertrok vroeg in de ochtend naar school en tussen de middag kwam hij thuis om te eten. Aan het einde van zijn schooldag liep hij langzaam en vermoeid naar huis terug. Hij deed goed zijn best, zoals hij zijn moeder voor haar dood had beloofd. Zelf was ze nauwelijks naar school geweest. Ze was opgegroeid in de bergen van Tikil Dingay, tussen Gondar en Danshe. De bergen van de 'goed geplaatste stenen' met hun ongelooflijke vormen. Ook al woonde het gezin in de heuvels van de Entoto, ze was een vrouw van de stad geworden en haar grootste zorg was geweest haar kinderen van een opleiding te verzekeren. Vorig schooljaar was Solomon tijdens de uitreiking van de prijzen aan de beste leerlingen van de school uitgeroepen tot de beste van zijn klas. Menig kind kreeg van de meester slaag met een stok of een zweep. Solomon was echter nog nooit gestraft. Thuis noch op school. Misschien was hij een uitzondering. Hij maakte elke dag thuis zijn huiswerk aan de houten tafel en hielp zo veel hij kon. Dat was voor hem vanzelfsprekend. Voor hij naar deze lagere school ging, had hij een schooltje naast de kerk bezocht dat door orthodoxe geestelijken werd geleid. Daar had hij leren lezen en schrijven en had hij samen met zijn klasgenootjes hardop en monotoon het syllabische alfabet opgedreund. *Ha, hu, hi* ... Het leek meer een les declamatorische zang dan iets anders. Wie zich vergiste of te laat was, werd getuchtigd met een houten stok of een zweep. Veel kinderen vertoonden striemen op hun bruine huid. *Ma, mu, mi* ... De ouders klaagden niet, eerder het tegendeel. Vaak ranselden ze hun kinderen zelf ook nog af omdat ze de meester boos hadden gemaakt.

Zoals elke zondagochtend gingen ze naar de Entoto Mariamkerk. Solomons zussen droegen een lang, wit gewaad en bedekten hun hoofd met een *netela*•, een witte, katoenen doek met een blauwe bies aan beide kanten. Op hun kragen waren zilveren kruisjes met een zwart, wollen draadje vastgezet. Maskarem droeg bovendien de halsketting van haar moeder. Daaraan hingen een paar stukjes oud zilver uit haar geboortestreek die noordelijker lag.

'*Salam*•, Biniam!' zei Solomon toen hij zijn vriend op de trap van het heiligdom tegenkwam.

'Gaat alles goed met je?' vroeg Maskarem die achter hen de trap opliep en hem onopvallend een paar *birrs*• gaf. Biniam stopte ze snel in zijn zak en wendde zijn blik naar de grond.

'Bedankt. Alles gaat goed.'

Biniam was iets ouder dan Solomon en leefde op straat. Ze kenden elkaar al een tijd, nog voordat Biniams ouders ziek werden en vlak na elkaar stierven. Hij had verre familie in een dorp in het noorden, vlak bij het Tanameer, maar al zijn naaste familieleden waren dood. Vroeger speelden de twee jongens veel samen, ze liepen op oude blikjes om te zien hoe de wereld eruitzag als je groter was, maar nu niet meer. Biniam deed van alles om te kunnen overleven. Hij werkte als schoenpoetser en trok door de straten in de stad met een houten kist vol potjes schoensmeer en borstels, die van zijn vader was geweest. Een leeg verfblik gebruikte hij als krukje, als zijn klanten op een lage muur zaten.

'Heb je zin om vanmiddag met me mee te gaan? Ik moet een kudde schapen en geiten laten grazen.'

'Dat is goed. Waar ga je heen?'

'Niet zo ver. Overal groeit nu jong gras. Als ik de schapen

van jullie buurman Getasseu ga ophalen, pik ik je op. Daarna gaan we naar de familie Denberu voor hun koe en de twee geiten van hun buren. Tegen de tijd dat het donker wordt, moet ik alle dieren naar hun stal brengen.'

'Neem je ze elke dag mee om te laten grazen?'

'Nu wel bijna elke dag. Ze betalen niet veel, maar ik trek liever met de kudde door de heuvels van de Entoto dan dat ik afdaal naar Shiro Meda met mijn schoenlapperskist.'

'Ik denk dat ik dat ook leuker zou vinden dan hier blijven.'

Mannen en vrouwen gingen door verschillende deuren de kerk binnen. Voor ze hun schoenen uitdeden en binnentraden, bleven ze even staan voor de muur, kusten die en daarna de grond. De deuren waren beschilderd met opvallende engelen in rode gewaden met zwart omlijnde amandelvormige ogen. De dienst duurde ruim twee uur. Biniam zei altijd dat hij het liefst naar de kerk ging omdat hij zich daar veilig en op zijn gemak voelde. Binnen rook het sterk naar wierook en sandelhout. Een monnik brandde dat in een koperen bak vol gloeiende kooltjes. Een groot schilderij van Sint-Joris, de beschermheilige van Ethiopië, op een wit paard en een zwaard in zijn hand, bedekte een van de muren. Biniam voelde zich ook prettig in Solomons huis, waar hij vele uren doorbracht en soms in een hoekje bleef slapen, ervoor zorgend dat hij niemand lastigviel.

'Kom bij ons eten. Mijn vader heeft *doro wot*• gemaakt en je weet dat hij heerlijke injera's maakt', zei Solomon voor hij begon te zingen.

Op weg naar huis begon het donker te worden. Vader luisterde naar de radio, Aster borduurde iets op een witte, katoenen doek en Maskarem zat op een stoel bij het raam en naaide knopen aan een jurkje. Maskarem had werk gevonden bij een Amerikaans gezin in Addis Abeba. Ze zorgde voor de twee blonde kinderen, kookte en deed naaiwerk. Het was een goed baantje en het gaf haar de kans het Engels dat ze op school had geleerd en goed sprak op peil te houden.

Vier jaar geleden had Peter Howard zich gevestigd in Addis Abeba met zijn vrouw Jane en hun twee kinderen: Sarah van zeven en Mark van vijf. Hij was paleoantropoloog en werkte aan verschillende onderzoeken. Soms zat hij maanden in de regio Danakil, in het noordoosten van Ethiopië, waar hij leiding gaf aan een aantal uitgravingen. Hij was gefascineerd door de Riftvallei, de geografie van Ethiopië en ook door de geschiedenis, cultuur en de taal van het land. Hij had Amhaars* geleerd en in zijn team zaten ook studenten van de universiteit van Addis Abeba. Jane Howard, van oorsprong Engelse, was een vrolijke vrouw. Ze was gemakkelijk in de omgang en kon zich snel aan elke situatie aanpassen. Toen ze Peter leerde kennen, besloot ze met hem mee naar de Verenigde Staten te gaan. Daar werden hun twee kinderen geboren. Ze volgde haar man overal waar zijn werk hem heen bracht en had veel verschillende landen gezien. Ze was nieuwsgierig naar andere levenswijzen en altijd op zoek naar nieuwe recepten. Maskarem en mevrouw Howard spraken uitvoerig over de Ethiopische keuken, over de geheimen van de injera, de exacte dosis van de verschillende specerijen bij elk gerecht en de juiste kooktijd van de groenten. Soms had de familie Howard gasten en dan vroeg ze Maskarem te blijven om te helpen bij de koffieceremonie. Dan plaatste ze kleine, keramische kopjes op een blad vol eucalyptusbladeren dat ze op tafel zette, nam plaats op een laag krukje, waarna ze de groene koffiebonen brandde op een ijzeren plaat, terwijl het sandelhout aan haar voeten rookte. Als de bonen goed zwart gebrand waren, maalde ze ze fijn in een houten vijzel terwijl iedereen toekeek. Ze deed de gemalen koffie in een aardewerken kan en goot daarop kokend water. Daarmee vulde ze de kopjes. Vervolgens vulde ze de kan opnieuw met water en schonk ze iedereen een tweede keer in. Als iedereen zijn kopje op de schaal had teruggezet, schonk ze ze nogmaals vol. De koffie werd elke keer milder van smaak.

Maskarem vond het leuk Ethiopische gebruiken uit te leggen aan die *farangi's*• met hun roze huid, die buitenlanders die geïnteresseerd leken in haar land. Na zo'n uitgebreid diner brachten ze haar wel altijd met de auto naar huis, omdat ze liever niet bleef slapen. De familie Howard had ook nog een ouder echtpaar in dienst, omdat ze absoluut geen kinderen of adolescenten voor hen wilde laten werken, in tegenstelling tot veel andere buitenlanders in Addis Abeba. De man en vrouw werkten in de keuken en ontfermden zich over het huishouden. Zij hadden Maskarem verteld dat de familie Howard de laatste tijd met hun gasten alleen nog sprak over de droogte en het gebrek aan daadkracht van de regering, die niets deed om te voorkomen dat er meer mensen de hongerdood stierven. En over de intenties van de militairen. In de berichtgeving was daarvan echter niets te merken. De gezinnen schaarden zich rond de radio, maar die meldde niets over wat er gaande was.

Het regende. Al weken lang regende het onophoudelijk en de straten waren in modderpoelen veranderd. Weinig straten waren geasfalteerd. In het regenseizoen ging alles veel trager. De poten van de ezels zonken weg in de modder waardoor ze met moeite vooruitkwamen. De mensen liepen ook langzamer onder hun paraplu's. Ze keken goed waar ze liepen, ontweken plassen en vermeden modder zodat ze niet uitgleden en hun schoenen onnodig vuilmaakten. In de stad zag je niemand met laarzen zoals de boeren op het land, ook al waren de straten bijna net zo onbegaanbaar als de wegen buiten de steden. Het hoorde niet. Sintayehu begon steeds over de leeuwen van de keizer die hij gevangenhield in kooien in de paleistuinen. Hij bleef erop aandringen dat hij ze wilde zien, en Solomon verzekerde hem er keer op keer van dat dat onmogelijk was. De keizer voerde de dieren zelf. De bedienden van het paleis schikten het vlees op zilveren dienbladen en hij wierp het tussen de tralies van de kooien door.

'Vlees op zilveren dienbladen? Als ik dat aan mijn vader vertel, springt hij uit zijn vel van woede', zei Sintayehu.

'Waarom?'

'Weet je dan niet dat er duizenden mensen doodgaan van de honger? Ze liggen te creperen naast bomvolle graanschuren, omdat de rijkdom niet eerlijk is verdeeld!'

Ze kwamen bij Sintayehu's huis en Solomon liep bijna zonder gedag te zeggen verder, bergopwaarts naar Entoto. Sintayehu sprak als een volwassene, hij herhaalde alles wat zijn vader zei en Solomon wist daar nooit iets tegenin te brengen.

'Wat denkt u dat er gaat gebeuren?' vroeg Maskarem haar vader juist toen Solomon het huis inliep. Hij had net zijn met modder besmeurde schoenen uitgedaan.

'Ik weet het niet. Echt ik zou het niet weten. Alles gaat zo snel ...'

Solomon ging aan de houten tafel zitten zonder ook maar één woord van het gesprek tussen zijn vader en zussen te missen. Buiten regende het nog steeds.

'Hebben ze iemand van het personeel meegenomen?'

'Ik weet het niet ... Waarom zouden ze dat doen? We werken in het paleis, meer niet. De *sera bet** zijn de beste koks van de keizer, we hebben jarenlang de heerlijkste gerechten bereid ... Wij hebben niets verkeerds gedaan!'

'Wat gaat er zo snel? Wat is er aan de hand?'

'Dat zijn paleiszaken, Solomon, gewoon dingen van het paleis ...'

'Wat voor zaken, papa?'

De man keek naar zijn jongste zoon. Hij was niet meer zo klein.

'De militairen pakken ministers en hoogwaardigheidsbekleders op en de keizer doet niets ...' antwoordde zijn vader, die er vreselijk vermoeid uitzag en ouder leek dan hij in werkelijkheid was. 'Als jullie zouden zien wat voor bende het in het paleis is! Overal slapen hoogwaardigheidsbekleders die hun toevlucht in het paleis hebben gezocht.'

'En niemand zegt er iets van?'

'Wie moet er iets van zeggen? Het zijn ambtsdragers en als Zijne Excellentie het goedvindt ... Soms zijn er borden te kort en is er niet genoeg te eten. Dan worden ze kwaad, roepen de bediening en de koks erbij en vragen of we soms aan de kant van de opstandelingen staan. Ze zeggen dat we ze niet goed bedienen!'

De drie kinderen luisterden aandachtig naar hun vader. Als hij even zweeg, hoorden ze de regen op het dak kletteren.

'Soms blijft er eten over ... Dan krijgen we op onze kop en zeggen ze dat we geen maat weten te houden. Het is een nachtmerrie. Ik weet niet hoe dit gaat aflopen.'

Begin augustus waren de ochtenden altijd nevelig en fris. Maar deze maand leek het erger dan anders. De mist was dik en trok pas laat op de dag op om voor het donker werd terug te keren. De hemel was bijna niet zichtbaar en de stad aan de voet van de berg evenmin. Alles stond blank en het water stroomde langs de wegen of baande zich woest een weg naar de beekjes van het eucalyptusbos. Ogenschijnlijk ging het leven in de stad gewoon zijn gangetje toen Solomon de berg afdaalde en het eucalyptusbos en de grazende kuddes achter zich liet. De mensen gingen naar de markt om inkopen te doen of om spullen te verkopen, kinderen zaten achter elkaar aan of speelden op hun blote, modderige voeten met een bal. Ze hoefden niet naar school, omdat het vakantie was. Maar niets was meer hetzelfde, sinds een minister woedend naar de keuken was gekomen en al het keukenpersoneel de laan had uitgestuurd omdat hij niet had gekregen waar hij om had gevraagd. Zijn vader was een van de ongelukkigen.

Steeds vaker gingen steeds meer studenten de straat op, demonstraties waren aan de orde van de dag.

'Het land gaat ten onder aan corruptie!'

'Weg met de tirannie! We zijn die loze beloften zat!'

'Meret le arashu!'

De dagelijkse betogingen gingen gepaard met geweld en veel lawaai. De studenten gooiden stenen naar de ramen van de officiële gebouwen en juichten elke arrestatie van intimi uit de keizerlijke kring door de militairen toe.

'Is dit je broer?' vroeg een grote, stevig gebouwde, blonde man met blauwe ogen bij de ingang van een vrijstaand huis dat omgeven was door een tuin. Er hing een schommel aan een boom. Nog nooit had Solomon een man gezien met die kleur ogen en hij keek hem nieuwsgierig aan. Zo'n prachtige, verzorgde tuin vol bloemen had hij ook nog nooit gezien.

'Ja, dit is Solomon', antwoordde Maskarem.

'Hallo, Solomon. Ik ben Peter', zei de man en gaf hem een hand. 'Ik heb gehoord dat je heel goed kunt tekenen. Helaas zijn mijn kinderen en Jane er niet. Ik weet zeker dat ze je graag hadden ontmoet. Kom binnen, alsjeblieft', zei de man en haalde een hand door Solomons korte kroeshaar. 'Mijn vrouw heeft de kleren klaargelegd die genaaid moeten worden. Ik zal ze even halen. Willen jullie iets drinken? Een glaasje water? *Kolo*•?'

'Nee, dank u. Ik kom alleen de kleren halen.'

Peter Howard verdween door een deur.

'Hoe kan hij zulke blauwe ogen hebben? Is dat soms een ziekte?'

'Sst. Niet zo hard!'

'Maar waren zijn ogen al blauw of zijn ze hier blauw geworden?'

'Farangi's hebben allerlei kleuren ogen. Daar worden ze mee geboren.'

'Echt waar? Heb je dat gezien? Wat voor kleuren dan?'

'Blauw, groen ... Ik weet het niet, Solomon. Hou je mond nu maar, hè.'

Het huis stond vol met allerlei spullen. Maskers, kleden, aardewerken kannen en houten beelden. Achter in de kamer nam een boekenkast de hele wand in beslag. Overal lagen boeken en stonden ingelijste foto's. Een zwart-witfoto van een meisje en een jongen die lachend op een ezel zaten. Het jongetje zat voorop en het meisje had haar armen om zijn middel geslagen.

'Alsjeblieft, de kleren. Jane zei dat er geen haast bij was', zei Peter Howard opgewekt, toen hij met de stapel naaigoed de kamer binnenkwam. 'Kijk, Solomon. Ik wil je iets laten zien. Weet je wat dit is?'

Solomon zag dat hij een steen in zijn hand hield. Uit de manier waarop hij hem liet zien, maakte hij op dat het een bijzondere steen moest zijn.

'Toen ik acht was, zo oud als jij nu, vond ik dit fossiel. Op mijn school in een buitenwijk van Houston in Texas waren ze bezig met stadsuitbreidingen. Zodra ik de kans zag, ging ik naar het terrein waar ze met de bouwmachines aan het graven waren en was ik urenlang op zoek naar fossielen zoals deze. Ik heb er heel veel gevonden. Weet je wat dit is?'

'Nee, meneer', bracht Solomon verlegen uit.

'Een bot van een bizon. Het is een versteend bizonbot. Weet je wat een bizon is?'

'Nee, meneer.'

'Dat dacht ik al. Rustig maar. Bizons zijn ... Wacht.'

Peter Howard liep naar de boekenkast achter in de kamer en pakte er een boek uit.

'Kijk. Dit dier is een bizon', zei hij en hij wees naar een kleurenillustratie in het boek. 'Die hebben altijd in mijn land geleefd, maar nu worden ze met uitsterven bedreigd.'

Solomon verliet het huis van de familie Howard met een bizonfossiel en een Amerikaans boek over flora en fauna in zijn handen. Hij had het gevoel dat hij twee schatten van onschatbare waarde bij zich had.

'Mag ik er nog eens heen?'

'Dat denk ik niet.'

'Maar waarom niet? Hij zei dat ik altijd welkom was.'

11 september kwam steeds dichterbij. Het was de eerste dag van het Ethiopische nieuwe jaar volgens de Juliaanse kalender. De mensen waren zenuwachtig. Ze waren niet opgewonden vanwege de vakantie of de voorbereidingen van de belangrijkste feestdagen van het jaar. Het was iets anders. Zelfs de hyena's leken onrustiger dan anders. Ze struinden langs de huizen op de heuvels van de Entoto op zoek naar eten. Iedereen was bang voor de hyena's. Mannen staken vuren aan rond de kerk en ze kauwden *khat** om wakker te blijven. Ze hielden de wacht om de zieltogende zieken te beschermen die het gevaar liepen ten prooi te vallen aan de hyena's. Iedereen die ooit een mens in doodsangst heeft horen gillen omdat hij wordt aangevallen door een hongerige hyena, wil die angstaanjagende kreten nooit meer horen. De khat was niet alleen een stimulerend middel, het onderdrukte ook de honger.

De velden waren bedekt met een geel kleed van *adei abeba**, de wilde bloemen die het nieuwe jaar aankondigden na het regenseizoen. Ze groeiden overal en creëerden een explosie van geel.

'... met zijn tweeëntachtig jaar is hij niet in staat aan al zijn verplichtingen te voldoen ... Zijne Majesteit Haile Selassie I is onttroond op 12 september 1974 en de Derg• neemt de macht over. Ethiopië boven alles!'

'Zet alsjeblieft de radio uit, Maskarem!'

Maskarem die naast het apparaat zat te naaien, deed wat haar vader haar vroeg en de stilte maakte zich meester van de kamer. Het leek alsof de tijd stil was komen te staan.

'Hoe kunnen ze zeggen dat ze de keizer hebben afgezet omdat hij te oud was om nog langer te regeren? Hoe durven ze hem aan te raken? De keizer komt vlak na God, daarom heeft hij zo veel jaren in goede gezondheid geleefd!'

In stilte hoorden de drie kinderen de uitroepen en jammerklachten van hun vader en ze wisten niet wat ze moesten zeggen. Ze konden zich niet herinneren hem ooit zo opgewonden en boos gezien te hebben als op die dag na Nieuwjaar. Ze wisten niet wat ze ervan moesten denken. Waarom gingen zo veel jonge mensen de straat op om te demonstreren, te eisen dat het land voor de mensen was die het bewerkten en te vragen of er een einde aan de honger kon komen als de keizer zo goed was als hun vader zei?

'Het is een staatsgreep. Wie zijn er trouw aan de kroon? Die militairen van de Derg willen alleen macht, die zijn aan niemand trouw.'

'Wees blij dat u niet in het paleis was. Wees blij dat ze u de laan uit hadden gestuurd.'

'Hoe kun je dat zeggen, Maskarem? Ik zou het een eer hebben gevonden als ik de keizer tot op het laatste moment had mogen dienen. Hij heeft de slavernij afgeschaft, elektriciteit gebracht ... Hij was een moedig man. Hij heeft Mussolini getrotseerd en hij heeft ons door niemand laten koloniseren. De Italianen hebben het geprobeerd, maar zijn er niet in geslaagd.'

Buiten blaften honden.

'Ik kan werk zoeken', zei Aster plotseling. 'Twee meisjes uit mijn klas zijn van school af gegaan om te gaan werken.'

'Nee, meisje. Je moeder heeft me laten beloven dat jij en Solomon zouden studeren. Ze zou het vreselijk vinden als jij hetzelfde deed als zij ... met school stoppen voor je je diploma hebt ... Ik ben degene die werk moet zoeken.'

Vanaf die dag heeft Solomon zijn vader nooit meer zien lachen. Sinds de dood van zijn vrouw was hij al een verdrietige, ernstige en wantrouwende man geworden, maar nu was hij dat in het kwadraat. Hij zat uren voor het zwartwitportret van zijn vrouw. Solomon kende elk detail van die foto. Hij had er vaak voor gezeten, in stilte sprak hij met haar. Hij kende niemand zoals zijn moeder. Ze was zwijgzaam en observerend, maar toch vulde haar aanwezigheid het huis en gaf het leven en kracht. Hij had nog nooit een vrouw ontmoet met zo'n tatoeage op haar voorhoofd. Ze had hem uitgelegd dat haar moeder dat met een dunne naald had gedaan, toen ze nog klein was. Ze herinnerde het zich niet meer zo goed, maar ze hadden haar verteld dat ze niet had gehuild. In de bergen ten noorden van Gondar werden bijna alle meisjes op hun voorhoofd getatoeëerd. Elke tatoeage had een betekenis, het was een symbool van schoonheid en gaf aan bij welke familie je hoorde. Van sommige vrouwen was de hals ook getatoeëerd, alsof ze altijd drie of vier blauwe halskettingen droegen. Die tatoeages brachten de vrouwen bij elkaar aan.

De eerste maanden van de revolutie bleven de straten van Addis Abeba het decor van veel betogingen. Sommigen steunden de nieuwe militaire regering, anderen eisten dat die juist aftrad. Er waren ook betogers die eisten dat het fortuin van de keizer onder de bevolking werd verdeeld of dat de werkelijke cijfers van zijn rijkdom werden bekendgemaakt.

Solomon liep niet meer samen met Sintayehu naar school. Hij stormde alleen de heuvels van de Entoto af en rende verder door de straten van de stad naar zijn school in de wijk Shiro Meda.

'Door jouw schuld heb ik de leeuwen van de keizer niet gezien. Ik wil je vriend niet meer zijn!' had Sintayehu woedend tegen hem geroepen.

'Dat was niet mijn schuld! Bovendien is je vader militair en je oom ook. Ik wil niet eens je vriend meer zijn!'

Sintayehu was vaak betrokken bij vechtpartijen, zowel op school als op straat. Even dacht Solomon dat hij zich op hem zou storten en hem zou slaan, krabben, schoppen en zijn overhemd zou stukscheuren zoals hij hem zo vaak had zien doen bij anderen. Maar Sintayehu keek hem alleen aan, zonder iets te zeggen. Hij draaide zich om en liep in tegengestelde richting weg.

Wanneer Solomon van school thuiskwam, trof hij zijn vader soms op dezelfde plek aan als waarop hij hem die ochtend had achtergelaten. Zittend voor de deur, starend in het niets.

'Ze hebben hem vermoord. Ik weet zeker dat ze hem hebben vermoord', herhaalde zijn vader alsmaar weer. 'Ik begrijp niet waarom ze een oude man die door iedereen werd bewonderd en gerespecteerd, moesten vermoorden.'

Die dagen praatte men over niets anders dan de dood van Haile Selassie en een vijftigtal ambtenaren. Solomon kon zich niet indenken hoe het land zonder koning zou zijn, het was onmogelijk dat men in Ethiopië zonder keizer kon leven.

In zijn wijk ging het leven gewoon verder. Zoals alle ochtenden vertrokken de vrouwen vroeg van huis om water of hout te halen. Bij het krieken van de dag vulden de wegen en de paden op de heuvels van de Entoto zich met vrouwen van alle leeftijden die waterkruiken of bundels hout op hun hoofd of op hun rug sjouwden. Als het sjouwwerk klaar was, gingen ze voor hun huis erwten en linzen vermalen met een steen in een stenen mortier. Met langzame, krachtige bewegingen stampten en wreven ze de droge peulvruchten fijn. Anderen stampten tarwe fijn in houten vijzels met stokken die boven hen uitstaken. Toch was alles anders. Iedereen was bang. Solomon had de buren horen zeggen dat er jongemannen waren verdwenen, studenten van de universiteit. Een neef of een bekende ... De militairen patrouilleerden op elk uur van de dag met open jeeps, een mitrailleur in de laadbak. Ze reden altijd hard. Regelmatig stopten ze 's nachts voor huizen, dan stapten een paar soldaten uit, trapten de deur in en lichtten de verdachten of leden van het oude regime uit hun bed. Ze namen ze met veel geweld, blootsvoets en zonder documenten mee. De familie durfde niet te protesteren en keek de wegscheurende jeep na. Honden blaften, verder was er niets te horen.

De autoriteiten gaven bevel tot fouilleringen. Overal. Om wat voor reden dan ook. In iedereen kon een vijand schuilen. Aan de lopende band werden mensen staande gehouden en gefouilleerd. Er hing een continu gevoel van dreiging in de lucht. Solomon begreep niet wat het woord 'foltering' betekende. Zodra de vrouwen daarover spraken, begonnen ze te fluisteren en kon hij de rest van het verhaal niet meer volgen.

'Ze hadden hem drie weken in zijn huis opgesloten. Ze waren vast naar zijn huis gegaan omdat een oude kennis hem had verraden. Hoe zouden ze hem anders op het spoor zijn gekomen?'

'Ze hadden hem de stad uit moeten sturen, naar familie. Of naar Bahar Dar of naar Gondar.'

Alles was verwarrend. Iedereen vertelde angstaanjagende verhalen, verhalen over jongeren die zich verstopten om niet te worden opgepakt, gemarteld en of te worden vermoord. Verhalen van families die werden verteerd door angst, omdat ze een kind moesten verbergen, of door verdriet, omdat ze een of meer zonen hadden verloren.

Elke ochtend lagen er lijken op straat. Familieleden van mensen die 's nachts niet waren thuisgekomen, renden door de straten om te kijken of een van de levenloze lichamen hun dierbare was. Met officiële vrachtwagens werden de lichamen opgehaald en naar het mortuarium gebracht. Daar stonden familieleden in de rij om de 25 birr te betalen die de militairen vroegen voor het ophalen van de doden en het regelen van een waardige begrafenis. Lichamen die na twee dagen door niemand waren opgeëist en waarvoor geen 25 birr was betaald, werden aan de rand van Addis Abeba gedumpt waar ze een feestmaal vormden voor hyena's en gieren.

Hoezeer de komst van het nieuwe jaar ook veel veranderingen had ingeluid, op school bleef alles bij het oude. Alleen werd er niet meer voor de aanvang van de les het volkslied gezongen op het binnenplein onder de vlag. Op een dag had Solomon 's middags vrij van school. Hij ging met zijn vader mee boodschappen doen aan de andere kant van de stad. Hij kon zich niet herinneren ooit in die buurt te zijn geweest. Ze stapten in een bus vol zwijgzame mensen met bundels en pakjes. De vrouwen hadden hun haar en een deel van hun gezicht bedekt met een witte netela. Veel mannen droegen een witte *gabi**. Ze keken elkaar wantrouwend aan. Achterin waren nog twee plaatsen vrij. Een kudde ezels beladen met zakken stak de weg over. Die waren vast op weg naar de markt waar de spullen verkocht zouden worden. *Teff*• of misschien zout uit Afar dat met een kamelenkonvooi was aangevoerd. Solomon keek hoe de twee herders de kudde ezels zonder ongelukken naar hun eindbestemming leidden, toen de bus plotseling remde en hij tegen het raam aan viel. De buschauffeur deed de deur open en drie mannen met zonnebril en een knuppel in hun hand stapten in. Ze bleven bij de chauffeur staan en keken vorsend naar de stille passagiers alsof ze naar iemand op zoek waren.

'Jij, daar. Sta op! En jij ook!' schreeuwde een van de mannen naar twee passagiers die goedgekleed waren. Uitdagend richtten ze hun knuppel op de zakken van de twee reizigers en ze gebaarden dat ze die moesten legen. Ze gristen het geld, hun documenten en hun horloge uit hun handen en met dezelfde zelfverzekerdheid als waarmee ze waren ingestapt, stapten ze uit de bus. De chauffeur trok op alsof er niets was gebeurd. De controles waren aan de orde van de dag. Niemand wist precies bij wie het gezag lag om te controleren en te fouilleren. Dat kon bij het leger of bij de politie zijn.

'Ze hebben gelukkig niemand mishandeld!' zei een oudere man die voor Solomon zat, zachtjes. 'Laatst moesten we allemaal uitstappen en degenen die weigerden hun geld af te staan, werden met knuppels afgeranseld. Ik geloof dat er toen zelfs iemand is omgekomen.'

Solomon beefde als een rietje.

De meeste mensen die in het paleis hadden gewerkt, maar ook de familieleden van de keizer, waren gefusilleerd. Van degenen die niet in de gevangenis waren gegooid, was er een aantal naar het buitenland gevlucht en anderen hielden zich verborgen in de bergen in het noorden of leefden verkleed als monnik in kloosters. De mensen die in Addis Abeba waren achtergebleven, probeerden zo veel mogelijk het toezicht en de controles van de militairen te ontduiken.

'Wat een geluk hebt u gehad dat die woedende minister u uit de paleiskeuken heeft weggestuurd!' was de laatste maanden een veelgehoorde uitspraak van Maskarem, ook al wist ze dat haar vader dat niet graag hoorde.

Solomon en Biniam zaten op een hoge rots. Vanaf dat punt hadden ze een prachtig zicht over de stad. De schapen, geiten en koeien die ze die dag mee naar boven hadden genomen, graasden vlakbij. Op de ruim drieduizend meter hoge top van de Entoto, omringd door stilte, leek het of er niets aan de hand was, dat het leven makkelijk en vredig was.

'Kijk, zo ziet het eruit', zei Solomon terwijl hij het fossiel van het bizonbot liet zien.

'Hoe weet je dat het een bot is? Misschien heeft hij dat verzonnen.'

'Begin jij nu ook al? Dat zei Sintayehu ook!'

'Zie je wel. Nu zijn er al twee mensen die denken dat die farangi je voor de gek heeft gehouden! Hoe kom je erbij dat die steen een bot van een koe is?'

'Van een bizon.'

'Dat is hetzelfde, van een Amerikaanse koe.'

'Omdat Peter Howard het heeft gezegd. Hij werkt in Afar waar hij fossielen opgraaft.'

'Hij heeft toch verteld dat hij hem had gevonden toen hij acht was? Hoe kun je nou op je achtste weten hoe een bizonbot eruitziet?'

De radio stond aan, zachtjes.

'De familie Howard vertrekt. Ze worden het land uitgezet', zei Maskarem en ze borg de kleren die ze aan het naaien was in een mand op.

'Worden ze Ethiopië uitgezet? Door wie dan?' vroeg Aster.

'Door de militaire regering, de Derg. Ik weet niet precies waarom, maar ze sturen heel veel buitenlanders die hier werken met een smoes weg', antwoordde Maskarem.

'Waar gaat de familie Howard heen?'

'Naar Londen. Ze willen niet terug naar de Verenigde Staten en de familie van mevrouw Howard woont in Engeland.'

Niemand zei iets. Solomon en Aster maakten hun huiswerk aan tafel en hun vader ging onverstoorbaar door met het in blikken te stoppen van het teff dat hij bij de molen had gehaald.

'Maar ik kom niet zonder werk te zitten. Maken jullie je maar geen zorgen', voegde Maskarem eraan toe.

Haar vader keek haar aan, terwijl hij het meel in een trechter van krantenpapier strooide.

'Ze hebben gevraagd of ik mee wil naar Londen.'

Solomon keek op van zijn schrift dat vol vermenigvuldigingen stond.

'Ze betalen een goed salaris en ik krijg een eigen kamer in hun huis. Ik moet voor de kinderen zorgen, ze naar school brengen, zorgen dat alles reilt en zeilt ... Zij regelen mijn papieren, een paspoort en visum. Eerlijk gezegd zijn ze daar al mee bezig. Ze staan bijna op het punt te ... Ik kon niet het juiste moment vinden om het jullie te vertellen ...'

Vader sloot een blik af met een deksel en tikte het langzaam dicht.

'Zo'n kans moet ik grijpen!'

'Wanneer willen ze vertrekken?' vroeg vader achteloos, alsof de vraag niet belangrijk was en al zijn aandacht werd opgeslokt door zijn bezigheid. Hij moest nog twee blikken vullen.

'Heel snel. Over zeventien dagen. Ze hebben al vliegtickets. Het spijt me. Ik moet dit doen. Ik weet zeker dat mama het zou begrijpen. Ik kan jullie geld sturen ...'

Aster deed het schrift dicht waarin ze zat te schrijven en bleef stil zitten. Ze keek naar haar zus alsof ze al besefte wat haar te wachten stond. Ze wist dat Maskarem de daad bij het woord zou voegen. Ze zou weggaan. En dan zou zij als enige vrouw in het huis achterblijven. Zonder zich te verroeren, voelde ze zich elke seconde ouder worden en drong het besef tot haar door dat de last van die verantwoordelijkheid weldra op haar schouders zou drukken.

Solomon stond op en rende het huis uit waarbij hij een stoel omverliep. Hij trok de deur niet achter zich dicht en rende de straat uit naar beneden, zijn zusters negerend die hem nariepen terug te komen. Een hond volgde hem tot hij moe werd. Tegen de avond rook het net als 's ochtend vroeg naar verbrand eucalyptushout; een sterke, doordringende geur. Hij bleef maar doorrennen zonder goed te weten waarheen, in de richting van de stad. Hij rende tot hij de stem van Biniam hoorde die hem riep en hij stopte vlak voor hem.

'Hé Solomon, waar ga je heen? Wat is er?'

Biniam liep juist omhoog. Hij ondersteunde een blinde, oude monnik die hem soms een birr gaf voor zijn hulp. De man droeg een groot, zilveren kruis in zijn rechterhand en met zijn andere hand hield hij Biniams arm vast.

'Je kunt beter naar huis gaan. Overal zijn soldaten en we hebben schoten gehoord ...'

'Dat kan me niet schelen. Ga opzij', zei hij hijgend.

'Maar Solomon, wacht ...'

Solomon gebaarde dat hij erlangs wilde om verder naar beneden te rennen, maar toen klonk van onder het witte kleed de zware stem van de kromgebogen en blinde man.

'Jongen, doe wat je vriend zegt. Ga terug naar huis.'

Stapje voor stapje keerden de drie samen terug naar boven. Ze zeiden niets tegen elkaar tot ze bijna bij de Entoto

Mariamkerk waren. Een aantal mensen kwam dichterbij en knielde voor de monnik. Ze kusten het kruis en vroegen om zijn zegen. Voor hij naar huis ging, knielde Solomon ook voor de blinde man die zijn hand door zijn korte kroeshaar haalde en met het zilveren kruis over zijn schouder streek. Zoals alle Ethiopische kinderen had Solomon geleerd oudere mensen zonder te klagen te respecteren en te gehoorzamen. En dat gold nog meer voor geestelijken.

'Ik weet niet waarvoor je op de vlucht bent, mijn jongen. Maar met naar beneden rennen los je niets op. Het leven is bergop en je moet sterk zijn.'

Jane Howard huilde op een stoel in de keuken. Maskarem was bezig de kleren op te vouwen die ze die ochtend had uitgehangen en legde ze op een stapeltje op de tafel zonder goed te weten wat ze moest zeggen. Overal in huis stonden kartonnen dozen vol boeken en spullen. De boekenwand was weer een gewone muur geworden. Peter Howards werkkamer, waar het altijd een puinhoop was met overal rondslingerende papieren, boeken, fossielen en gereedschap, was nu leeg. Alleen zijn bureau, stoel en lamp stonden er nog. Peter liep het vertrek in en uit en probeerde zijn vrouw met woorden te troosten. Ze spraken heel snel Engels waar Maskarem soms geen touw aan kon vastknopen. Maar het was duidelijk dat meneer Howard woedend op iemand was. Iemand die geen Ethiopiër was. Een andere farangi die aan hetzelfde onderzoek werkte als meneer Howard. Het had te maken met de ontdekking van dat vreemde, oude skelet waar iedereen de laatste maanden de mond vol van had.

'Zij willen dat ik wegga. Zij hebben de Derg zover gekregen om mij het land uit te zetten. Zij hebben me bij de militairen in een kwaad daglicht gesteld. Ik zit ze in de weg. Ze willen dat alles om hen draait. Ze denken dat Afar van hen is.'

'Maar we moeten hier weg, Peter. Hoe je het ook wendt of keert. Als je hier blijft, loop je gevaar', zei Jane. 'Alsjeblieft, doe het voor mij en de kinderen. Ik ben bang! Ik wil naar huis! Ik wil niet dat jou iets overkomt!'

'Ik ga mee vanwege jullie. Alleen vanwege jullie. En omdat de vliegtickets al zijn gekocht en we het ons niet kunnen veroorloven ze kwijt te raken ...'

Een immense leegte. Maskarem liet een immense leegte achter. Hun moeder was nog maar pas overleden na een kort ziekbed en de afwezigheid van de twee vrouwen was duidelijk merkbaar. Hun vader bleef thuis en ging naar de markt. Hij haalde teff bij de molen, hij deed zijn best de kleren schoon te krijgen of hij vroeg buurvrouwen ze te wassen in ruil voor geld. Maar die wilden meestal geen cent aannemen. Het waren vriendinnen van zijn vrouw geweest en zij misten haar ook. De kleren van haar gezin wassen, was de enige manier om de herinnering aan haar levend te houden. Hij maakte injera en diverse gerechten op bestelling. Hij stond bekend als een goede kok en zijn naam gonsde door de stad, vooral bij de families die bevriend waren geweest met de keizer en die vol heimwee terugdachten aan voorbije tijden.

'Sintayehu zei altijd dat koken vrouwenwerk was. En ik ken geen enkele man die thuis kookt. Behalve jij.'

'Die Sintayehu ... Vooruit, pak een mes en help me met aardappels schillen. Over een paar uur komen ze de bestelling al ophalen. Ze komen helemaal met de auto hierheen, dus het kan maar beter klaar zijn.'

'Had u geen werk in een hotel kunnen zoeken?'

'Denk je soms dat ik dat niet heb geprobeerd? Schiet op, aardappels schillen of anders ga ik Sintayehu halen om ons te helpen en dan staan we met drie mannen in de keuken.'

Aster glimlachte terwijl ze twee kippen kaalplukte die ze ze eerst in een emmer met kokend water had ondergedompeld zodat de veren makkelijker loslieten.

In de keuken stonden altijd grote bakken met water aangemengd teff te gisten. Na een paar dagen veranderde het in een witachtig beslag waarvan injera's gebakken werden. Met een kannetje haalde vader een kleine hoeveelheid uit de bak en goot die in een aardewerken, ronde schaal die op het houtvuur stond. De schaal was ingevet met een doek met sesamolie. Langzaam schonk hij het vloeibare mengsel spiraalsgewijs in de schaal, vanuit het midden maakte hij steeds grotere cirkels, waarbij het beslag stolde zodra dat in contact kwam met de hete bodem. Vervolgens dekte hij de schaal af met een ijzeren deksel in de vorm van een hoed. Met een houten pollepel lichtte hij een stukje van de gebakken injera op en zonder hem te breken haalde hij de 'pannenkoek' met een waaier van gevlochten riet uit de schaal. Er konden uren verstrijken voor al het gefermenteerde beslag was omgetoverd tot een stapel injera's die de basis voor elke maaltijd vormden.

Op de radio klonk de hele dag niets anders dan muziek die deed denken aan de *fukera**, krijgsmuziek die de stammen eeuwen geleden maakten tijdens een aanval, waarmee ze hun krijgers aanmoedigden en de tegenstanders angst aanjoegen. De militaire regering van Mengistu Haile Mariam had een lied bedacht in de stijl van de fukera dat 'Yefiyel Wetete' heette. Daarmee maakten ze de namen bekend van de mensen die die nacht waren geëxecuteerd of die die dag datzelfde lot zouden ondergaan.

'Stil. Het lied begint zo!' zei vader en hij zette de radio harder. Zodra de eerste noten klonken, hield iedereen in het land die zijn radio aanhad op met wat hij of zij aan het doen was en luisterde naar de namen die werden omgeroepen.

Mengistu was begonnen met een massale executiecampagne met de bedoeling zijn tegenstanders uit de weg te ruimen. Degenen die het overleefden, haastten zich om naar het buitenland te vluchten.

Op straat zag je steeds meer bedelaars en mensen zoeken naar iets eetbaars tussen de hopen afval. Steeds meer jonge vrouwen en meisjes in schooluniform verkochten zich voor minder dan een dollar bij de ingang van hotels in het centrum van de stad.

'Waarom is het in de rest van de wereld 1975 terwijl wij nog in het jaar 1967 leven?' vroeg Solomon aan zijn vader.

'Ethiopië is een ander land.'

'Maar waarom gebruiken wij niet dezelfde kalender als de rest van de wereld? Waarom telt ons jaar dertien maanden en begint Nieuwjaar bij ons op 11 september?'

'Omdat wij anders zijn.'

'Ik begrijp niet waarom wij anders moeten zijn en wij een andere klok hebben. Waarom zeggen wij dat het hier vier uur is, terwijl elders de klokken tien uur aangeven?'

'Als je doorleert, kom je er vanzelf achter.'

'Leren, leren ... Hoe meer ik leer, hoe minder ik begrijp wat er aan de hand is. Denkt u dat ze onze school ook gaan sluiten? Soms gooien kinderen stenen door de ruiten ...'

Somalië eiste meer dan driehonderdduizend vierkante kilometer grond op van Ethiopië in de regio Ogaden. Het buurland streefde naar een 'Groot-Somalië' en wilde de Somaliërs die in Somalië, Ethiopië, Djibouti en Kenia leefden bij elkaar brengen. Het Ethiopische leger was alvast begonnen te vechten en het verdedigde de grenzen, in afwachting van versterkingen uit landen die bondgenoten waren van de Derg. Als die niet kwamen opdagen, zou het zeker een nederlaag lijden.

'Alsof een oorlog met Eritrea nog niet genoeg was ... Nu hebben we ook oorlog met Somalië.'

De radio stond altijd aan. Voortdurend klonk er marsmuziek, afgewisseld met nieuws over wat er in het land gebeurde, dat in bedekte termen werd meegedeeld, zonder in details te treden. De mensen leefden in absolute onzekerheid en angst. De angst had zich als een olievlek over het hele land verspreid.

'Hebben jullie het al gehoord?'

'Wat?'

'Ze roepen alle mannen die het vaderland willen dienen op in het leger te gaan. De soldij is verhoogd.'

'Wilt u in het leger vechten?' riep Solomon uit. 'Maar u hebt altijd geroepen dat u niets moest hebben van militairen.'

'Ik hou ook niet van militairen ... Maar ik heb geen andere keuze.'

Zijn vader zei niet veel meer. Een paar dagen later vertrok hij naar een voorbereidingskamp. Hij was veranderd in een introverte, gesloten man. Het was moeilijk om met hem te praten en erachter te komen wat er in hem omging. Hij ging weg en liet Solomon en Aster alleen achter op de heuvels van de Entoto.

'Maar wat heb jij je hele leven gedaan? Heb je nooit geleerd met een wapen om te gaan? Je coördinatie laat ook te wensen over!' zei een wanhopige officier tegen de man die duidelijk niet geschikt was om te vechten in het leger.

'Ik werkte in huis bij farangi's, diplomaten, meneer', antwoordde hij en hij verzweeg dat hij een van de keizerlijke koks was geweest.

'Wat deed je dan? Was je de tuinman en zorgde je voor zijn belachelijke bloemen', lachte de officier schamper.

'Nee, meneer. Ik was kok.'

'Kok? Wat een grap. Dat is toch vrouwenwerk. Zeg maar niets meer', de officier en twee soldaten die het gesprek volgden, kwamen niet bij van het lachen.

'Meneer, ik wil niet brutaal zijn, maar het detachement van Ogaden heeft slechts vijf kokkinnen. Vijf oude vrouwen die vele monden moeten voeren ...' merkte een van de soldaten op.

De officier keek Solomons vader misprijzend aan.

'Dat is dan opgelost. Aangezien je al vrouwenwerk deed, ga je nu voor ons allemaal koken. En wee je gebeente als je hebt gelogen en je injera niet te eten is! We sturen je zonder schoenen naar het front zodat de Somaliërs kanonnenvoer hebben!'

Overal waar je keek, hing mist. De bossen op de berghellingen van de Entoto waren gehuld in een dikke nevel die tussen de lange eucalyptusbomen hing en zich vermengde met de geur van het vochtige, gehakte hout dat overal lag opgestapeld. Solomon liep. Zonder vader, zonder moeder, zonder zijn oudste zus. Hij liep gedesoriënteerd, zoals zo veel kinderen die net als hij dag in dag uit kilometers en kilometers liepen. Hij liep en rende zonder te weten wat voor schokkende gebeurtenissen hem voorbij de mist te wachten stonden.

Kolpewadi, Indiase staat Maharashtra, 1974

Muna liep langs een akker, haar voeten zakten weg in de warme aarde. De lemen huizen met een dak van palmbladeren waren nog steeds ver weg en de monotonie van het landschap werd slechts onderbroken door een paar lange, slanke palmbomen. Het was stil. Je hoorde alleen haar voetstappen en de geluiden van gieren die zich te goed deden aan het kadaver van een buffel.

Het was warm, de hitte was drukkend, de moesson liet te lang op zich wachten. Een paar ossen met lange hoorns ploegden het land. Muna kwam terug van de put en liep langs de bewerkte akkers met een grote messing kan vol water op haar hoofd die ze zo nu en dan ondersteunde met een hand, maar soms ook helemaal losliet. Ze liep met een kaarsrechte rug, zoals haar als jong meisje was geleerd. Muna dacht dat ze elf was, maar ze wist het niet zeker. Ze droeg een *salwar kameez*• die ooit roze was geweest, maar nu een onbestemde kleur had. Haar zwarte haar lag in een lange vlecht op haar rug. De stof plakte op haar bezwete huid en als ze de transpiratie wegwiste, bleef er een zwarte veeg achter.

Zodra ze het water thuis had neergezet, moest ze weer op pad naar de rivier met een bundel sari's en vies wasgoed. Daar wachtte Sonali haar op, de vrouw van haar oom Suresh, een van de jongere broers van haar vader. Samen deden ze de was. Muna was bij hen ingetrokken na de geboorte van hun zoon die nu een paar maanden oud was. Ze moest water halen, vers gras voor de koeien plukken, kleren wassen in de rivier, hout sprokkelen, het vuur aanmaken en brandend houden zodat erop gekookt kon worden, en ze stak de olielampen aan als de avond viel ... Ze zat geen minuut stil. Ze werd wakker zodra het licht werd en als de avond viel, ging ze slapen, opgerold op een kleed op de grond in het kleine, lemen huisje met ramen zonder glas dat aan de rand van Kolpewadi stond. Ze was pas elf jaar en ze was nu al moe.

Op haar weg naar de rivier, blootsvoets sjokkend door die brandende, zachte aarde met de bundel kleren op haar hoofd, kon ze alleen maar aan Sita• denken. Haar geliefde Sita op schoot bij een vrouw in vreemde kleren, helemaal wit met een soort afgezakte tulband op haar hoofd, in een jeep die wegreed over de stoffige weg. Alles was heel snel gegaan. Sita was meegenomen zonder dat ze besefte wat er gebeurde. De jeep verdween in de verte en liet Muna alleen achter, huilend, starend naar de stofwolk die de auto had veroorzaakt, totdat ook die langzaam was verdwenen en de weg weer even verlaten, vlak en droog werd als altijd. Sita had ze daarna niet meer gezien. Dat was nu ongeveer drie jaar geleden, maar ze herinnerde het zich nog als de dag van gisteren. Nog kreeg ze tranen in haar ogen als ze terugdacht aan haar kleine zusje, aan alle uren die ze samen met haar had doorgebracht, haar verzorgend vanaf het moment dat ze ter wereld was gekomen.

Ze herinnerde zich nog goed de dag dat Sita werd geboren. Haar moeder lag wijdbeens schreeuwend op de grond in het huis waar ze woonden. Een vrouw zat achter haar en hield haar op de grond, twee anderen hielden haar armen vast en probeerden haar te kalmeren, terwijl andere vrouwen af en aan liepen met schalen met warm water en doeken, steeds meer met bloed doordrenkte doeken.

'Ritu, werk een beetje mee. Pers! Harder!' schreeuwde een vrouw.

'Vooruit, iets harder, Ritu. Ritu, doe wat we zeggen!'

Muna had alles vanuit een hoekje gadegeslagen, angstig en ongerust. Een bang meisje van vijf jaar dat zich vertwijfeld afvroeg wat er aan de hand was met haar moeder die zo schreeuwde, en tegelijkertijd verbaasd was dat mensen op dezelfde manier bevielen als koeien. Vlak voor ze haar zusje geboren zag worden, was ze getuige geweest van de geboorte van een kalfje.

Hoewel ze nog jong was, had Ritu een zwakke gezondheid en herstelde ze niet van haar tweede bevalling. Na Sita's geboorte werd ze ziek. Ze had hoge koorts en lag de hele dag in het bed dat de enige ruimte van het kleine huis bijna helemaal in beslag nam. Haar man negeerde haar. Zijn dochters schonk hij evenmin aandacht. Hij heette Anjaney en hij was nooit over de dood heen gekomen van zijn eerste vrouw van wie hij zielsveel had gehouden. Hij was zijn ouders altijd dankbaar geweest dat ze een vrouw als haar, zijn Namrata, voor hem hadden gevonden en voor hem had een leven zonder haar geen zin.

Hij had zich op zijn werk gestort, en zijn koeien en grond hadden genoeg opgeleverd om de vijf kinderen die hij met Namrata had gekregen te eten te geven. Zijn kinderen trouwden stuk voor stuk en gingen het huis en hij besefte dat hij het alleen niet redde en dat hij een vrouw moest zoeken. Precies rond die tijd nam een familie die een beeldschone, maar niet zo gezonde dochter hadden, contact met hem op. Ze waren bereid een behoorlijke bruidsschat te geven aan de toekomstige echtgenoot. Ze heette Ritu en had dezelfde leeftijd als zijn oudste dochter. Deze mooie kans kon hij niet aan zijn neus voorbij laten gaan. Anjaney en Ritu kregen kort daarna hun eerste dochter: Muna. Ritu had haar hele zwangerschap gehoopt dat ze een jongetje zou krijgen, net als alle andere vrouwen in India. Negen maanden fantaserend over de feesten en de ceremoniën die de geboorte van een erfgenaam aankondigde, negen maanden biddend tot de goden dat het geen meisje zou zijn. De geboorte van een meisje werd als een ramp beschouwd. Sommigen meenden dat het een slecht voorteken voor de familie was. Familieleden en buren kwamen bedroefd naar het huis en wensten de nieuwe ouders 'de volgende keer meer geluk'. Een meisje werd gezien als een last tot je haar had uitgehuwelijkt. Het duurde lang voor Ritu weer zwanger werd. Uiteindelijk werd Sita vijf jaar later geboren.

De *puja's*• en de smeekbeden aan de goden hadden ook deze keer niet geholpen, weer was het een meisje. Een buurvrouw die bij de bevalling was geweest, had gesuggereerd de baby meteen in een emmer water te verdrinken. Op het platteland werden veel pasgeboren meisjes onmiddellijk geofferd voor ieders bestwil. Maar Nadira, de oudste dochter van Ritu's man, had daar een stokje voor gestoken.

Nadira en Ritu waren goede vriendinnen geworden. Nadira vond het niet erg dat Ritu haar stiefmoeder was, ook al waren ze even oud, en Ritu maakte het niet uit dat Nadira de dochter was van Namrata, de eerste vrouw van haar man die door iedereen enorm werd gemist. Nadira had twee maanden voor de geboorte van Sita het leven geschonken aan een zoon: Raj. Van beide vrouwen was de buik tegelijkertijd dikker geworden.

Ritu's gezondheid ging achteruit. Muna omhelsde haar moeder die bijna niet meer buiten kwam, en nam daarna haar huilende zusje in haar armen en troostte haar. Ritu gaf steeds minder melk en de kleine Sita was mager en zwak.

'Nadira,' zei Ritu tegen haar vriendin, 'ik heb het gevoel dat ik aan het doodgaan ben ...'

'Stil, Ritu, je moet rusten ...' antwoordde Nadira en ze pakte Sita op die naast haar zieke moeder op bed lag. De hongerige baby begon troosteloos te huilen in Nadira's armen. Ze had honger.

'Ik ben uitgeput. Ik kan de pijn niet langer verdragen ...'

De kleine Sita bleef huilen en Nadira bedacht zich geen twee keer. Ze ging naast het bed van Ritu zitten en schoof haar korte bloes die ze onder de sari droeg omhoog en bracht het kleine meisje naar haar borst. Sita zoog zich vast, alsof ze aanvoelde dat dit haar enige kans op overleven was. Ritu keek vanaf haar bed toe.

'Nadira, als ik sterf, wil je dan alsjeblieft voor mijn twee kinderen zorgen?'

Die middag stierf Ritu met haar hoofd in Nadira's schoot terwijl de twee baby's, Sita en Raj, rustig in een hoekje van het huis lagen te slapen. Muna die ondanks haar vijf jaar al heel goed besefte wat er om haar heen gebeurde, kwam zonder geluid te maken binnen en ging naast Nadira zitten. Ze keek naar haar moeder en vroeg: 'Slaapt ze?'

'Ja, Muna. Je moeder is ingeslapen, deze keer voorgoed, denk ik.'

Muna ontpopte zich tot de beschermster van haar kleine zusje. Ze droeg haar altijd op haar rug, gewikkeld in een doek, terwijl ze met het huishouden hielp. Als de baby huilde omdat ze honger had, ging Muna snel naar Nadira zodat die haar de borst kon geven. Nadira was levenslustig en had een goede, vriendelijke en vrolijke man: Pratap. De twee deden er alles aan om te zorgen dat zowel Raj als Muna en Sita niets tekortkwamen. Ze werkten op twee akkers en ze verkochten melk aan de buren die geen koeien hadden. Ze waren arm, maar desondanks gelukkig.

Anjaney werd vlak na de dood van Ritu ziek. Hij had last van opgezette benen en kon niet meer opstaan. Gelukkig woonden Nadira en Pratap dichtbij, ze hoefden alleen een veld over te steken om naar zijn huis te gaan. Anjaney werd steeds zwakker tot Nadira op een dag rijst met groenten kwam brengen en hem dood aantrof in bed. Ze verbrandden zijn lichaam op hetzelfde stuk land als waar ze Ritu een paar maanden eerder ritueel hadden gecremeerd. Daar hadden ze ook een aantal jaar geleden Namrata's as uitgestrooid.

'Maak je geen zorgen, Muna', zei Nadira haar over haar wang strelend. 'Van nu af aan wonen Sita en jij bij ons.'

Nadira en Pratap waren nog heel jong en ze zagen er als een berg tegenop om over de toekomst na te denken. Ze hadden die twee meisjes geadopteerd en hielden van hen alsof het hun eigen vlees en bloed was. Bovendien had Nadira haar vriendin beloofd voor hen te zorgen.

Het lemen huis was heel klein en was zo goed als leeg. Ze sliepen allemaal bij elkaar op de grond. Muna's grootste zorg was Sita. Vanaf het moment dat haar zusje 's ochtend met honger wakker werd tot ze haar 's avonds naar bed bracht en haar in slaap wiegde met een slaapliedje. Ze waste haar, voerde haar het eten dat Nadira klaarmaakte en sjouwde haar op haar rug overal heen. Ze volgde het voorbeeld van Nadira en moederde over Sita. Een meisje dat moedertje speelde. Ze zag hoe de baby groeide en snel veranderde, hoe ze woordjes herhaalde en hoe ze leerde lopen.

Zo verstreken er bijna drie jaar. Het leven was niet makkelijk. De regen liet op zich wachten en op de akkers groeide niets goeds. En Nadira was weer zwanger, ze stond op het punt te bevallen.

Op een dag kwam Prataps vader langs. Hij was vast van plan zich met het leven van zijn zoon te bemoeien. Het was een autoritaire man die gewend was de baas van het gezin te spelen en voor anderen te beslissen wat het beste voor hen was.

'Maar zien jullie dan niet dat Raj veel te mager is?' schreeuwde hij.

'Mager? Het is een gezonde jongen.'

'Het is genoeg geweest, Pratap! Wat denken jullie wel? De goden hebben jullie wens verhoord en jullie een gezonde jongen geschonken. En dan brengen jullie zijn gezondheid in gevaar door het weinige eten dat jullie hebben, te delen met twee ongewenste meisjes! Snap je niet wat het inhoudt om verantwoordelijk te zijn voor vier kinderen? Sta je er soms niet bij stil dat jullie op een dag een bruidsschat moeten hebben voor die twee meisjes? Hoe willen jullie daaraan komen?'

'Dat duurt nog een tijd, vader. Het zal steeds beter met ons gaan. U zult zien ...'

'Wat?' antwoordde de man die zich steeds meer opwond. 'Geen sprake van! Ik wacht het niet langer af. Zijn jullie soms gek geworden? Alles op zijn tijd! Straks krijg je een dochter en wat dan? Ik wil het niet meer horen!'

De discussie tussen Pratap en zijn vader, en met Nadira, die zich er ook een beetje mee durfde te bemoeien, duurde lang. Tenminste dat gevoel had Muna die naar hen luisterde vanuit een hoekje, met haar rug tegen de muur, alsof ze verlamd was.

'Genoeg! Nu is het genoeg! Die twee meisjes zijn een last. Ze kunnen niet bij jullie in Shaha blijven wonen. Jullie hadden allang een andere oplossing moeten vinden. Einde discussie!'

Pratap en Nadira waren machteloos. De vader van Pratap vond de oplossing in het huis van een godsdienstonderwijzer in een dorp vlak bij Shaha. Elke maandag kwamen daar een kapelaan en een non van een katholiek klooster uit Nasik. Ze brachten medicijnen, bezochten zieken en vierden er een mis. De non was verpleegkundige. Prataps vader legde de situatie van de twee weesmeisjes aan de godsdienstonderwijzer voor. Hij vertelde dat ze bij zijn zoon en schoondochter inwoonden die niet genoeg middelen hadden om te zorgen voor drie kinderen en dat er bovendien een vierde op komst was. De man luisterde aandachtig naar de vader. Hij kon de kapelaan en de non hulp vragen als het om een concreet geval ging, maar twee meisjes was te veel. De jongste leek het zwakst. De oudste was al acht en voor haar leeftijd sterk en zelfstandig, zij zou goed voor zichzelf kunnen zorgen. De vader en de onderwijzer besloten de kapelaan en de non te vragen of ze Sita wilden meenemen.

'Waarom moeten ze haar meenemen, Nadira?' vroeg Muna zonder er iets van te begrijpen. 'Ik zorg toch voor haar? Ik zorg ervoor dat haar niets overkomt en dat ze niet alles vies maakt!'

'Ik weet dat het moeilijk te vatten is, Muna. Maar de vader van Pratap is het hoofd van de familie. Zijn wil is wet en wij kunnen er niet tegenin gaan. Zo is het nu eenmaal.'

'Wat gebeurt er als jullie niet doen wat hij zegt?'

'Het is onmogelijk hem niet te gehoorzamen. De ouderen hebben altijd gelijk, zij weten altijd wat er gebeuren moet. Hij weet dat we heel veel van jullie twee houden en dat ik je moeder beloofd heb dat ik voor jullie zou zorgen, maar hij heeft ons duidelijk gemaakt dat als we echt het beste voor jullie willen, we dan een ander thuis voor jullie moeten zoeken ... Ik weet zeker dat Sita naar een betere plek gaat dan dit land dat door de goden en de regen in de steek is gelaten. Daar zal ze kip en veel fruit te eten krijgen ... Hier hebben we jullie heel weinig te bieden, Muna, en ze is heel zwak. Wil je dat ze ziek wordt? Als ze ziek werd, zouden we niet voor haar kunnen zorgen en zou ze doodgaan.'

Muna luisterde naar Nadira. Het idee haar zusje te zien sterven deed haar maag ineenkrimpen.

Muna,' ging Nadira verder, 'denk jij dat die mensen die elke week naar deze verafgelegen dorpen komen om medicijnen te brengen en zo veel dingen te vertellen, slecht zijn? Als dat zo was, dan zouden ze toch niet al die dingen voor ons doen? Terwijl we geen familie zijn. Ze kennen ons niet eens.'

En toen brak die vreselijke dag aan. De dag dat ze afscheid van Sita moest nemen. De dag dat Muna in een keer heel oud werd. Ze was pas acht, maar die dag werd ze volwassen en ze kon niet meer met dezelfde ogen naar Nadira kijken, die haar zo had teleurgesteld. Vroeg in de ochtend vierden ze een puja bij het kleine huisaltaar in een hoek van de kamer. Dat deden ze niet vaak. Olie, wierook en bloemen waren duur. Maar vandaag was een bijzondere dag. Pratap liet een belletje rinkelen terwijl hij met zijn andere hand cirkels trok met de brandende wierook voor een verbleekte afbeelding van Ganesha• en gebeden zong voor de god met het olifantenhoofd die problemen oploste en de obstakels uit het dagelijkse leven verwijderde. Hij zette met een druppel olie een stip op Sita's voorhoofd en maakte daarna met het rode poeder een *tikka*• zodat de goden haar zouden beschermen. Sita verdween in een jeep over de stoffige weg, op schoot bij een non in een wit habijt.

Nu liep Muna blootsvoets naar de rivier van Kolpewadi, bepakt met een grote bundel vies wasgoed op haar hoofd. Het was een gehoorzaam meisje van elf met een enorm verantwoordelijkheidsgevoel. Maar ze was het beu meegaand te zijn en altijd te doen wat anderen zeggen. Over de brug reed een oude, vale bus, net zo eentje als die haar naar Shaha had gebracht, stoppend bij elke halte, het vlakke landschap met de akkers vol suikerriet doorkruisend over wegen vol kuilen die maakten dat ze uit haar stoel omhoog werd geworpen wanneer ze er het minst op bedacht was. Ze zag Sonali en andere vrouwen wassen en met elkaar praten. Twee buurvrouwen vouwden samen de sari's op: ze trokken de zeven meter lange, felgekleurde lap strak, elk aan een kant en telkens als ze een stuk dubbelvouwden, kwamen ze dichterbij elkaar. Sonali's baby sliep in de schaduw van een boom, naast het rustig kabbelende water van de Godavari.

'*Namasté*•, *mausi*•', groette Muna voor ze de last van haar hoofd op de grond zette.

'Muna, waar bleef je zo lang? Ik dacht al dat je niet meer kwam!'

'Sorry, mausi Sonali. Ik ben zo snel mogelijk gekomen.'

'Vooruit, laat het wasgoed weken voordat het kind wakker wordt! We moeten het snel uitleggen als we willen dat het vanmiddag droog is als we het ophalen.'

De dagen verstreken, werden weken, maanden, en het leven van Muna draaide om sprokkelhout, vuur, de pannen op het vuur, het water van de put, het gras voor de buffels, het melk van de buffels, al de *chapati's*• die ze moest bereiden, het wasgoed dat ze in de rivier moest wassen ... Hoelang nog? Wanneer zou er een eind komen aan deze sleur die eigenlijk niet bij haar hoorde? Soms als ze in het dorp boodschappen ging doen op de markt, zag ze andere meisjes in hun schooluniform en voelde ze een steek van jaloezie. Ze keek naar de gladgestreken, witte bloesjes, de donker geruite rokken en de rode linten om de vlechten. Ze stelde zich voor dat ze er ook zo uitzag en dagdroomde dat zij ook naar school ging. De jongens waren ook in uniform, alleen droegen zij een korte broek. 's Ochtends zaten ze met acht kinderen, jongens en meisjes door elkaar, in een riksja die hen naar school bracht en 's middags ophaalde. De rugzakken en tassen hingen allemaal aan een kant. Soms stapte een of twee kinderen uit om te duwen als de *riksja-wallah*• de fiets niet vooruit kreeg omdat deze te zwaar beladen was en hij de trappers niet rond kreeg. Als de riksja's vol jongens en meisjes in uniform langsreden, hield Muna altijd even halt en keek ze hen na. Waarom kon zij niet naar school? Ze wist niet hoe, maar zij zou ook leren lezen en schrijven, en zij zou ook ooit mooie kleren hebben.

Vlak bij de plek waar de vrouwen de was deden, was een klein eilandje met twee palmbomen. Altijd waren er jongens die daar aan land klommen en elkaar vanaf de kant in het water duwden. De jongsten kleedden zich uit, de ouderen gingen met kleren en al te water. Hun scherpe gegil en gelach vormden het dagelijkse achtergrondgeluid bij het doen van de was. Muna keek naar ze terwijl ze met een stuk zeep de kleren op een steen inwreef. Sommigen gingen meteen na school zwemmen en hoefden hun ouders niet te helpen op het land. Het was vast heel leuk om rond te springen op dat eiland en daarbij proberen de bladeren van de palmbomen aan te raken, of in de rivier te duiken. Het was daar redelijk diep en het duurde altijd een tijdje voor de jongens bovenkwamen. Waarom deed er nooit een meisje mee? Waarom was er nooit een meisje dat net zo vrij gilde en lachte als de jongens van het dorp?

Muna zeefde de linzen en viste er tientallen kleine steentjes uit voor ze de *dhal*• kon klaarmaken. In de lucht hing een geur van gedroogde koeienmest die je overal kon ruiken en afhankelijk van de wind nam de stank toe. Het was ook haar taak de bijna droge mest te verzamelen en die in slierten over de grond te verspreiden zodat die sneller droogde. Of ze legde hem onder aan de muren van het huis en als de mest zo droog was dat hij nergens meer naar rook, gooide ze hem op een hoop bij de stal. Ze moest zorgen dat de berg flink hoog was, omdat gedroogde koeienmest werd gebruikt als brandstof, niets brandde beter en hij bevorderde het verkolen van het hout waardoor je goede houtskool kreeg dat lang brandde.

Gezeten op de grond, buiten het huis van Suresh en Sonali, de linzen lezend, hoorde ze hen over haar praten. Ze hoorde namen van dorpen die ze niet kende, familienamen, mannennamen. Maar ze begreep heel goed waar ze het over hadden: ze waren op zoek naar een man voor haar. Niet zo lang geleden waren ze allemaal uitgenodigd op de bruiloft van een meisje dat niet veel ouder was dan zij. Ze kende haar niet en had ook nog nooit met haar gesproken. Na de trouwerij was ze naar een dorp ver weg verhuisd en had ze haar niet meer gezien. Het beeld van dat bange meisje op de grond voor een klein vuurtje, omhangen met sieraden en een bloemenkrans, gekleed in een felgele sari die was afgezet met een rode sierrand, de ogen te donker omlijnd met kohl en de lippen zo fel gekleurd als een houtsnijwerkje van een tempel van Ganesha, kon ze moeilijk vergeten. Ze staarde verloren voor zich uit met een grote, vermiljoenrode tikka midden op haar voorhoofd en een met *sindoor*• geverfde scheiding in haar haar. De bruidegom was tien, misschien zelfs vijftien, jaar ouder en straalde evenmin gelukkig. Hij zat naast de bruid achter het vuur en droeg dezelfde bloemenkrans als zij. De twee families daarentegen glunderden euforisch. Alle gasten dansten en lachten. De vrouwen droegen hun mooiste sari, hun handen waren prachtig met henna beschilderd en in hun donkere, gladgekamde haren was jasmijn gestoken. Ze hadden zich getooid met armbanden in allerlei kleuren glas en bij elke stap die ze zetten, rinkelden de dunne, zilveren of messing enkelbandjes. De mannen waren elegant in het wit gekleed, met hun *kurta's*• en *Gandhi topi's*•, de witte muts die hun het gevoel gaf dat ze belangrijk waren. De hoeveelheid voedsel die op de met bloemen versierde tafels stonden, was overdreven.

Voor Muna was die bruiloft allesbehalve een feest, hoeveel slingers met oranje bloemen er ook aan het plafond en de muren hingen, hoeveel muziek er ook werd gemaakt.

Nu zochten Suresh en Sonali voor haar een man, net als er voor dat meisje een echtgenoot was gezocht. Ze was het zat dat anderen over haar beslisten. Ze stond op met de aluminium kom vol gelezen linzen in haar handen, en liep blootsvoets en beslist het huis in. De broer van haar vader zweeg onmiddellijk en Sonali die uien stond te pellen in het hoekje dat als keuken was ingericht, keek haar kwaadaardig glimlachend aan. Maar Muna was niet in staat ook maar één woord over haar lippen te krijgen. Wat moest ze zeggen? Wat kon ze doen?

Het graan op de akkers begon heel hoog te worden. De tijd verstreek. Muna's leven was een sleur. Dag in dag uit zwoegde ze in die plakkerige hitte van het droogteseizoen, sjokkend over de stoffige wegen en door de warme aarde van de velden. Ze sprokkelde hout, deed de was in de rivier, liet het wasgoed drogen en haalde het later op de dag op, las linzen voor de dhal en rijst ... Hoewel Suresh en Sonali het vreselijk vonden, was zij blij dat ze nu geen buffelkoe hadden, omdat dat minder werk voor haar betekende. Ze hadden haar moeten opofferen voor ze de epidemische ziekte kreeg die tot gevolg had dat de melkproductie afnam. Het vlees werd niet gegeten. Hindoes aten geen rundvlees. Als ze vlees aten, wat niet vaak gebeurde, was dat van een kip of een varken.

Ze was op haar terugweg naar huis en droeg een bundel hout op haar hoofd, toen ze op de droge weg een auto geparkeerd zag staan voor het huis van Suresh. Enkele kippen liepen haar voor de voeten en bijna was ze gestruikeld en had ze al het hout laten vallen. In het dorp kwamen nauwelijks auto's. Ze legde de bundel hout naast de kleine stal waar nu geen buffel meer in stond en liep nieuwsgierig naar de auto waarbij ze haar best deed geen geluid te maken, maar ze hoorden en zagen haar meteen.

'Muna, we waren op je aan het wachten', zei Suresh die uit de deur kwam met een brandende *bidi*• in zijn hand terwijl hij anders nooit rookte.

'O ja? Dat wist ik niet.'

Achter Suresh liep een man met een zwarte snor, in een helderblauw overhemd en een broek die ze nog nooit bij een man in het dorp gezien had. Hij werd gevolgd door Sonali met de baby op haar arm.

'Dit is mijn nichtje. Ik heb u al verteld dat ze heel gehoorzaam is en een harde werkster. Ze helpt ons met alles.'

De man met de snor nam haar van top tot teen op terwijl Muna deed alsof ze het hout opstapelde.

'Ik kan u niet meer dan 1.000 roepies geven. Dat is het maximum wat we kunnen bieden. 1.000 roepies en ik neem het meisje mee naar Bombay.'

Muna hield plotseling op met wat ze aan het doen was.

'Naar Bombay? Hoezo?'

'Muna, val volwassenen niet in de rede!'

'Maar als ik wegga, moet ik wel weten waarheen, toch? Aan wie huwelijken jullie me uit voor 1.000 roepies?'

'Aan niemand', zei Suresh ernstig. 'We hebben geen geld voor je bruidsschat en we kunnen geen enkele familie vinden die jou wil hebben als schoondochter. Je bent te jong en je bruidsschat is niet interessant. Meneer Patil gaat alle families in het dorp langs om ons een krediet te verstrekken ... We moeten weer buffels kopen, we moeten het huis repareren want dat staat op instorten ... Het spijt me, Muna. Het is de enige oplossing.'

'En waarom moet ik met hem mee naar Bombay? Kunnen jullie geen geld van hem lenen en dat terugbetalen zodra jullie kunnen? Mausi, waarom moet ik weg?' vroeg ze Sonali die de andere kant opkeek.

'Het is al besloten', antwoordde Suresh vastberaden. 'De afspraak is dat hij ons geld geeft en jij gaat in de stad bij mensen werken. Je kunt daar vast ook naar school gaan ...'

'Naar school?'

Meneer Patil zei niets. Hij keek alleen maar.

'En wanneer ga ik?'

'Nu meteen', zei de man uit Bombay eindelijk en hij streek over zijn snor. 'We moeten er vandaag nog heen en de reis is lang.'

Muna had alleen de salwar kameez die ze aanhad en die ooit roze was geweest, de plastic, versleten sandalen, en de rode glazen armbanden die ze voor de bruiloft van dat meisje met dat bange gezicht had gekregen en die nog niet waren gebroken. De sari die ze op dat feest had gedragen, had ze geleend van oude buurvrouwen van Sonali. Niets of niemand hield haar in Kolpewadi. Ze nam snel afscheid van Sonali en Suresh die de biljetten, die hij op het enige bed in het huis had geteld, al in zijn zak had gestoken, en stapte achter in de auto alsof ze dat al zo vaak had gedaan. Maar het was voor het eerst dat ze in een auto stapte. Een auto die haar ver weg bracht. Ze huilde niet. Want wat had dat voor zin?

Meneer Patil had niet bepaald een sympathiek gezicht, maar in Muna's ogen waren volwassenen sowieso nooit aardig. Sinds Nadira en Pratap haar van haar zusje hadden gescheiden, vond ze hen ook niet meer lief. Het was haar nog steeds niet duidelijk waarom ze dat hadden gedaan. Meneer Patil stopte aan de rand van het dorp, bij een huis. Er stond een buffel bij de deur vastgebonden onder een afdakje van droge takken. Hij stapte zonder iets te zeggen uit de auto en ging het huis binnen. Muna bleef stilletjes op de achterbank zitten. Dichtbij sleep een messenslijper messen aan een steen die hij liet ronddraaien met behulp van zijn fiets. Een paar minuten later stapte een meisje van haar leeftijd in, misschien een jaartje jonger, en ging naast haar zitten. Ze had rood doorlopen ogen van het huilen en keek naar de grond. De meisjes zeiden niets tegen elkaar. De auto kwam in beweging en er klonk het afschuwelijke gegil van een vrouw: 'Nalini! Nalini! Mijn Nalini!'

Het meisje draaide zich om, ging op haar knieën zitten en probeerde uit het achterraam te kijken, maar een stofwolk nam al het zicht weg. Heel lang bleef ze zo zitten, achterstevoren op haar knieën, haar handen tegen de achterruit terwijl ze over de brug over de Godavari reden en Kolpewadi steeds verder achter zich lieten.

Meneer Patil lette goed op de weg en manoeuvreerde de auto langs allerlei obstakels. Hij moest oppassen voor een koe, hij ging opzij voor een fiets, hij ontweek een tegenligger die veel te hard reed, een gat in het wegdek dat de auto had kunnen laten vastlopen, en wasgoed dat een paar vrouwen midden op de weg hadden uitgelegd, omdat dat de beste plek leek om de was te laten drogen. Het landschap was heel vlak. De twee meisjes namen alle details in zich op, in stilte, elk bij een raam. Muna had horen praten over Bombay. Ze wist dat het een grote stad was, een heel grote stad. Ze keek uit het raam en dacht aan de jongens die vanaf het kleine eilandje met de twee palmbomen met een bommetje in het water sprongen waarin zij de was deed. Zij voelden vast hetzelfde als zij nu. Een leeg gevoel in de maag vlak voor ze het water raakten en de anderen natspatten. Ze had honger. Het was al twaalf uur en ze had bij zonsopkomst alleen een chapati en een beetje dhal gegeten. Plotseling sloegen ze af en reden een smal, onverhard weggetje van droge aarde op dat nergens naartoe leek te gaan. De auto bleef maar doorrijden, gaten ontwijkend, hobbelend over de keien tot ze in de verte een groepje lemen huisjes zagen staan met daken van gevlochten palmtakken zoals in Shaha. Meneer Patil zette de auto langs de weg en voor hij uitstapte, draaide hij zich om en keek de twee meisjes strak aan.

'Jullie blijven hier zitten, of anders zullen jullie het berouwen.'

Het duurde niet lang of hij kwam terug met een jongetje van een jaar of acht, negen met kort donker haar en een nog veel donkerdere blik. Verlegen nam hij bij hen plaats op de achterbank. De auto begon weer terug te rijden over hetzelfde smalle, aarden weggetje vol kuilen dat hen naar dat gehucht had gebracht.

'Nu zijn we compleet en gaan we naar Bombay', zei meneer Patil met een flauwe glimlach die zijn snor deed krullen. Geen van de drie kinderen zei iets. Ze bleven uit het raam kijken in een vreemde stilte. Om de achteruitkijkspiegel hing een slinger van verwelkte jasmijnbloemen die op en neer bewoog door de kuilen in de weg. Ze passeerden een kudde uitgemergelde koeien met lange hoorns. De herder, een jongen met een aan flarden gescheurd overhemd en stok, zwaaide naar hen.

Na ruim twee uur in stilte te hebben gereden door een monotoon landschap, stopte meneer Patil bij een benzinepomp waar ook eten en drinken werd verkocht. Hij zei de drie kinderen uit te stappen en hun behoeften te doen in een klein hutje met een latrine, terwijl hij voor elk van hen een paar bananen, chapati's en een gekookte maïskolf kocht. Ze aten het daar op, staand, langs de kant van de weg, vlak bij de auto. Een jonge knul bracht hun water in messing bekers op een dienblad. Ze zagen alleen mannen, maar die letten niet op hen omdat ze druk aan het werk waren of zaten te praten. Er stonden een paar vrachtwagens geparkeerd die vast van de mannen waren die op de *sarpois*• zaten te roken en thee te drinken.

'Ik heet Vikram en jullie?' vroeg het jongetje zacht, toen ze met zijn drieën alleen stonden.

'Muna.'

'Ik heet Nalini. En ik wil naar huis, ik wil niet naar Bombay ...'

Muna werd wakker toen ze door de buitenwijken van de stad reden. Vikram en Nalini sliepen als een blok. Het was nog licht, maar het zou niet lang meer duren voor het donker werd. Het moest ongeveer zes uur 's avonds zijn geweest. Meneer Patil had zijn raampje naar beneden gedraaid en rookte een bidi terwijl hij door het hectische verkeer reed. Ze hoorde het doordringende geluid van getoeter. Ze kon haar ogen niet geloven. Een zee van mensen die allemaal een andere kant opgingen. Grote en kleine auto's, vrachtwagens, sommige afgedekt met zwart of blauw plastic dat met touwen was vastgebonden, andere met de lading zichtbaar: zakken, jerrycans, dozen ... Bussen bomvol met mensen, staand of zittend, naar buiten kijkend door de beslagen ramen, zwarte *autoriksja's*• met een lawaaierige motor, fietsen, bromfietsen met twee of drie mensen, zigzaggend tussen de auto's en vrachtwagens ... Mannen met dozen op hun rug of op hun hoofd waarin kippen zaten die bang om zich heen keken. Muna had het idee dat op elke hoek van de straat mensen druk in de weer waren met frituren en koken, groenten schillend en in stukken snijdend, of vruchtensappen persend. Nog nooit had ze zo veel eten gezien als in die drukke straten met al die mensen van verschillende leeftijden die zo anders waren gekleed dan zij was gewend. De huizen waren hoog met veel ramen. Voor het eerst van haar leven zag ze gebouwen met meer verdiepingen, sommige telden er wel vijf, zes of meer! Met volle en lege waslijnen en elektriciteitskabels over de straat die samenkwamen bij een lange houten paal. Hier en daar liep traag een verdwaalde koe over straat, grazend aan het wegdek alsof daar iets groeide wat ze kon herkauwen. De auto's, de motoren, de fietsen en alle andere voertuigen omzeilden ze alsof het niets was. Aan de gevels hingen uithangborden in verschillende kleuren en met letters in allerlei vormen en formaten die Muna niet kon ontcijferen. Ook zag ze aanplakbiljetten met glimlachende mensen.

Eindeloos reden ze door straten en nog meer straten met veel drukte. Kilometers stad gleden aan haar voorbij. Eindelijk stopten ze in een smal straatje, verlicht door een kleine lantaarnpaal. Het was al donker geworden en Vikram en Nalini waren inmiddels wakker geworden en keken met open mond rond. Hun ogen spraken boekdelen, onbegrijpelijk dat een stad zo groot kon zijn als deze waar de man, die hen nu liet uitstappen, hen heen had gebracht. Ze gingen een gebouw binnen waar het sterk rook naar verf en nat gras. Er was weinig licht en het duurde even voor hun ogen daar aan waren gewend en ze ontdekten dat er overal jongens en meisjes op de grond zaten en lagen. Sommigen aten rijst met hun handen van aluminium borden. Vanuit haar ooghoeken zag Muna dat meneer Patil een enorme bundel bankbiljetten kreeg van een andere man die ook een snor had. Dat was zeker vijf- of zesduizend roepies. Een dikke vrouw met grijs haar in een knotje kwam op de kinderen af.

'Jullie drie, kom mee. Dag Patil, tot volgende week.'

Ze bracht hen naar een keuken waar alleen een paar grote aluminium pannen en schalen met deksels op het vuur stonden. Op de grond zaten twee kinderen in stilte te eten, een ander lag naast hen te slapen, zonder zelfs maar een kleedje of iets dat hem beschermde tegen de vochtige plavuizen. Een paar kevers kropen over het marmeren aanrecht naar de muur en naar beneden. De dikke vrouw, gekleed in een sari en blootsvoets, gaf hun elk een bord rijst met dikke saus en een chapati erbovenop. Ze droeg ringen om haar tenen die metaalachtig rinkelden als ze op de tegelvloer liep.

'Zoek een plekje om te eten en ga daarna ergens liggen slapen. Als jullie je behoefte moeten doen, ga naar die deur achterin, waar dat peertje brandt. Morgenochtend vroeg leg ik jullie uit wat jullie gaan doen. En geen herrie maken, of jullie zullen het berouwen!'

De drie kinderen, net zo bang als kleine vogeltjes die net in een kooi waren opgesloten, pakten alle drie hun bord en gingen bij elkaar op de grond zitten, vlak bij de keuken. Nalini trilde en dikke, glinsterende tranen rolden over haar wangen terwijl ze kauwde.

Haar vingers waren sneller aan haar nieuwe werk gewend dan zijzelf. Muna keek hoe ze met een rode inslagdraad tussen de witte schering door bewogen alsof het niet haar vingers waren. Ze zat op een houten plank van een steiger die net zo hoog reikte als het enorme weefgetouw waar ze aan werkte. De steiger had vijf lagen, met op elke houten vloerplank tien jongens en meisjes. Op de grond zaten ook kinderen. Ze weefden aan een stuk door. Muna was elk besef van tijd kwijt en ze wist niet meer of het dag of nacht was. Overdag was er iets meer licht dan 's nachts. Een zwak licht filterde door scheuren in het dak naar binnen. 's Nachts brandden gloeilampen die zodra het dag werd bijna allemaal uitgingen. De ruimte was heel groot, een fabriekshal met tapijten en kleden aan de muur met daarvoor stellingen met drie, vier of vijf planken. Meer dan tweehonderd kinderen weefden, met hun kleine handjes en bange, vermoeide ogen, bijna muisstil. Ze fluisterden heel zacht, mompelend, alsof ze gebeden prevelden. Muna en Nalini zaten op dezelfde plank met tussen hen in een meisje dat precies wist wat ze moesten doen en de opdracht had gekregen het ook aan hen te leren. Ze hield een verkreukeld papier met een tekening vast waar ze zo nu en dan op keek.

'Hier, Muna. Je moet de knoop hier maken. En nu moet de lus eronderdoor. Nee, eronderdoor. Nu tel je vijf witte draden en haal je de wol erbovenlangs.'

'En waar moet deze blauwe draad langs?'

'O nee, Nalini! Je hebt weer verkeerd geteld. Haal het maar uit. Eerst drie keer twee draden bovenlangs en daarna vier keer vijf draden bovenlangs, maar met een andere kleur. Maar je moet geen knoop maken als je van kleur verandert. Snap je?'

'Het is ook zo moeilijk!'

'Nou doe dan een beetje je best. Als we het niet goed doen, krijgen we straf.'

Nalini keek naar de handen van de andere jongens en meisjes en vroeg zich af hoe ze erin slaagden die lastige puzzel van wollen inslagdraden in verschillende kleuren te begrijpen.

'Hoelang ben je hier al?' vroeg Muna zacht.

'Ik weet het niet. Ik geloof al heel lang. Zolang dat ik het niet meer weet. Ik heb inmiddels drie van dit soort grote kleden gemaakt.'

'Weet je waar we zijn?'

'In Bombay.'

'Dat weet ik al, maar waar?'

'Dit is een tapijtfabriek. We maken kopieën van oude Perzische tapijten. Dat hoorde ik een van de zetbazen zeggen.'

'Toen jij kwam, waren er toen ook al zo veel kinderen?'

'Ja, maar dat waren anderen. Er komen steeds nieuwe kinderen bij, zoals jullie, en andere worden plotseling meegenomen en komen niet meer terug. Zieke kinderen nemen ze ook mee. Ik heb een keer gezien dat ze een meisje ophaalden dat dood was. Ze zag lijkbleek.'

Nalini begon te huilen, met grote uithalen, ze kreeg bijna geen lucht meer. Het meisje dat hun het weven bijbracht, legde een hand op haar mond.

'Wil je stil zijn? Moeten ze ons soms met de riem slaan? Kinderen die er de kantjes vanaf lopen of niks doen, krijgen slaag waar de anderen bij zijn!' zei ze hard terwijl ze Nalini stevig bij een arm greep, maar zonder haar pijn te doen of te schreeuwen, zodat alleen zij haar kon horen.

'Ik wil naar huis. Ik wil terug naar mijn moeder.'

'Nou dan kun je maar beter zo snel mogelijk goed leren weven en heel snel kleden maken, misschien dat het je dan lukt.'

Het stikte er van de muggen. Grote, dikke, irritante muggen die steeds langs hun gezicht zoemden. En vlooien die hen overal beten en ervoor zorgden dat ze zichzelf gek krabden.

De eentonigheid van het werk in die troosteloze plek en de harde hand van hun bazen maakten elke ontsnapping onmogelijk. Het was een gevangenis waar ze kinderen zonder enige uitleg hadden opgesloten. De angst was tastbaar. Waarom zwegen die volwassenen die ladingen wol in alle kleuren afleverden? Waarom deden ze alsof ze hen niet zagen? Wat voor soort mensen besloot onschuldige kinderen op die manier te misbruiken?

De dagen verstreken terwijl ze met haar kleine vingers woldraden boven- en onderlangs de witte kettingdraden haalde, de aanwijzingen volgend van het meisje, gezeten op die houten plank met anderen die precies hetzelfde deden. Aan een kant van de steiger hing een touwladder met houten sporten waarlangs de kinderen omhoog- of omlaagklommen. Ze werkten uren achter elkaar, heel veel uren. Muna kreeg last van haar benen, ze was gewend veel te lopen, maar nu zat ze onafgebroken. Haar benen sliepen en als ze probeerde op te staan, schoot de pijn door haar heen. Wanneer ze op de automatische piloot kon weven, liet ze haar gedachten de vrije loop en dacht terug aan Kolpewadi en omstreken. Hoe ze daar liep, van het huis naar de rivier, van de rivier naar de velden, van de velden naar de put ... Ze herinnerde zich de uren die ze liep, alsof de gedachte alleen al dat tintelende gevoel uit haar benen liet verdwijnen.

Soms liep ze Vikram tegen het lijf die op een andere steiger werkte aan een kleed dat even groot was als dat van Muna en Nalini. Altijd parelde hem het zweet op het voorhoofd en groette hij haar met een kort knikje zonder iets te zeggen. Binnen in de hal was het snikheet. De jongetjes droegen bijna niets, een katoenen T-shirt met korte broek, de meisjes een salwar kameez. Niemand droeg schoenen en allemaal waren ze even vies, hun haar krioelde van de luizen waardoor ze de hele tijd op hun hoofd zaten te krabben. Ze waren tussen de zes en veertien jaar en keken verdwaasd uit hun ogen.

Het geschreeuw van de ploegbazen was vreselijk. Eentje ging altijd tegen dezelfde jongen tekeer.

'Wat is er met jou aan de hand? Begrijp je niet wat er wordt gezegd?'

Terwijl een van de mannen de knul stevig vasthield, sloeg de boze ploegbaas met een houten stok op de achterkant van zijn benen. De jongen deed zijn ogen dicht en vertrok zijn mond krampachtig van de pijn, maar hij gaf geen kik. Dat leek de opzichter nog meer te ergeren. Woedend ging hij door met zijn afranseling.

'Vooruit, aan het werk! En als je weer gaat klagen, blijft het de volgende keer niet bij dit gekietel. Je bent gewaarschuwd!'

De hele hal was doodstil. De handen van de bange kinderen die op de steigers zaten, haalden bibberend wollen draden tussen de kettingdraden door. Het was een marteling. Het was onverdraaglijk, maar ze hielden vol. Wanneer een kleed klaar was, werd het losgehaald en opgerold en werd het weefgetouw klaargezet voor een nieuw kleed.

Een ochtend als elke andere. Muna zat op de derde steigerplank en ze had zojuist een klein vierkantje met rode wol geweven. Ze had een leeg gevoel in haar maag van de honger, daar had ze nu al weken last van.

'Hé jij, uit Kolpewadi!'

'Ik?'

'Ja, jij. Je hebt me toch gehoord? Kom naar beneden.'

De meisjes die op dezelfde plank zaten, keken naar haar en zij haalde haar schouders op alsof ze duidelijk wilde maken dat ze niet begreep waarom ze haar riepen. Haar benen sliepen en ze moest behendig en zonder te vallen over die plank lopen. Het meisje dat haar de kneepjes van het vak had bijgebracht, keek van bovenaf naar haar. Muna zwaaide naar haar en liep de dikke, grijze vrouw achterna, een donkere gang door waar ze nog nooit was geweest. Ze hoorde alleen het geklingel op de plavuizen van de teenringen van de vrouw. Aan het einde van de gang deed ze een deur open. Het licht dat door een raam naar binnen viel, deed pijn aan haar ogen. Snel deed ze haar handen voor haar ogen. Het was een kleine ruimte met een tafel en een schap dat vol mappen en ordners lag. Aan het plafond hing een ventilator te draaien. Het was lang geleden dat ze iets gemerkt had van luchtcirculatie. Het kostte haar moeite aan het licht te wennen. Er kwam een man binnen en hij sloot de deur met een klap achter zich. Ze had hem een keer eerder gezien. Het was de man die een pak geld aan meneer Patil had gegeven op de dag dat ze waren aangekomen. De twee mannen leken op elkaar: slank met een grote, zwarte snor.

'Je vertrekt nu meteen. Je gaat werken in het huis van een ingenieur. Je moet het huis schoonmaken, de was doen, boodschappen halen, het eten klaarmaken, alles wat ze vragen. Begrepen? O wee, als ze klagen!'

'Meneer Patil had gezegd dat ik naar school zou gaan', durfde Muna te zeggen, alsof het daglicht haar plotseling had wakker geschud uit een nachtmerrie.

'Naar school? Meneer Patil heeft zich vergist. Doe wat je gezegd wordt of we zoeken werk dat een stuk minder leuk is. Begrepen? Atul!'

Een kleine, jonge knul met een donkere huid, gekleed in een lange broek met overhemd, net als de man met de snor, kwam onmiddellijk nadat hij was geroepen binnen via een deur die uitkwam op een lege binnenplaats. Hij had vast buiten staan wachten tot ze hem riepen. Zijn mond zag helemaal rood van de *paan**.

'Atul, breng haar naar het adres dat op dit papiertje staat. Nu meteen. Je geeft deze envelop af aan degene die je daar opwacht. Er wordt op jullie gewacht. Daarna kom je onmiddellijk terug.'

'Ja, meneer.'

'En jij, meisje, je weet wat ik heb gezegd. Ik wil geen klachten horen!'

Atul liep de lege binnenplaats over. Muna liep twee passen achter hem, blootsvoets. Het was lang geleden dat ze de warmte van de aarde onder haar voeten had gevoeld. Aan de andere kant van het plaatsje waar de zon brandend scheen, opende Atul een hek. Ze liepen een stenen trap af naar een drukke straat. Nog voor ze het hek door was, had Muna de straatgeluiden al opgevangen, auto's, motoren, stemmen van mensen ... Ze voelde zich gered. Onder aan de trap stond een zwarte autoriksja geparkeerd. Muna kroop op het bankje van het karretje zonder portieren, terwijl Atul de motor startte die het snerpende geluid maakte dat zo kenmerkend is voor deze voertuigen. Ze reden weg en gingen onmiddellijk op in het verkeer. Na bijna twee maanden opgesloten te zijn geweest in die onmenselijke fabriekshal, was ze heel erg verzwakt. De binnenplaats oversteken en de trap afdalen in de hitte van het middaguur, scheen haar toe als een lange, vermoeiende reis. Zittend in de bak van de autoriksja, terwijl de warme lucht door de openingen naar binnen kwam, kreeg ze voor eerst weer het gevoel in de realiteit te zijn beland. Ze dacht aan Nalini en aan het meisje dat haar had leren weven, en aan Vikram en de anderen die zaten opgesloten en gedwongen waren tapijten te maken in het schaarse licht van peertjes, met weinig eten en slaap, en degenen die klaagden, werden afgeblaft en kregen slaag. De straten bruisten van het leven. Wat een mensen. Wat een drukte. De donkere beelden van de tapijtfabriek verdwenen langzaam uit het zicht. Ze wilde ze achter zich laten, hoezeer ze ook in haar verankerd waren. Nu zag ze alleen nog straathandelaren die fruit, kleding, kranten of bloemenslingers aan de man wilden brengen, vrouwen in mooie, felgekleurde sari's, vrachtwagens en fietsen, wedijverend om een klein stukje weg in die bomvolle straten, uithangborden, hoge flatgebouwen met vierkante ramen, volle waslijnen en kleren die over houten balkons hingen te luchten ... Op een kruispunt deed een agent verwoede pogingen het verkeer te regelen terwijl allerlei soorten voertuigen aan één stuk door toeterden, en ossenkarren, fietsen, riksja's, motorfietsen en slome koeien zo goed en zo kwaad bleven doorrijden of -lopen, de energieke bewegingen van zijn armen compleet negerend. Een stel mannen op een torenhoge steiger werkte met kwasten en verf een zeepreclame bij.

Atul stopte wel vier keer om de weg te vragen. Nadat hij een paar rondjes had gereden en twee keer dezelfde tempel van Krishna, waar kraampjes met verse bloemenslingers bij de ingang stonden, was gepasseerd, sloeg hij een straat in met lage huizen en veel bomen. Hij minderde vaart en reed de oprijlaan op van het grootste huis dat Muna tot dan had gezien. Twee mannen met kromme ruggen maaiden met een zeis het gras rond de bloemperken. Om hen heen lagen hoopjes gras. Ze stopten even met hun werk en keken naar de autoriksja die de tuin binnenreed, toen gingen ze verder met hun werk. Atul zette de motor af voor een veranda met vier houten ligstoelen, een schommelstoel en een laag tafeltje waarop een grote kaars stond in een glazen stolp, als een bos rode rozen in een vaas. Het rumoer van de straat was onhoorbaar geworden. Op het geluid van de vogels na was het stil. De schaduw onder de bomen in die prachtige, groene tuin met bloemen was aangenaam. Al snel kwam er een oudere vrouw in een groene sari aangelopen die haar handen aan een doek afveegde. Ze had haar grijze haar opgestoken en droeg een gouden ring in haar neusvleugel.

'Ben jij Atul?'

'Ja, ik kom dit meisje en deze envelop afleveren.'

De vrouw opende de envelop en las het briefje dat ze met uitgestrekte handen voor zich hield.

'Kan ik nu gaan, mevrouw?'

'Met de dag worden de letters kleiner. Vooruit, ga maar. Wat heeft iedereen toch altijd een haast!'

'Dag', zei Atul voor hij de motor startte en met veel lawaai de poort van de tuin uit reed.

Muna bleef stilletjes midden op het tuinpas staan. De vrouw keek haar van top op teen onderzoekend aan, met de envelop in haar hand.

'Dus jij moet mij van nu af aan helpen. Daar zijn we mooi klaar mee!' Daarna zei ze nog iets in een taal die Muna niet verstond. 'Kom, ga mee, dan zal ik je het huis laten zien. Ik heet Chamki en zorg dat alles reilt en zeilt. Jij moet ook zorgen dat alles op rolletjes loopt. Dat snap je wel, hè?'

Muna wiegde zachtjes haar hoofd heen en weer, waarmee ze te kennen gaf dat ze het begreep.

'Waar kom je vandaan?'

'Van de akkers van de Godavari.'

'Waar vandaan?'

'De Godavari is een rivier', antwoordde Muna met een dun stemmetje.

'Dat ontbrak er nog aan. Ja, ja, de Godavari is een rivier, dat wist ik al ... Vooruit, volgens mij moet jij een flink bord eten en een grote beker melk hebben. Nog even en je stort in.'

Nu deed ze wat Suresh had afgesproken met meneer Patil: werken bij een familie. Hij had haar ook verteld dat ze misschien naar school kon en dat was de reden geweest dat ze zich zonder tegensputteren had neergelegd bij het besluit van haar vaders broer. Hoewel klagen haar niet veel zou hebben geholpen. Ze werkte inmiddels al een paar weken bij de familie Raghavan en nog steeds had ze niets van school gehoord. Ze woonde bijna in de keuken. Zodra het licht werd, stond ze op en ze ging naar bed als de avond al was gevallen. De hele dag had ze geen moment rust. Ze sliep op een kleedje in een hoek van de kamer waar het schone linnen lag en waar werd gestreken en genaaid, naast de keuken. Op een plank lag haar oude salwar kameez, die ooit roze was geweest. Nu had ze er nog twee, nieuwe, een roze en een hemelsblauwe. In dezelfde kamer in een bed bij het raam, sliep Chamkibai, zoals Muna haar uit respect noemde. 's Nachts liet Chamki een gordijn zakken tussen haar en Muna, zodat ze allebei een beetje privacy hadden.

Chamki werkte al heel lang in het huis van de familie Raghavan. Ze voelde zich onmisbaar en daar was ze trots op. Ze kwam uit Kerala, uit het zuiden van het land, en ze was op zeer jonge leeftijd weduwe geworden. Ze had niet eens tijd gehad om zwanger te raken en kinderen te krijgen, zei ze. Haar man was omgekomen bij een auto-ongeluk. Na zijn dood wilde ze zo snel mogelijk de herinneringen aan haar korte huwelijksleven ver achter zich laten. Via familie in Bombay had ze een baantje bij de familie Raghavan weten te bemachtigen. Het leven van jonge weduwen was niet makkelijk. Nog steeds lieten veel vrouwen zich met het lijk van hun man verbranden. Deze rituele weduweverbranding werd *sati*• genoemd en was eigenlijk verboden. Chamki had het rouwkleed, de witte sari's, afgelegd, vertrok naar Bombay en begon een nieuw leven. Ze kwam uit een gegoede familie. Van kleins af was ze naar school geweest en ze had geleerd tot vlak voor haar huwelijk. Haar ouders waren dood, die waren al oud toen zij werd geboren. Naast het Malayalam, haar moedertaal en de taal waarin ze mopperde en alles zei waarvan ze niet wilde dat anderen dat hoorden, beheerste ze vloeiend het Marathi• en het Hindi•, kon ze lezen en sprak ze zelfs een beetje Engels. Soms kreeg ze bezoek. Ze mocht mensen uitnodigen voor de thee en als er restjes waren, wat altijd het geval was, mocht ze die opeten. Heel soms sliep ze weleens bij familieleden in de buitenwijken van Bombay als ze voor een feest was uitgenodigd en de familie Raghavan haar niet nodig had.

Al op de eerste dag had Chamki Muna uitgelegd hoe alles

te werk ging in het huis en wie er woonden. Meneer en mevrouw Raghavan hadden vijf kinderen. De oudste heette Sanjay en studeerde medicijnen in Engeland op het King's College in Cambridge. Hij was vierentwintig en hij was al twee jaar niet meer in India geweest. Chamki had gehoord dat hij dit jaar *Diwali*• thuis zou vieren en dat verschillende gerenommeerde families hun dochter aan hem wilde uithuwelijken. Sanjay was de erfgenaam van de familie en iedereen had de verwachting dat hij een belangrijk chirurg zou worden, of misschien zelfs minister van Volksgezondheid. Na hem kwamen drie meisjes: Bani, Parvati en Indira. Bani was eenentwintig en volgde een opleiding tot secretaresse en had pianoles, maar daar zou ze binnenkort een punt achter zetten omdat er een geschikte huwelijkskandidaat voor haar was gevonden. Volgens Chamki speelde Bani alleen piano omdat ze dan meer waard was voor de familie van haar toekomstige echtgenoot. Ze dacht dat het de zoon van een rechter zou worden, die onlangs met zijn vrouw was komen eten. Parvati en Indira gingen elke dag naar school in een uniform dat erg leek op dat van de meisjes in Kolpewadi. Parvati was veertien en was altijd slechtgehumeurd. Indira was even oud als Muna: elf jaar. De jongste was Rajiv. Hij was zes en ging ook naar school. En als hij thuis was, reed hij op en neer door de tuin in zijn rode, plastic trapautootje, dwars door de lange rij gele hibiscus en de rozenperken met rozen in allerlei kleuren, waarmee hij zich de woede van de tuinmannen op de hals haalde.

In het huis woonde ook de moeder van meneer Raghavan, een oudere vrouw met wit haar die bijna de hele dag op de veranda doorbracht of op haar kamer lag te soezen met de gordijnen potdicht om het licht en de warmte buiten te houden, haar blik gericht op een lijstje met een foto van haar overleden man dat was versierd met een verse bloemenslinger, met daarnaast een brandend olielampje. Oma Raghavan bracht ook vele uren door in de kamer waar de goden werden vereerd. Op een klein altaar op de grond, omgeven door kleurige kussentjes, stonden bronzen beeldjes van Ganesha, Lakshmi, Krishna en Shiva. Altijd stonden er brandende olielampjes bij en lagen er verse, geurende bloemen die waren geofferd. Het was Muna's taak de beeldjes af te stoffen, de kamer schoon te houden en de lapjes katoen en wierookstokjes klaar te leggen voor de puja's. Regelmatig kwamen ze bijeen in dat kamertje en zeiden ze hun gebeden op, terwijl meneer Raghavan het kleine, messing belletje liet rinkelen.

De tuinmannen leefden met hun gezin in de twee kleine huisjes tussen de tuin van de familie Raghavan en die van de buren in. Ze bewaakten 's nachts het huis en hielpen met inkopen doen. Een of twee keer per week vergezelden ze Chamki naar de markt en sjouwden zij de dozen, bundels of manden of zorgden ze dat een koelie of een riksja-wallah de spullen thuisbracht. De vrouw van een van de tuinmannen kon heel mooi naaien en soms bracht Muna haar een kledingstuk om te verstellen. Bij uitzondering kwamen er mensen voor extra klusjes, ze hielpen met koken of met de bediening als er een belangrijk diner of feest was georganiseerd. Het was altijd druk in huis met mensen die af- en aanliepen.

Chamki was de kokkin, zij zei hoe het eten moest worden bereid. Ze wist veel en Muna hoefde alleen maar precies haar aanwijzingen op te volgen en dan ging het goed. Ze was gespecialiseerd in de Zuid-Indiase keuken, met name in de gerechten uit Kerala die volgens haar het lekkerste van heel India waren. Ze had de familie Raghavan weten te overtuigen van haar gelijk, en de gerechten uit die streek waren dan ook bijna dagelijkse kost. Muna moest dan ook veel kokos raspen, omdat dat een onontbeerlijk ingrediënt was in de recepten uit Kerala, en dat hing haar al snel de keel uit. Als Chamki het niet nodig had voor een curry, had ze het nodig voor een *sambar*•, de meest typische, Zuid-Indiase saus die met rijst werd gegeten, of de kokoschutney, een soort dikke marmelade die geserveerd werd bij de *masala*• *dosa's*•, de gefrituurde rijstpannenkoekjes met aardappelpuree. Schillen, fijn snijden, raspen, *papadums*• van linzenmeel frituren ... In de keuken klonk non-stop het energieke geklingel van de armbanden van Chamki, die geen moment stilzat. Net als Muna. In het huis hing altijd een aangename geur van kokos en gebakken uien.

Meneer Raghavan was een belangrijk man, daar was Muna van overtuigd. En hij leek haar ook geen slecht mens. Zelden verhief hij zijn stem en tot nu toe had hij nog nooit iemand geslagen. Het hele huishouden draaide om zijn bezigheden en dagindeling, wanneer hij weg was en wanneer hij thuiskwam. Bijna altijd liep hij met een aktentas onder zijn arm. Regelmatig werd hij opgehaald door een zwarte, indrukwekkende, glimmende auto. Elke ochtend gebruikte hij zijn ontbijt op de veranda, ondertussen de *Times of India* lezend. De krant werd dagelijks bezorgd door een magere krantenjongen die op een te grote fiets langs alle huizen reed met een tas vol kranten waarvan de band schuin over zijn borst liep. Muna kon de sterke geur van inkt ruiken als ze een dienblad met chapati's en een pot mangomarmelade naar de veranda bracht. Ze schonk de *masala chai*• in, zoals hij hem graag dronk. Nooit keek hij op van zijn krant. Het leek alsof ze onzichtbaar voor hem was. Ze vroeg hem niet of er genoeg suiker of melk in de thee zat, omdat ze wist dat hij precies goed was. De post die de postbode al vroeg in de morgen had bezorgd, bracht ze op een ander dienblad, goed gepoetst en glimmend als de zilveren briefopener die er ook op lag.

Daarna diende ze het ontbijt van de anderen op en moest ze zorgen dat er voor iedereen voldoende thee en chapati's waren. Mevrouw Raghavan nam haar thee met jenever, de meisjes met melk en heel veel suiker, de kleine Rajiv kreeg opgewarmde melk, maar zonder vel. Als hij ook maar een klein stukje zag, begon hij te protesteren en huilde hij.

'Chamki, zijn er nog *idli's**? Bani en Indira hebben ze allemaal opgegeten!'

'Hoe kom je erbij dat er geen idli's meer zijn, Rajiv? Er is toch altijd genoeg?' En dan vroeg Chamki Muna het bord met de gestoomde rijstkoekjes, die typische balletjes uit het zuiden, dat nog in de keuken stond, te brengen.

Als iedereen de deur uit was, schilde Muna de aardappelen en wortels, pelde en sneed ze heel veel uien, hakte ze korianderblaadjes en las ze linzen voor de dhal. Je kon merken dat deze linzen al een keer waren gezeefd, er zaten veel minder steentjes tussen dan tussen die van Kolpewadi. De rijst moest ze ook eerst goed zeven zodat daar ook geen enkel steentje meer tussen zat. Ze dweilde de tegelvloer van de salon, op haar knieën met een dweil en een emmer water met zeep. Daarnaast waste ze alle sari's, de schooluniformen van de meisjes, de salwar kameezen en overhemden in een grote wastobbe en hing ze daarna te drogen aan de waslijnen achter in de tuin. Strijken vond ze het vervelendst. De strijkbout was loodzwaar en hem vullen met de juiste hoeveelheid stukjes kool was niet makkelijk. Ze probeerde 's ochtends vroeg of 's avonds te strijken, als het niet zo warm was. Chamki had haar geleerd de zijden sari's te strijken, die waren het gevaarlijkst. Samen vouwden ze de sari's zorgvuldig op. 's Ochtends ving Muna de melkman op nadat ze haar zwarte haar dat tot haar middel reikte in een vlecht had gedaan. De melkman liet een speciaal belletje horen en reed met zijn kar met rauwe melk de tuin in tot aan de verandatrap. Muna kwam meteen naar buiten met een kan waar drie liter in kon. De melkman schonk de nog warme melk met een grote lepel in de kan terwijl hij elke dag dezelfde verhalen liet horen: dat hij tegenwoordig niet meer langs de huizen ging met een koe zoals zijn vader en grootvader hadden gedaan, en dat de waterput van zijn dorp was uitgedroogd. Daarna kookte ze de melk zodat hij goed was voor het ontbijt. De geur van de melk deed haar denken aan de dagen in Kolpewadi, maar zonder heimwee. De room die op de melk kwam als ze die kookte, kreeg Parvati met een beetje suiker. Dat was een van de weinige momenten dat ze haar tevreden zag. Muna waste ook de borden, schalen, pannen, porseleinen kopjes en kristallen glazen af in de marmeren gootsteen, terwijl ze uit het raam naar de groene tuin keek. Ze lapte de ramen, veegde de bladeren van de veranda ... Ze deed wat Chamki haar had opgedragen: zorgen dat alles in huis op rolletjes liep.

Af en toe ging Muna met Chamki mee naar de markt. Dan trok ze een paar sandalen aan die ze had gekregen, zodat ze niet blootsvoets over straat hoefde. Ze deed ze alleen aan als ze boodschappen gingen doen en ze werden opgehaald door een taxi. De taxichauffeur begeleidde ze overal mee naartoe en hielp hen met alle tassen. Muna keek door het open raampje, ze voelde de warme wind, hoewel die koeler was dan die van het warmste seizoen. Er kwam ook een zwarte walm naar binnen, een dikke damp van stinkende uitlaatgassen van de auto's en vrachtwagens die langs hen heen reden. Een keer kwam de taxi vast te zitten in het verkeer en stonden ze stil voor de gotische façade van het Victoria Terminus Station*. Tientallen mensen van verschillende leeftijden liepen het station in en uit, hun handen vol koffers en bundels. Straathandelaren zetten hun karren in de buurt van de hoofdingang en boden allerlei soorten etenswaren, drankjes, fruit en zoete lekkernijen aan. Muna zoog als een spons alles in haar op en observeerde gebiologeerd het gekrioel. Met haar blik volgde ze een dienblad vol *samosa's*•, *golguppa's*• of kleine glaasjes dampende chai, of keek ze een oudere vrouw met een mand vol mango's na. Ze zag hoe koelies de koffers van zojuist gearriveerde passagiers op hun hoofd droegen, hoe een geit knaagde aan het hout van een fruitkar van een ambulante verkoper, of hoe een man bij een van de kraampjes op straat paan kocht, die in één keer in zijn mond propte en een paar minuten later iets roods uitspuugde, alsof hij bloed opgaf. Muna bleef gefascineerd kijken tot de auto weer begon te rijden en ze het station achter zich lieten.

Op de markt wemelde het van de mensen en kraampjes met alle groenten- en fruitsoorten die je maar kon bedenken. Allemaal gesorteerd op kleur en prachtig opgestapeld. Chamki en Muna stopten ook bij de vleeskramen, altijd een doelwit van vliegen. Er hing een penetrante geur, maar dat deerde Muna niet. Ze vond die geur juist fijn, hij gaf haar het gevoel dat ze leefde. Levend te midden van al die levendigheid. Chamki voerde lange gesprekken met de rijstverkoper over de verschillende soorten rijst. Ze discussieerde vooral over de prijs van de basmatirijst uit de Himalaya en een rijstsoort die minder rond en minder geparfumeerd was.

'Waar ik vandaan kom, Muna, is rijst het symbool van voorspoed. Het staat voor het leven.'

Soms gingen ze na de inkopen nog even langs bij een winkeltje waar een oude bekende van Chamki sari's verkocht. De taxichauffeur bleef buiten wachten, een bidi rokend en met zijn collega's pratend zonder de auto met boodschappen onbeheerd te laten. Ze kregen warme chai in kristallen glaasjes en Chamki en zij zaten met gekruiste benen terwijl de verkoper en zijn assistenten sari's in allerlei kleuren tevoorschijn haalden uit de kasten, waarin ze in mooie stapels lagen uitgestald. Muna keek naar de kleurige, uitgevouwen doeken die als rivieren om hen heen lagen. Oranje, felblauwe, groene ... Chamki betastte ze zachtjes en besprak met de verkoper de kwaliteit van de katoen of de zijde.

'Deze is voor mij. En nu heb ik er eentje nodig voor mevrouw die haar nichtje een mooi cadeau wil geven. Welke vind jij mooier, Muna. De blauwe of de gele? Voel dan, toe. Voel eens hoe zacht die zijde is! Dit is zijde uit Kanchipuram!'

En Muna streelde die zijden doeken, zich lachend afvragend welke kleur ze het mooist vond.

'Trouwens, Kumar, vergeet je niet dat als de dochter van de familie Raghavan gaat trouwen, we heel veel sari's uit Kanchipuram nodig zullen hebben? Als ik jou was, zou ik ze maar vast bestellen.'

'Maakt u zich geen zorgen, Chamkibai, voor u gaan we op zoek naar de mooiste zijden doeken van het land!'

Een keer in de week namen mevrouw Raghavan en Chamki plaats aan de lange eetkamertafel. Dat was een rechthoekige, houten tafel met tien stoelen, altijd recht aangeschoven. Ze namen dan samen de rekeningen door van de inkopen van de afgelopen week en schreven de uitgaven op in een schriftje. Ze stelden een boodschappenlijstje op voor de komende week en bespraken de menu's van de diners waarvoor mensen waren uitgenodigd. Er kwamen regelmatig gasten over de vloer, het echtpaar Raghavan had een druk sociaal leven. Ze ontvingen secretarissen van ministers, eigenaren van grote bedrijven, rechters, advocaten, met of zonder echtgenote, hoogleraren ... De twee vrouwen zaten uren met hun bril op aan tafel. Nadat ze de huishoudelijke dingen hadden besproken, namen ze de knipsels uit de *Times of India* door die mevrouw Raghavan bewaarde in een prachtig bewerkt, antiek kistje van sandelhout. Ze verzamelde advertenties waarin jongens en meisjes werden aanbevolen als huwelijkskandidaten en samen met Chamki vermaakte ze zich met het hardop voorlezen van de verschillende kwaliteiten van toekomstige schoondochters of schoonzonen. Ze had zelfs een advertentie van een familie die in Engeland woonde en die een Indiase vrouw zocht voor elk van hun zonen. Een echte, Indiase vrouw zodat hun zonen de Indiase gewoonten en tradities in stand hielden. Mevrouw Raghavan en Chamki genoten van het lezen van die advertenties, het bespreken en becommentariëren van de meest recente en het vergelijken van de bruidsschatten ... De twee vrouwen konden het goed met elkaar vinden. En ook al was duidelijk dat Chamki in dienst was, ze had het privilege dat ze als een lid van de familie werd beschouwd. Ze was op de hoogte van alles wat er gebeurde en haar mening werd op prijs gesteld.

Wanneer het stortregende, had de hele buurt last van stroomstoringen. De ventilators aan het plafond kwamen tot stilstand en de hitte maakte zich meester van het huis. Dan moest Muna helpen alle kaarsen die ze maar kon vinden aan te steken en ervoor te zorgen dat iedereen licht op zijn kamer had. Als de stroom plotseling vlak voor het eten uitviel, bleef de hele familie in de eetkamer, waar meer kandelaars waren, om huiswerk te maken, te lezen of te naaien. Muna had geleerd muskietennetten te repareren, een klusje dat ze deed als ze gedwongen werd stil te zitten naast een kaarsenkandelaar. Er waren ook altijd wel ergens lekkages in het huis en dan moest ze aluminium emmers neerzetten en de natte vloer dweilen.

Tijdens de maanden van de natte moesson veranderden de straten in ware rivieren. Vergeleken bij de chaos die dan in de stad ontstond, waren de normale opstoppingen lachertjes.

Het water reikte met gemak tot aan je knieën. De mensen deden hun schoenen uit uit angst ze anders te verliezen en droegen hun spullen boven hun hoofd. Motorfietsen en sommige auto's die onder water stonden, stonden nutteloos langs de kant. Kinderen hadden dolle pret. Halfnaakt spatten ze elkaar nat of lieten zich in de enorme plassen vallen, waar het regenwater zich mengde met het afvalwater en waar een enorme stank vanaf kwam.

In de keuken moest al het eten worden afgedekt. Door de vochtigheid bedierven de graanproducten, de linzen, de aardappels en de specerijen.

Chamki verzorgde het haar van alle vrouwen in huis. Ze warmde kokosolie in een pot op en nam plaats op de trap van de veranda. Beurtelings kwamen ze tussen haar benen zitten en zij masseerde de lauwe olie zachtjes in het haar, ondertussen liedjes zingend of verhalen vertellend over haar jeugd in Kerala, dat volgens haar een ander land was. Ze vertelde over het waterrijke landschap, de rijstvelden, de kokospalmplantages, over de treinreis van Kerala naar Bombay die meer dan veertig uur duurde ... Als er olie over was, deed ze ook het haar van Muna, die haar had geholpen. Met haar ogen dicht, zittend op de grond, genoot Muna van die ontspannen momenten, aan niets anders denkend dan aan haar haar.

'Chamkibai, weet jij waarom ze me hierheen hebben gebracht?'

Het kostte Muna heel veel moeite die vraag te stellen, maar op een dag, toen ze alleen in de keuken waren, durfde ze het eindelijk. Ze moest het weten. Chamki roerde in een pan met sambar die op het vuur stond. Ze roerde en proefde de stoofgerechten op een speciale manier. Ze deed een klein beetje in de palm van haar hand en bracht die naar haar lippen. Haar blik bleef strak gericht op de pan terwijl ze met de houten pollepel roerde.

'Dat weet jij toch?' drong Muna aan.

'Ja. Ik weet dat je in een tapijtfabriek werkte. Een kennis van meneer Raghavan stond in het krijt bij hem. Ik weet niet hoe, maar hij hoorde dat we iemand zochten omdat het meisje dat mij voor jou hielp, onverwachts een huwelijksaanzoek had gekregen en was vertrokken. Hij stelde voor een meisje te zoeken zodat zijn schuld zou worden kwijtgescholden. En een paar dagen later kwam jij.'

Muna had nog steeds nachtmerries over die donkere dagen die ze in de tapijtfabriek had doorgebracht. Midden in de nacht schrok ze wakker, badend in het zweet, bevend als een rietje bij de gedachte aan de gezichten van die kindslaven. Of hoe ze zelf bang en verbijsterd uren op die hoge steiger achter dat weefgetouw zat, met slapende benen, terwijl ze een jongetje dat ervan langs kreeg met een twijg, hoorde krijsen ... De familie Raghavan betaalde haar geen geld voor haar werk, maar boden haar onderdak, eten en nieuwe kleren. Ze maakte lange dagen, maar ze werkte niet veel meer dan bij Suresh en Sonali in Kolpewadi. Maar nog nooit had ze zo veel te eten gekregen als hier. Ze droeg mooie salwar kameezen en had het naar haar zin. Ze ging niet naar school, maar stak veel op. Ze leerde veel en voelde zich gewaardeerd.

Ze was al weken niet meer het huis uit geweest en nu zat ze opeens te midden van al die mensen. Ze voelde zich vreemd. De zaal was stampvol en het was een drukte van jewelste. Indira pakte lachend haar hand en zei dat ze niet bang moest zijn. Sanjay, de oudste zoon, was uit Londen overgekomen om Diwali, het Lichtfeest, te vieren en hij had voorgesteld naar de bioscoop te gaan met zijn drie zussen. Na het eten had Indira gevraagd of Muna ook mee mocht, maar meneer Raghavan wilde er niets van weten.

'Een dienstmeid is een dienstmeid.'

'Maar papa, ze is ook een meisje, net als ik, en ze is nog nooit naar de bioscoop geweest.'

'Heb je me niet gehoord? Een dienstmeid is een dienstmeid!'

Uitdagend observeerde Sanjay, die gekleed ging als een jonge Engelsman, zijn vader aan het andere uiteinde van de tafel.

'Voor zover ik weet, verdient een dienstmeid geld met haar werk en dit meisje krijgt niet één roepie, terwijl ze van 's ochtends vroeg tot 's avonds laat werkt.'

'Hou je erbuiten, Sanjay!'

'Hoezo moet ik me er niet mee bemoeien? Ik schaam me rot te horen bij een familie die een meisje als slavin houdt!'

'Sanjay, ik heb gezegd dat je je er niet mee moest bemoeien! Wie denk je dat je bent? Als je dokter bent, praten we verder, maar ondertussen hou je je brutale mond!'

'Ik hoef geen arts te zijn om onrechtvaardigheid te herkennen!'

De stemmen werden steeds luider en waren overal in huis te horen. Muna volgde het gesprek, samen met Chamki in de keuken. Haar hart bonsde als een gek.

'In Engeland leren ze je zeker een grote mond te hebben en geen respect te tonen voor je vader.'

'Inderdaad. In Engeland leer ik meer dan alleen geneeskunde. Wat kost het jou om haar naar de bioscoop te laten gaan als je haar toch niets betaalt?'

'Alsof die Engelsen ons al niet genoeg gekoloniseerd hebben. Nu bemoeien ze zich ook nog met onze opvattingen.'

'Dat heeft niets met de Engelsen te maken. Dat is gewoon je gezond verstand gebruiken!'

De rest van de familie luisterde mee, maar nam niet deel aan de discussie.

'Als je een dienstmeid naar de bioscoop laat gaan, is het einde zoek, want wat wil ze daarna? Een dienstmeid is een dienstmeid. Wil je soms dat de buren ons uitlachen? Ken jij een familie die hun dienstmeid mee naar de bioscoop neemt?'

'Dat is nu precies jouw probleem. Het enige waar jij je druk over maakt, is wat anderen misschien zouden zeggen. Stelletje hypocrieten! Dat zijn jullie!'

Er viel een diepe stilte. Mevrouw Raghavan zei niets. Tijdens de discussie tussen haar man en haar zoon veranderde haar expressie voortdurend, maar aan haar mimiek was niet af te lezen aan wiens kant ze stond.

'Chamki!' schreeuwde meneer Raghavan. Snel rende Chamki de keuken uit en ging naar de eetkamer.

'Wat is er, meneer?'

'Chamki, wat vind jij hiervan?'

'Ze heeft het wel verdiend, meneer Raghavan. Ze werkt nu al maanden heel hard. Ze doet goed haar best en ik heb geen enkele klacht over haar. Muna is de beste hulp die ik ooit heb gehad. Ze is efficiënt en intelligent. Bovendien is het eten van vanavond al klaar. Ik geloof niet dat ze meer verlangt, meneer. Ze gaat naar de bioscoop en werkt daarna weer gewoon verder.'

Uiteindelijk mocht Muna naar de bioscoop. Als ze naar het gekrioel van mensen in de zaal en op de balkons keek, naar al die drukte, dan kon ze zich niet voorstellen dat iedereen over enkele ogenblikken stil zou zitten en drie uur lang zijn mond zou houden. Maar zodra de lichten doofden, kwam niemand meer van zijn stoel. Stil zijn was iets anders. Soms barstte de hele zaal in lachen uit of schreeuwde iedereen naar een van de hoofdrolspelers om die te waarschuwen voor een dreigend gevaar. Alsof de acteurs en actrices konden reageren op het gegil en waarschuwingen uit de zaal!

Hoewel Indira had uitgelegd wat een film was, had Muna zich er niets bij kunnen voorstellen, maar toen hij eindelijk begon, trad ze een magische wereld binnen die haar stoutste dromen overtrof. Vrouwen in prachtige kleren, de mooiste sari's die ze ooit had gezien. En wat konden ze goed dansen! De muziek, het ritme van het slagwerk, het liefdesverhaal ... Telkens als de twee hoofdrolspelers op het punt stonden elkaar te kussen, zoomde de camera weg en begon het publiek hysterisch te gillen. Bij elk liedje begon iedereen enthousiast mee te zingen en te klappen. Sommige toeschouwers stonden zelfs op en gingen dansen tot de rijen achter hen eisten dat ze eindelijk gingen zitten. Muna lachte, huilde, leed mee en genoot. Tijdens de pauze haalde Sanjay pinda's en snoep bij een van de vele kraampjes die voor de bioscoop stonden. Ze aten alles op en becommentarieerden uitgebreid de scènes en stelden zich voor hoe het zou aflopen.

'Hé, hij begint weer!' riep iemand en iedereen ging snel zitten op zijn stoel.

Het volgende anderhalve uur vloog voorbij. Toen de lichten weer aangingen, stond iedereen op en verliet de zaal. Muna voelde zich anders. Nooit had ze gedacht dat er binnen de werkelijkheid nog een andere realiteit kon bestaan, eentje die zij zojuist op het witte doek had gezien. Die film was haar eerste contact met de wereld van de fictie, en ze zou er niets op tegen hebben als ze voor altijd in die andere werkelijkheid moest leven. Wat Muna niet wist, was dat dat bioscoopuitje een ommekeer in haar leven zou betekenen. Met zijn vijven namen ze een taxi terug, op elkaar gepropt. Parvati zat op Bani's schoot en Sanjay naast de chauffeur, napratend over wat ze het mooist hadden gevonden van de film, de liedjes en opvallende dansen, de sari's van de vrouwen ... Muna keek naar de straten alsof het ook filmbeelden waren.

Het was donker, maar op straat was het nog druk met mensen, wandelend, op de fiets, zittend bij de ingang van hun huis ... Straatventers hadden een brandende gaslantaarn gezet op hun kraam waar ze fruit, sap van suikerriet of etenswaren verkochten. Die lichtjes gaven een magische aanblik aan alles wat Muna door het taxiraampje zag in die georganiseerde chaos van de stad, terwijl de taxichauffeur om de haverklap toeterde voor een koe, een oud vrouwtje of een onoplettende fietser die allemaal als kippen zonder kop de weg overstaken.

Indira had veel bewondering voor haar oudste broer en zei altijd dat hij haar voorbeeld was. De laatste keer dat hij naar Londen was teruggegaan, had hij een speciaal cadeau gevraagd. Ze moest zijn adres aan het King's College in Cambridge opschrijven in een schriftje en hij gaf haar een doos met heel veel postzegels zodat ze die aan niemand hoefde te vragen. Gedurende de twee jaar dat hij wegbleef, schreef Indira hem lange brieven met mooie, ronde letters en veel tekeningen waarin ze hem alles vertelde over school en thuis. Ze hield hem op haar manier op de hoogte van wat zij had gehoord over de meisjes die hun ouders als eventuele toekomstige echtgenotes zagen. Indira deed alles om de goedkeuring van haar broer te verdienen, maar ook zijn medeplichtigheid. Na zijn discussie met hun vader waarin hij het had opgenomen voor Muna, wilde ze laten zien dat ze goed had geluisterd en begon ze zich meer te interesseren voor dat meisje dat net zo was als zij, maar dat niet het geluk had gehad, geboren te worden in een familie zoals de hare. Ze kwam regelmatig naar de keuken met het excuus dat ze een banaan of een glaasje water wilde, of om te vragen of de stoppen waren doorgeslagen, want de ventilators waren ermee opgehouden, en dan bleef ze met Muna kletsen en hield haar gezelschap onder het aardappels schillen. Een keer was ze zelfs bij Muna op de grond gaan zitten en ze had haar geholpen met het lezen van de linzen zodat ze verder konden babbelen.

'Ik heb een idee, Sanjay!' riep Indira op een middag, toen haar broer op een van ligstoelen op de veranda lag te lezen.

'O ja? Wat heb je dan bedacht?'

'Nou, dat ik Muna ga leren lezen en schrijven. Het is toch belachelijk dat ze op haar leeftijd nog niet eens haar eigen naam kan schrijven!'

Sanjay, die iets onzinnigs en kinderlijks had verwacht, legde zijn boek op de lage tafel en strekte zijn hand uit naar zijn zus.

'Kom eens hier, zusje!' En hij sloot haar ontroerd in zijn armen. 'Weet je dat dat het beste idee is dat iemand van de familie Raghavan sinds tijden heeft gehad? Waarom was ik daar niet zelf opgekomen?'

'Vind je het echt een goed idee?'

'Het beste, echt waar!'

'Denk je dat het van papa mag?'

'Dat regel ik wel. Maak je daar nu maar geen zorgen om. Aangezien ze haar niet betalen en ze twaalf uur per dag werkt, dan is haar leren lezen en schrijven toch wel het minste wat we voor haar kunnen doen.'

'En natuurlijk ook optellen, aftrekken en vermenigvuldigen. Dat kan ze ook niet, en dat heb ik geleerd toen ik zeven was!'

'Afgesproken. Ik zal vanmiddag met papa praten.'

Bombay, 1974

De waaiers van de ventilators aan het plafond bleven maar ronddraaien. Rondjes en nog eens rondjes en altijd met dezelfde snelheid. De hitte en de vochtigheid waren verstikkend. Sita kon niet slapen. Het begon licht te worden, maar de nacht was nog niet voorbij. Toch hoorde ze al geluiden op straat, de eerste straatventers en hun geschreeuw om hun waar aan de man te brengen: fruit, verse samosa's, melk vers van de koe, glazen warme thee ... Ze hoorde het geluid van fietsbellen, een auto die met hoge snelheid reed, motoren ... Liggend op de vloer, op een dunne handdoek die dienstdeed als bed, probeerde Sita zich voor te stellen wat er gebeurde buiten die enorme slaapzaal die vol meisjes lag als zij, maar die sliepen. Waarom waren zij nooit bang voor de duisternis of de tralies? Ondanks het feit dat ze omgeven was door meer dan honderd meisjes, allemaal vlak naast elkaar op een handdoekje, opeengehoopt, voelde ze zich eenzaam.

Langzaam aan werd het dag en met de eerste schaduwen op de muren naderde ook het uur om op te staan. Het duurde niet lang meer of zuster Aline zou haar belletje laten rinkelen en daarmee het einde van de nacht en de nachtmerries aankondigen. Het rumoer van de stad werd steeds luider. En eindelijk klonken de voetstappen van de non die elke ochtend op hetzelfde tijdstip de deuren opendeed van de zaal waar de meisjes onder de ventilators sliepen.

'Goedemorgen. Opstaan!'

Sita stond in één ruk op, vouwde haar handdoek op en ging snel naar de naar chloor ruikende wasruimte om haar handen te wassen vóór de anderen kwamen en het water op was. Het was zaterdag en er was geen les.

Het centrum van de Franciscanessen Missionarissen van Maria (FMM)bestond uit twee grote, donkergrijze gebouwen. In het ene was het convent gehuisvest. Daar woonden de nonnen en de weesmeisjes, zoals zij. Als je de trap afdaalde, kwam je in het andere gebouw waar het internaat was gevestigd en de school voor meisjes die wel familie hadden. Een grote tuin omringde de twee gebouwen die waren opgetrokken in koloniale stijl met grote ramen. Een van de gevels was helemaal bedekt met paarse bougainvilles die weelderig tegen de muren opklommen. In de tuin stonden twee grote palmbomen die vanaf de straat zichtbaar waren voor je de ijzeren poort doorliep en het aarden pad naar het complex betrad. De jongste zusters hielden zich met de tuin bezig en zorgden ervoor dat er altijd bloemen in allerlei kleuren bloeiden.

De zaterdagen waren spannende dagen. Na het ontbijt met de andere weesmeisjes, rende Sita naar de tuin en klom op een stenen bank. Van daaraf kon ze heel goed naar de meisjes van het internaat gluren. Ze keek hoe ze hun mooiste jurk aantrokken en de nonnen hen hielpen hun haar in te vlechten met prachtige, felgekleurde en gestreken linten. De kamers in het internaat waren voor twee personen en hadden twee bedden, twee nachtkastjes en een grote kast. Vanaf haar uitkijkpost keek Sita toe en verloor geen detail uit het oog van de komst van de familie van de meisjes, die hen ophaalde voor het weekend. Sommigen werden opgehaald door hun vader. Mannen met een snor, sikhs met een oranje, rode, zwarte of groene tulband. Moeders met turkooizen of paarse sari's, zwart steil haar, los of in een vlecht tot hun middel, en met vergulde of gekleurde kristallen armbanden die rinkelden bij elke beweging. Andere meisjes werden opgehaald door hun opa en oma die op de ouders leken, maar dan met grijs haar. Soms kwamen er ook kleinere of oudere kinderen, de broers en zussen of neven en nichten. En op zondagmiddag, voor het donker werd, nam Sita weer plaats op de bank en keek ze naar de terugkomst van de meisjes van het internaat met hun familie. Dat was het hoogtepunt. Dan was ze getuige van het afscheid: een moeder die haar dochter omhelsde en haar tegen zich aandrukte en haar een tijdje roerloos vasthield. Wat voelde je als je werd omhelsd? Sita was nog nooit zo omarmd. Voor zover zij zich kon herinneren had nog nooit iemand haar zo in de armen genomen.

Die zaterdag had ze zich net geïnstalleerd op de stenen tuinbank om weer lekker te gluren naar het vertrek van de meisjes, toen ze hoorde dat ze werd geroepen.

'Sita. Zit je daar nu weer? Kom eraf. Ik heb iets voor je.'

'Voor mij?'

Zuster Valentina was de moeder-overste van het klooster en de directrice van het internaat. Altijd ging ze gekleed in een wit habijt en een hoofddoek in dezelfde kleur. Op haar borst hing een zilveren kruis. Ze praatte en keek anders dan de andere nonnen. Sita vond het prettig om bij haar te zijn. Zuster Valentina gaf haar een hand en samen liepen ze het gebouw in.

'Weet je dat het vandaag je verjaardag is', zei de non terwijl ze de grote wenteltrap bestegen en naar haar werkkamer liepen. De treden waren van hout en de sandalen van zuster Valentina klepperden bij elke stap. Sita liep blootsvoets, nog nooit had ze schoenen gedragen of gehad.

'Mijn verjaardag? Echt waar? Hoe weet u dat?'

'Ga hier maar zitten, op die kleine stoel', zei ze terwijl ze een pakje pakte dat in donkerblauw papier was gewikkeld. 'Vandaag is het drie jaar geleden dat je hier kwam, Sita. En aangezien je toen ongeveer drie jaar oud was, zouden we kunnen zeggen dat je vandaag zes bent geworden. Wat denk je daarvan? Alsjeblieft dit is je verjaardagscadeau.'

Met een brede grijns begon Sita het pakje uit te pakken. Haar eerste cadeau! Er kwam een jurk met gele bloemetjes tevoorschijn. Hij leek op de jurken van de meisjes van het internaat. Zij droegen er witte sokken en sandalen met een gesp bij.

'Kom, dan help ik je hem aan te trekken.'

'Ik vind hem prachtig', zei Sita met haar nieuwe jurk aan en haar oude verkreukeld aan haar voeten. 'Maar als ik op de stenen bank ga zitten, bekijk ik die meisjes niet omdat ze een nieuwe jurk en glimmende schoenen aanhebben!'

'O, nee? Kom eens hier, dan maak ik hem van achteren dicht. Hij staat je erg mooi en je kunt hem nog heel lang aan, want hij is groot genoeg!'

Sita was heel klein voor haar leeftijd en ook al was ze mager, ze zag er gezond en sterk uit.

'Zuster Valentina ...'

'Zeg het eens, mijn kind.'

'Zou ik ook zulke ouders kunnen hebben als de meisjes van het internaat?'

Zuster Valentina deed net zwijgend het laatste knoopje dicht. Voor haar stond Sita, met haar rug naar haar toe, met haar kleine lijfje en haar korte, steile, pikzwarte haar, en ze wist niet wat ze moest zeggen. Ze draaide haar naar zich toe en pakte haar bij haar schouders vast.

'Ziezo. Je hebt een nieuwe jurk. Gefeliciteerd!'

'Zuster Valentina, kan ik de jurk niet ruilen voor een papa en mama?'

De non keek haar strak aan, alsof ze hoopte in Sita's donkere ogen het juiste antwoord te vinden.

'O, Sita. Was het maar zo makkelijk! Is dat wat je wilt: ouders? Heb je het dan niet goed bij ons? Met mij, met zuster Niharica, zuster Juliette, zuster Urvashi, zuster Aline

... Met de andere meisjes ...

'Jawel, maar ik wil een moeder voor mijzelf!'

Zuster Valentina zuchtte diep. Zulke woorden, uitgesproken in vloeiend Marathi, klonken hard. Er waren al drie jaar verstreken sinds ze bij het FMM-centrum in Bombay was gearriveerd vanuit het convent in Nasik waar ze was verzorgd door zuster Kamala en de andere nonnen. Ze herinnerde zich het telefoontje van zuster Kamala: of ze een bijdehand, wakker, leergierig meisje van drie jaar kon brengen. Het klooster van Nasik was klein en er waren heel weinig nonnen om alle mensen op te vangen die daarheen kwamen om in rust en vrede te sterven. Ze konden geen medische zorg bieden, maar toch hadden ze de naam dat bij hen vrouwen vreedzaam konden doodgaan. Soms kwamen er doodzieke vrouwen met hun zieke kinderen die niet meer te redden waren, hoezeer de nonnen ook hun best deden. Ze vingen ze op, gaven ze een plek op de grond waar ze rustig konden liggen, wasten ze zodat ze in alle waardigheid konden sterven, hielden hun hand vast op de momenten dat de pijn ondraaglijk werd, troostten ze. Andere keren kwamen er vrouwen met gezonde kinderen alsof zij hun moeder bij de hand hadden genomen en haar naar dat klooster hadden gebracht zodat ze daar kon sterven. De nonnen zorgden voor hen tot ze wees werden en gingen intussen naarstig op zoek naar een familielid van de overledene, een buurvrouw of een bekende van de familie zodat die zich over de kinderen kon ontfermen. Ze wilden geen kinderen omdat ze handen tekortkwamen. Bovendien werden de kinderen ook vaak ziek omdat ze bij zo veel zieke vrouwen snel een infectie opliepen.

Zuster Kamala die uit Goa was overgekomen en de leiding van het convent in Nasik op zich had genomen, had het meisje geaccepteerd. Ze kwam uit een afgelegen dorp uit een arme familie waar niemand voor haar zorgde ... De non had al heel veel voor haar gedaan door haar te dopen in de Heilige Anakapel, die vlak bij het klooster lag. Ze dacht dat Sita veel meer kans had als ze naar een klooster in Bombay ging waar kinderen les kregen van nonnen. Ze zorgden ervoor dat de meisjes ten minste een basisopleiding volgden zodat ze een waardiger toekomst konden krijgen.

Zuster Valentina ging op een stoel zitten.

'Dus jij wilt een vader en moeder hebben?'

De donkere, zwarte ogen van Sita boorden zich in die van de moeder-overste. De donkere huid van het meisje stak af tegen de lichte stof van de nieuwe jurk die korte mouwen had en haar knieën bedekte. Zuster Valentina die al over de zeventig was, merkte dat ze op een leeftijd kwam dat ze te ontvankelijk werd voor dit soort situaties. Ze was niet meer de sterke vrouw die vaak als gevoelloos bestempeld werd door de andere nonnen, noch de autoritaire vrouw die werd gevreesd door alle meisjes, wees of niet, arm of rijk.

'Het is al goed. Al goed. Weet je wat je vanaf nu moet doen? Je moet veel bidden, Sita! Bid tot God dat hij een vader en moeder voor je vindt.'

'Maar als hij ze niet vindt, zoekt u ze dan? Iedereen vraagt al zo veel aan hem. Hij kan toch niet alles in zijn eentje doen!'

'Bid jij nu maar, Sita. En ik zal kijken wat ik kan doen. Afgesproken? Vooruit, ga nu maar buiten spelen!'

'Ik hou de jurk, maar als u een papa en mama vindt, zegt u dat meteen en als u hem terug wilt, krijgt u hem. Goed?'

Sita liep met een glimlach de werkkamer uit en daalde op haar blote voeten de trap af, terwijl haar linkerhand over de houten trapleuning gleed. In de tuin speelden de meisjes, om beurten mochten ze een rondje fietsen. Er waren twee fietsen, behoorlijk verroest al, die ze met zijn allen moesten delen. Twee meisjes reden over de verharde tuinpaden, tussen intens groene heesters door, veel groter dan zij, en de anderen sprongen touwtje of kletsten. Sita was graag alleen en hoorde niet bij een van de groepjes vriendinnen die in het weeshuis woonden. Zij zat veel liever achter vlinders aan of zocht naar witte, ronde stenen die verstopt waren tussen het grind van de oprit, voor haar verzameling die ze had verborgen in een geheime hoek van de tuin.

Zuster Valentina zat nog steeds op haar stoel. De woorden van Sita klonken nog in haar na. Ze leidde nu al jaren kloosters en weeshuizen, maar nog nooit had een meisje zo klein als zij haar gevraagd of ze op zoek wilde gaan naar een vader en moeder. Een toekomst zeker te stellen voor haar weesmeisjes was een van haar prioriteiten, en dat was niet makkelijk. Al naar gelang de meisjes groeiden, hield ze ze nauwlettend in de gaten en besloot ze voor hen wat het beste was. Degenen met een religieuze roeping hielden van zingen en naaien, waren serieus en toegewijd, zij zouden non worden en bleven hier of traden in in een ander klooster van de FMM in India of in een ander land. Voor hen die van meet af aan moederlijk gedrag vertoonden, moest ze een geschikte man vinden die een kleine bruidsschat accepteerde. Dit waren de meisjes die uren moedertje speelden met iets wat op een pop moest lijken, hoewel sommige het geluk hadden gehad een kapotte of achtergelaten pop van een meisje van het internaat te hebben gevonden. Zuster Valentina arrangeerde ook huwelijken met vaders van adolescente jongens die een goede vrouw zochten voor hun zonen en die vertrouwen hadden in een meisje met een religieuze opvoeding, ook al hadden zij zelf een ander geloof. Ze wilden vooral een meisje dat sober was opgevoed en gehoorzaamde. In wezen deed ze hetzelfde als alle Indiase moeders met hun dochters: de beste echtgenoot voor hen zoeken.

Ze stond op en ging achter haar bureau, haar toevlucht zitten. Achter die enorme tafel van tropisch hardhout, bezaaid met boeken en stapels papieren, voelde ze zich goed en leken de uren om te vliegen. Ze pakte de brief waar ze de vorige dag aan was begonnen, maar nog niet had afgemaakt. Het was een brief aan een Spaans echtpaar dat een aanvraag voor de adoptie van een klein meisje had ingediend ... Vaker dan haar lief was, vonden de nonnen achtergelaten baby's bij de poort van het klooster. Ze wist dat ze niet mocht zeggen dat de baby's in de steek waren gelaten. Geen enkele moeder ter wereld zou haar kind aan zijn lot overlaten. In elk geval probeerde ze het een betere toekomst te bieden. Jongetjes bracht ze naar een centrum van franciscaner broeders. Meisjes hield ze. Adopties waren niet gebruikelijk voor de babytjes die waren opgevangen door de FMM. Zuster Valentina ontving brieven van mensen met aanbevelingen van geestelijken of nonnen uit allerlei hoeken in Europa en de Verenigde Staten die aanboden een weesmeisje onder hun hoede te nemen. Zuster Valentina had geen tijd ze allemaal terug te schrijven, noch om de adoptieprocedure op gang te brengen. Daarvoor moest ze voor de rechter verklaren dat een meisje echt wees was en niemand had die haar zou opeisen, en op de ambassade of het consulaat van het land van de toekomstige adoptieouders allerlei papieren invullen ... Bovendien vond ze het moeilijk een van haar kinderen af te staan aan een echtpaar van wie ze bijna niets wist en dat zo ver weg woonde. Ze was bang een foute beslissing te nemen. Zij wilde zeker weten dat ze de dingen goed deed.

Maar met het Spaanse echtpaar van de brief lag het anders. Om te beginnen kon ze hun in haar moedertaal, het Spaans, schrijven. Zuster Valentina kwam uit Santo Domingo van de Dominicaanse Republiek. Ze had veel meegemaakt in haar leven en ze had in veel verschillende landen gewoond, maar de taal die ze al jaren nog maar zelden sprak, was ze nog niet vergeten. In haar bibliotheek had ze bijbels en kerkboeken in het Spaans, maar ze had ook de complete werken van de Heilige Teresa van Avila en van de Heilige Johannes van het Kruis. En tot haar verzameling niet-religieuze boeken hoorde een heel bijzonder boek dat ze al bewaarde sinds haar jeugd: een editie van *Don Quichot van La Mancha*, dat ze, toen ze dat nog mocht, heel vaak had herlezen en waar ze veel over had gedroomd.

Ramón Riba en Irene García uit Barcelona hadden haar voor het eerst een jaar geleden geschreven. Een non met wie ze samen in het klooster van de Dominicaanse Republiek was ingetreden en voor het eerst haar habijt had aangetrokken, had hen aanbevolen. Guadalupe heette ze. Ze was nu verpleegster in een ziekenhuis in Barcelona. Ze herinnerde zich haar nog goed. Een gevoel van heimwee naar haar Caribische eiland en de klanken van de taal hadden de doorslag gegeven. Ze zou zich voor die kennissen van Guadalupe inspannen en hen tot adoptieouders maken. Er waren al een aantal brieven over en weer geschreven, tergend langzaam gingen ze de wereld over. Die uit Barcelona deden er minder lang over, onder meer omdat het echtpaar altijd onmiddellijk terugschreef. Een keer hadden ze zelfs een zwart-witfoto bijgesloten. Het leken goede mensen. Het liefst wilden ze een klein meisje adopteren, zo jong mogelijk. Ze konden geen kinderen krijgen en ze dachten dat ze een weeskind heel gelukkig konden maken en het alles konden geven wat het nodig had. Ze herlas wat ze de vorige dag had opgeschreven, pakte een pen en maakte de brief in één keer af. Daarna schreef ze het adres op de envelop. Barcelona.

Een keer had ze tijdens de aardrijkskundeles aan de oudste meisjes van het internaat de stad op de grote kaart aan de muur opgezocht. De Middellandse Zee. Vanaf Barcelona volgde ze de kust met haar vinger. Marseille, Nice, Genua, Napels ... zelfs tot aan Istanbul, om vervolgens te verdwalen tussen de namen van de Griekse eilanden. Intuïtief voelde ze aan dat een meisje daar een gelukkige vrouw kon worden. Temeer met ouders met zulke goede referenties. Hij was dokter in het ziekenhuis waar Guadalupe werkte. Zij lerares op een school. Op dit moment waren er geen baby's in het klooster. Dat had ze geschreven aan het Barcelonese echtpaar. Of het waren meisjes van drie of vier jaar of baby'tjes die zo zwak waren dat ze stierven zonder dat er iets voor hen kon worden gedaan. Zoals bijvoorbeeld het laatste meisje dat ze hadden moeten begraven en dat net een half jaar oud was. Zulke kleine baby's opvangen was heel moeilijk. Ze gaven ze te eten wat ze hadden, veel rijst, gepureerde groente en fruit en zuigflessen thee met suiker. Baby's waren heel kwetsbaar en zuster Valentina had een hekel aan het treurige schouwspel van zieke schepseltjes die zwak en weerloos waren. Soms was een meisje besmet met een virus en stak het andere kinderen aan zodat ze allemaal ziek werden en diarree en koorts kregen. In de ruimte die dienstdeed als slaapzaal, was een klein kamertje zonder deur, met een bed voor het meisje dat het het meest nodig had. Als er veel zieken waren, hadden ze een probleem. Sommige nonnen wisten iets over ziektes en maakten een grote pan met een onbeschrijflijke vloeistof met een vreselijke smaak klaar. In rijen van twee liepen de meisjes langs de pan en kregen om beurten twee eetlepels. In uitzonderlijke gevallen kwam de dokter langs om een injectie te geven of om de patiënt te onderzoeken. Hoewel ze geloofde dat alles wat er gebeurde Gods wil was, bleef ze niet hulpeloos toekijken, maar deed ze alles wat in haar macht lag om de dingen te laten verlopen zoals zij het wilde.

Ze vouwde de brief dubbel en juist toen ze hem in de envelop wilde schuiven, kreeg ze een idee. Ze stond op en liep naar de kast waar een rij dozen stond in allerlei formaten met een etiketje met een meisjesnaam. Ze pakte de doos met de naam van Sita erop. Ze viste er een paar foto's uit, bekeek ze en koos er een uit. Ze vouwde de brief open en voegde er nog een paar regels aan toe. Misschien kende dokter Riba en zijn vrouw nog een paar dat een Indiaas meisje wilde adopteren, maar geen bezwaar had tegen een kind dat al zes jaar was en heel wat achter de rug had, met een sterke persoonlijkheid en dat alleen Marathi sprak. Ze vouwde de brief weer op en deed hem in de envelop, samen met een zwart-witfoto van een lachende Sita. Maandagochtend zou ze hem zelf naar het postkantoor brengen, zodat ze er zeker van was dat alle postzegels die nodig waren voor een snelle bezorging, werden opgeplakt.

Sinds Sita's komst naar het FMM-convent in Bombay was ze het lievelingetje van Valentina geworden. Misschien omdat ze zo veel kracht uitstraalde of vanwege haar lach. Zuster Kamala wilde dat ze het klooster in Nasik verliet zodat ze naar school zou kunnen, maar als puntje bij paaltje kwam, had ze nog nooit een les bijgewoond. Hoewel zuster Valentina zich daar niet druk om leek te maken. Ze had besloten dat Sita met haar meeging als ze boodschappen ging doen en dingen moest regelen in de stad. Voor de ijzeren poort, aan het einde van de aarden weg, wachtte een taxi hen op. Bijna altijd was het dezelfde chauffeur, een kleine man met een donkere huid die Layam heette. Sita en de moeder-overste namen plaats op de achterbank, Layam startte de auto, bijna zonder iets te zeggen, rokend met een bidi in zijn mond en het raam open. Alsof het een soort ritueel was, haalde zuster Valentina een appel, een mes en een witte zakdoek uit haar tas tevoorschijn. Daarna haalde ze met een lange sliert langzaam in één keer de schil van de appel eraf, sneed de appel in partjes en legde die netjes op de uitgevouwen zakdoek op haar schoot. Sita at de stukjes appel op terwijl ze uit het wijd opengedraaide raampje keek en geen detail miste van wat er op straat gebeurde. Fietsen, riksja's, auto's, mensen sjouwend met allerlei pakjes, een koe bij een bushalte, volledig genegeerd door de reizigers, motorfietsen met drie passagiers, een vrachtwagen volgeladen met banden, kraampjes met mooi uitgestald fruit op de stoep, bergen ananassen en mango's, stalletjes met eten, stoffen in allerlei kleuren of met stapels schoenen en sandalen. Wanneer ze in de file stonden, boden de verkopers bij de auto's papaja's, bananen, glazen water of kranten aan, met het oorverdovende getoeter op de achtergrond. Of een vrouw met lepra, met haar stompjes bedelend om een aalmoes, een meisje met zes vingers aan een hand of een misvormd jongetje. Hoe was het mogelijk dat er zo veel kindertjes met zulke wanstaltige misvormingen waren? Zuster Valentina vroeg zich dat vaak af, maar ze raakte er niet door van streek. Ze had al genoeg aan haar eigen ellende.

Bijna alle dagen gingen de nonnen langs alle luxehotels in Bombay. Ze namen de achteringang die uitkwam in de keuken, en verzamelden pakjes met overschotten van de vorige dag. Zuster Valentina ging soms alleen om de managers te bedanken. De keukens van grote hotels waren immens en Sita bleef altijd gebiologeerd staan voor het kaalgeplukte gevogelte of de gevilde dieren die opgestapeld lagen op de werkbanken. Kippen, lammetjes ... Ze begreep niet wat die toegetakelde dieren in de keuken deden. En altijd kwam tijdens het ophalen van die pakjes een kok Sita een stukje taart of een lepeltje met iets lekkers brengen. Hotel Taj Mahal was de beste bestemming. Niet alleen was het gebouw indrukwekkend – het lag vlak bij zee en op elk willekeurig moment van de dag leek het een bijzondere en magische plek, met een andere sfeer –, maar ook omdat ze er altijd schalen vol heerlijk bereid lamsvlees, *biryani's*• of kip masala vandaan haalden die ze na een paar dagen schoon en glimmend terugbrachten. Sita verliet het hotel altijd met een samosa in elke hand, die ze lekker oppeuzelde. Het eten dat ze ophaalden bij de hotels was voor de weesmeisjes en de nonnen. De meisjes van het internaat kregen vers bereide maaltijden. Als ze veel goedgevulde gerechten hadden opgehaald, dan mengden de kokkinnen van de nonnen de sauzen met rijst en groenten en sneden ze de stukjes vlees of vis fijn, zodat er genoeg voor iedereen was.

Die ochtend, bij het uitgaan van de kerk, zat Sita een van de katten achterna die regelmatig in de tuin snuffelden. Ze rende achter hem aan tot ze hem te pakken had, liet hem gaan als hij onrustig werd om vervolgens de achtervolging weer in te zetten. Een groepje meisjes, sommige van haar leeftijd, andere iets ouder, observeerden haar, wezen naar haar en kletsten over haar.

'Wat is er, verwend kind? Moet je vandaag niet op pad?' vroeg een van de oudsten, terwijl ze op haar afstapte.

'Weet je waarom je zo weinig naar school gaat? Omdat je nergens voor deugt.'

'Ja, daarom mag je mee, nutteloos wicht.'

'Je weet niet eens hoe je een potlood moet vasthouden terwijl wij allang kunnen schrijven.'

Sita was het gewend om van zich af te bijten en te knokken. Je handhaven tussen al die meisjes was geen sinecure. De nonnen konden niet altijd alles in de gaten houden, er waren er te weinig voor zo veel kinderen.

'Wedden dat je niet eens weet hoe je je naam moet schrijven?'

'Ik hoef ook niet te weten hoe je moet schrijven!' flapte ze er opeens uit, terwijl ze hen vastberaden aankeek met haar zes jaar. De kat zag zijn kans schoon en glipte uit haar handen.

'O nee? Moet je nou toch horen, de slimmerik. Ze hoeft niet te kunnen schrijven.'

'En waarom dan wel niet?'

'Nou omdat ik binnenkort ouders krijg die mij hier vandaan halen en jullie niet!'

'Wat weet jij daar nu van?'

'Stom kind! Welke ouders willen jou als je niets weet?'

De groep dreef haar steeds meer in het nauw, ze gingen steeds harder praten, de toon werd agressiever. De meisjes wisten hoe ze anderen konden kwetsen met woorden. En als woorden niet het gewenste effect sorteerden, begonnen ze te slaan. Een van de meisjes gaf haar een schop. Sita schopte terug en uiteindelijk rolden de beide meisjes over de grond, krabbend en elkaar aan de haren trekkend. Haar rivale heette Sundari. Haar naam zou voor altijd in Sita's geheugen gegrift blijven. Terwijl de omstanders hun toeschreeuwden, wierp Sundari zich boven op haar. Ze duwde haar met twee handen tegen de grond en ze beet Sita flink in haar wang. Die beet zou een litteken veroorzaken dat nooit meer zou verdwijnen.

De vreselijke gil van Sita trok eindelijk de aandacht van een stel nonnen dat onmiddellijk kwam aangesneld om de orde te herstellen.

'Maar wat is er hier aan de hand? Zo is het genoeg.'

Het was al te laat. Het bloed stroomde uit Sita's wang en niemand kon haar tot bedaren brengen.

'Zijn jullie een stelletje wilden? Wie is er begonnen? Ach, laat maar, iedereen naar binnen. Snel!' Schreeuwde zuster Urvashi en deelde ondertussen een oorvijg uit. 'We moeten meteen iets aan die wond doen. Vooruit, naar boven. Kom mee, Sita.'

De non wist niet op wie ze boos moest zijn en Sita's gezicht zag er zo gehavend uit dat ze alleen maar nog harder tegen haar begon te schreeuwen. Ze pakte haar hand en nam haar mee naar het medicijnkastje.

Zuster Urvashi had de wond schoongemaakt met een bijtend middeltje dat Sita het deed uitschreeuwen van de pijn, en verbonden. Met haar gezicht half in het verband liep Sita naar de wenteltrap. Als zuster Valentina haar had meegenomen de stad in, had ze nooit die ruzie gehad. Maar ze gingen niet elke dag naar de stad. Soms had de zuster andere zaken te regelen. De deurknop zat te hoog en Sita kreeg de deur niet open. Ze klopte een paar keer, maar ze kreeg geen antwoord. Daarom ging ze zitten op de bovenste trede en wachtte tot de moeder-overste terug zou zijn. Ze had honger. De thee, de banaan en de twee stukjes droog brood die ze had gegeten bij het ontbijt, waren allang verteerd en het gevecht met Sundari had haar veel energie gekost. Ze dacht aan de samosa's en de zoete lekkernijen die de koks van de hotels haar gaven, toen ze opeens de treden hoorde kraken. Ze keek tussen de spijlen door en lachte. Het was zuster Valentina.

'Maar Sita, wat is er met je gezicht gebeurd? Je gaat me toch niet vertellen dat je weer gepikt bent door een kraai? Die beesten laten zich ook niet uit de bomen verjagen.'

'Sundari heeft me gebeten.'

'Ai, ai, ai. Ik weet niet wat erger is. En wat doe je hier, zittend op de trap?'

'Ik wilde weten of u al ouders voor me had gevonden.'

Zuster Valentina hijgde terwijl ze de trap opklom. Ze had een tas vol boeken bij zich en met haar andere hand trok ze zich op aan de leuning.

'Nee, Sita. Ik heb ze nog niet gevonden, maar ik ben ermee bezig. Heb jij al gedaan wat ik tegen je had gezegd? Heb jij al veel tot God gebeden en hem om ouders gevraagd?'

'Mmm ... Een beetje maar!'

'Nou, bid dan, Sita. Je moet veel bidden.'

Zuster Valentina liep haar werkkamer in met Sita in haar kielzog. Ze was gesteld op dit meisje dat zo anders was dan de rest. Of misschien was ze hetzelfde, maar had ze toch een bijzonder gevoel voor haar en haar zo te zien lijden, deed pijn. Ze wilde zich niet eens voorstellen hoe ze hadden gevochten in de tuin. Ze had vanuit haar raam zo vaak ruzies gezien dat ze er al geen aandacht meer aan schonk. Het leven van meisjes in een weeshuis zoals dit werd bepaald door het recht van de sterkste. Ze hoopte altijd dat een van de nonnen het geschreeuw hoorde of de ruzie zag en ingreep. Maar als ze had gezien dat Sita in een gevecht was betrokken, was ze snel zelf naar beneden gegaan om haar te helpen.

'Vertel me eens, Sita. Waarom heeft Sundari je gebeten?'

'Alle meisjes zeggen dat ik niet kan schrijven en dat ik nergens voor deug en dat geen enkele vader of moeder mij wil.'

'Ik weet zeker dat er ouders zijn die jou graag willen hebben. Maar misschien is het inderdaad de hoogste tijd om je te leren lezen en schrijven, net als de andere meisjes. Weet je dat als je leert, je leven beter wordt? Kennis is heel belangrijk. Nu begin je al groter te worden!'

'Maar ik verveel me zo.'

'Sita, vanaf nu ga je elke dag naar de les van zuster Juliette en je gaat mij laten zien wat je hebt opgestoken.'

Sinds de beet, die al genezen was en een litteken op haar wang had achtergelaten, leken de dagen van alle weken en van alle maanden op elkaar. Elke ochtend, na het ontbijt en de ochtendmis, beklom Sita de wenteltrap en wachtte op zuster Valentina. Elke dag stelde ze dezelfde vraag en elke dag kreeg ze bijna hetzelfde antwoord. Zuster Valentina ging door met haar zoektocht naar ouders voor Sita, maar zij moest blijven bidden. Na hun gesprekje ging zuster Valentina haar studeerkamer in, pakte haar tas en misschien een brief of een papier, en samen verlieten ze het complex via de aarden weg en de ijzeren poort. Layam wachtte hen op in zijn taxi die voor de poort geparkeerd stond, een bidi rokend, en ze begonnen aan hun tocht langs alle hotels. 's Middags ging Sita meestal naar de les van zuster Juliette en ze leerde de betekenis van sommige tekens die voor haar onuitspreekbaar leken. De taal die ze het meest sprak in het weeshuis was het Marathi, maar de nonnen wilden haar ook wat elementaire kennis van het Hindi en het Engels bijbrengen. Er waren een paar klassen met meisjes van verschillende leeftijden die waren verdeeld over een aantal nonnen. Ze kregen in verschillende lokalen les. De nonnen die voor de klas stonden, maakten lange dagen omdat ze naast de weesmeisjes ook de meisjes van het internaat lesgaven.

Op een ochtend liet zuster Valentina de taxi halt houden voor het postkantoor. Het was een indrukwekkend gebouw in koloniale stijl. Sita ging met haar mee naar binnen en hield haar hand goed vast. Het was druk. Zuster Valentina had haar verteld dat het enorme gebouw waar mensen in en uit liepen, gevaarlijk was en dat als ze haar hand losliet, ze zou verdwalen en dan zou zuster Valentina haar nooit meer kunnen vinden. Voor elk loket stond een enorm lange rij. Zowel om post op te halen, als om brieven en pakketjes te versturen. Maar ook voor de telefooncellen en het telegrambureau. Het was warm. Sita was gefascineerd door het gebouw. Hoewel ze nog niet kon lezen of schrijven, voelde ze aan dat ze zodra ze dat onder de knie had, ze van hieruit ook brieven en pakjes kon versturen, net als al die andere mensen. Ze keek naar de elegant uitziende mannen met hun stropdas die postzegels kochten voor een stapel brieven. En naar de koelies die karretjes hadden volgeladen met pakjes om ze te bezorgen. Wat zou er in die grote dozen zitten? Kleren? Pakjes thee? Of verfblikken, zoals die in de kapel van het weeshuis waar ze aan het schilderen waren. Terwijl ze in de rij stonden, keek Sita met wijdopen mond haar ogen uit. Ze bewonderde de sari's met bijpassende glazen armbanden en de hoeveelheid ventilators aan het plafond. Sommige draaiden rond, andere leken stil te staan. Toen zuster Valentina aan de beurt was, gaf ze een papier af en kreeg in ruil een brief terug. Daarna liepen ze het gebouw uit, de mensen ontwijkend.

'Weet je dat er brieven zijn zoals deze die vele dagen onderweg zijn?'

'En waar komt deze vandaan?'

'Uit een land heel ver weg. Op een dag zal ik je leren reizen met een landkaart.'

Zuster Valentina borg de brief op in haar tas en voelde hoe haar hart sneller klopte. Ze werd verscheurd door twijfels. Zou ze hem meteen lezen of nog even wachten? Maar ze was ook bang voor wat erin stond. Ze besloot te wachten en hem niet in het bijzijn van Sita te openen. Ze pakte het meisje bij de hand en ze liepen terug naar de plek waar Layam de auto had geparkeerd. Hij had net de paanresten uitgespuugd en zijn mond was helemaal rood, alsof hij bloedde.

Midden in de nacht, waaide de wind krachtig door de palmbomen. Het ruisen van de bladeren en het zwiepen van de takken tegen de stammen maakten Sita wakker. Het was midden in de nacht. Slechts een streepje licht scheen onder de deur door die kraakte door de wind. De ventilators aan het plafond draaiden, maar Sita kreeg te weinig lucht. De overige meisjes sliepen, zoals altijd op de grond, naast elkaar. Sita rilde hoewel het benauwd was. Ze probeerde tegen het meisje naast haar aan te kruipen in de hoop haar warmte te voelen. Het lawaai van de palmbomen, dat de indruk wekten dat ze ruzie met elkaar hadden, en het geklepper van een bloempot of een stuk hout dat door de wind over de grond werd geblazen, waren onverdraaglijk. Sita was zo bang dat ze zich niet durfde te verroeren, laat staan naar de wc gaan. Met haar ogen zocht ze naar het streepje licht, maar de duisternis overwon. Ongemerkt viel ze weer in slaap en werd pas wakker, toen het belletje rinkelde van zuster Aline en het dag was. Haar handdoek was doorweekt, zoals altijd na een nacht vol wind, geluiden en nachtmerries. Alle meisjes moesten voor ze gingen ontbijten hun handdoek uithangen op de binnenplaats om die te laten luchten.

'Zuster Urvashi, mijn handdoek is nat.'

'Sita, alweer! Hoe is het mogelijk?' zei de non en ze gaf haar een klap op de getekende wang.

'Breng de handdoek hier. Ik zal hem wassen en drogen. Wat een lastpost, dat kind. Vooruit, maak dat je wegkomt.'

Zuster Valentina kende de brief uit haar hoofd, zo vaak had ze hem al gelezen. De eerste keer had ze achter haar bureau gezeten, met de deur dicht, ontroerd. Sita's blik op die zwartwitfoto had het echtpaar geraakt en hun plannen doen omgooien. Sinds ze de foto hadden gezien, liet de gedachte aan haar hen niet meer los en hoewel het idee ouders te worden van een ouder meisje hun angst aanjoeg, geloofden ze dat dat meisje hun pad had gekruist en konden ze haar nu niet meer de rug toekeren. In deze brief brachten ze zuster Valentina op de hoogte dat ze hadden besloten Sita te adopteren en afzagen van de adoptie van een baby. Het was geen simpele procedure. Wat zuster Valentina begreep uit de brief, was Spanje een raar land in vergelijking met andere Europese landen. En de stappen die ze moesten ondernemen, waren voor niemand duidelijk. De dokter en zijn vrouw schreven dat ze al een paar dingen op een rijtje hadden, maar dat ze een enorme stapel officiële documenten hadden ontvangen die met stempels gemachtigd moesten worden door zowel de Spaanse autoriteiten als de Indiase en dat het een langdurige aangelegenheid kon worden. Zuster Valentina dacht dat het te vroeg was om Sita het nieuws te vertellen. Maar ze vertelde het wel aan een paar nonnen die ze vertrouwde. Ze wilde niet alleen over Sita's adoptie beslissen, dat leek haar onverstandig. Ze voelde een knoop in haar maag. Een mengeling van blijdschap en diep verdriet. Ze voelde zich voorgoed oud en moe.

Het was zaterdag. Sita zat op een houten bank in de kapel, net als de andere meisjes, in een kleine kerk die hoorde bij het klooster. Ze begreep nog steeds niet wat een mis was, noch waar die toe diende. Ze hield van zingen, dat wel. Ze kende alle liedjes uit haar hoofd en ze zong elke noot ervan zuiver met een modulerende stem. Achter het altaar was een gebrandschilderd raam en de mis duurde nooit lang genoeg om alle kleuren die werden weerkaatst door het licht op de muren en de grond te bekijken. Als God overal aanwezig was, misschien zat hij dan ook in die kleuren. Daarom keek ze er goed naar en zei in zichzelf: 'Alstublieft, God, vind een papa en mama voor mij die mij hiervandaan halen.'

Ze liep de kerk uit en rende naar de stenen bank in de tuin om de familieleden van de meisjes van het internaat te begluren. Door de week droegen ze uniformen: witte bloezen, marineblauwe rokjes en witte kousen. Allemaal identiek, klein of groot. Als hun familie ze ophaalde, gingen ze allemaal in verschillende kleuren gekleed. Sommigen droegen een salwar kameez, anderen een jurk met korte mouwen, zo eentje als zuster Valentina haar had geschonken. Sita keek naar de blije gezichten van de vaders en moeders wanneer ze hun dochters ophaalden en begreep niet waarom ze ze naar het internaat brachten als ze zo veel van hen hielden. Ze begreep ook niet waarom sommige meisjes wel ouders hadden en andere zoals zij niet. De nonnen zeiden dat alle weesmeisjes ooit ook een vader en moeder hadden gehad, maar nu niet meer. Sommige ouders waren overleden, andere hadden gedacht hun kind een betere toekomst te bieden door ze achter te laten bij het weeshuis. Zij wist niet wat er met haar ouders was gebeurd, niemand had haar iets verteld. Haar eerste herinneringen gingen terug naar het klooster in Nasik, met zuster Kamala en de andere nonnen. Hoewel ze haar best deed herinneringen naar boven te halen, lukte het haar niet. Alles begon in Nasik.

Sommige meisjes van het internaat kwamen haar bekend voor omdat ze hen had gezien tijdens het spelen in de tuin of bij een speciale mis waarbij een priester van ver aanwezig was geweest of wanneer er een speciale gelegenheid werd gevierd. Bij die gelegenheden deelden de meisjes van het internaat en die van het weeshuis de houten banken van de kapel en zongen ze gezamenlijk de liederen. Geen van die meisjes was met haar bevriend. Eigenlijk had Sita helemaal geen vriendinnen, ze was ongebonden. Het was nu al maanden geleden dat ze zuster Valentina voor het eerst om een vader en moeder had gevraagd en sindsdien was de wenteltrap het symbool geworden van haar zoektocht. Sita werd geobsedeerd door het idee van een familie. Misschien omdat ze aanvoelde dat het weeshuis niet haar eindbestemming was, dat ze van een veel vrijer en voller leven zou genieten. Ze kreeg genegenheid van zuster Valentina en van nog een non die gekke bekken naar haar trok en haar aan het lachen maakte, maar dat was niet genoeg. Zij wilde iemand die elke dag naar haar keek met net zo'n gelukzalig gezicht als de moeders van de internaatmeisjes.

De wasruimte van het klooster was een van de favoriete plekjes van Sita. De was doen vormde een mooi schouwspel. De oudste weesmeisjes hielpen de nonnen met het wassen van sari's in allerlei tinten, de lakens en de handdoeken, de salwar kameezen en dweilen en doekjes. Dat je zo veel vuile was kon hebben! Vooral wanneer het warm was, was het fijn om je handen te laten weken in de schaduw van dat hoekje in de tuin. Een rechthoekige, grijze stenen wasbak stond altijd vol schuimend zeepwater. Daarnaast wreef iemand kleren in met een stuk zeep, een borstel of een stuk kokosvezel of waste met de hand. Vervolgens spoelden ze het uit in metalen emmers en hingen ze het goed op aan de waslijnen. Op sommige dagen werd het wasgoed dat nog afgaf apart gewassen. Dan was Sita dolgelukkig, dan kon ze verstoppertje spelen tussen een woud van rode, paarse of turkooizen sari's.

Half verborgen achter het drogende wasgoed, hoorde ze hoe twee jonge nonnen die de mouwen van hun witte habijt hadden opgestroopt en de was deden, spraken over een reis naar een plek heel ver weg die Barcelona heette. De naam klonk haar exotisch in de oren en ze kon hem moeilijk uitspreken.

'Arm kind. Zo klein nog en dan zo'n lange reis moeten maken.'

'Stel je voor.'

'Denk je dat ze hier ver vandaan kan leven, op een plek waar het zo koud is?'

'Arm kind, wordt zomaar naar mensen gestuurd van wie we niets weten.'

'Je hebt helemaal gelijk. Als het aan mij lag, bleef ze hier. Geloven ze soms dat je hier niet goed kunt opgroeien en gelukkig kunt zijn?'

'Zou jij naar een land willen gaan dat zo ver weg ligt?'

'Geen denken aan. Voor geen goud zou ik hier weg willen.'

'Ook niet om te zien hoe het daar is?'

'Zelfs daarvoor niet.'

'Nou ik zou het wel willen. Ik zou wel willen weten hoe de wereld er aan de andere kant van de oceaan uitziet.'

De eerstvolgende keer dat zuster Valentina Sita meenam op haar tocht langs de hotels in de stad, stelde Sita op de achterbank van de taxi, terwijl ze de stukjes appel opat die de non voor haar klaarmaakte, een van haar verrassende vragen.

'Zuster Valentina, zou ik naar Barsilona kunnen?'

'O Sita, jou ontgaat ook niets, hè?' Even voelde zuster Valentina haar hart in haar keel bonzen. 'Wat weet jij van Barcelona?'

'Nou ... niets! Waar ligt Bar ... celona?'

'Barcelona is een stad die duizenden kilometers hiervandaan ligt. Er is vlakbij een zee, maar die is anders dan hier.'

'Zou Layam ons erheen kunnen brengen?'

Layam lachte zijn slecht verzorgde gebit met gaten bloot en keek in de achteruitkijkspiegel naar het meisje. Hij wist ook niet waar Barcelona lag, maar vermoedde dat het heel ver weg was.

'We zouden er wel heen kunnen rijden, maar dan zouden we heel veel dagen onderweg zijn.'

Sita stak het ene na het andere partje in haar mond met haar handen die zoals altijd een beetje vies waren, maar niet zo vies als haar blote voeten. Ze droeg de gele bloemetjesjurk. Ze was niet erg gegroeid de laatste tijd en hij paste haar nog steeds goed. Op straat zag Sita veel meisjes zoals zij. Ze gingen niet naar school, maar verkochten van alles en nog wat, net als volwassenen, of bedelden. Ze liepen ook op blote voeten, maar waren veel viezer dan zij, met ongekamde haren, hun ogen opgemaakt met kohl en gescheurde kleren. Maar misschien hadden zij wel ouders.

Kerstmis was alweer voorbij en de maand januari was al een eind op weg. Sommige meisjes hadden de nonnen geholpen de kerststal af te breken die elk jaar in de hal van het convent werd opgebouwd. Een grot gemaakt van droge palmtakken met stenen beelden, heel lang geleden geschonken aan zuster Valentina, hoorde tot de mooiste bezittingen. Nu zag de hal er weer zoals altijd uit met de twee leren fauteuils, het lage tafeltje voor de bezoekers die wachtten op de moeder-overste, en een afbeelding van de stichtster van de orde van de Franciscanessen Missionarissen van Maria, een Française met een lichte teint.

Sita ging elke dag naar les, maar leerde niet veel. Ze kon net haar naam en nog wat woordjes schrijven en herkende met moeite cijfers. Ze kon zich moeilijk concentreren en ze was niet geïnteresseerd in wat de nonnen op het zwarte bord schreven. Ze had niet het geduld om optel- en aftreksommen te leren.

Op een ochtend in februari die was begonnen zoals elke andere dag, met de dezelfde gebruikelijke hitte en de race van de meisjes naar de wc's, en de eetzaal om te ontbijten, kwam zuster Valentina Sita halen. Ze zat nog haar brood in de thee met suiker te dopen, scheef op de houten bank aan een lange tafel met aan elke kant meisjes.

'Goedemorgen, Sita', zei ze achter haar. 'Als je klaar bent, moet je even naar boven komen. Ik heb een verrassing voor je.'

Sita draaide zich om naar de moeder-overste en propte in een keer het stuk brood in haar mond.

'Ik ben al klaar. Mag ik nu mee naar boven?'

Samen liepen ze in stilte de wenteltrap op. Sita voorop, gehaast, ondertussen kauwend op het brood. De non achter haar, veel langzamer. Voor ze kon zeggen dat ze mocht plaatsnemen op de kleine stoel voor het bureau, zat Sita al, met haar voeten bungelend boven de grond. Zuster Valentina ging zitten op haar stoel en zocht naar een blauwe envelop met een rood-blauw randje zo kenmerkend voor de luchtpost. Ze pakte hem op en haalde er iets uit.

'Wat hebt u voor mij? Vandaag is toch mijn verjaardag?'

'Nee, Sita, je bent niet jarig. Ik heb eindelijk ouders voor je gevonden.'

'Echte ouders?'

'Ja, dit zijn ze', en ze reikte haar een zwart-witfoto aan.

Verrukt keek ze naar de gezichten op de foto. Een echte papa en mama die glimlachten, op twee stoelen omgeven door planten. Ze wist even niets te zeggen. De moeder had lang, donker haar en droeg een wijde, witte broek met sandalen. De vader had een bril en krulletjes.

'Ze komen uit Barcelona, Sita. Ze wonen hier heel ver vandaan, maar willen je ouders zijn. Maar eerst moeten we nog een berg papierwerk verrichten. Snap je? Heel veel formulieren. En daarna, over een paar maandjes, kun je naar Barcelona verhuizen en met hen een nieuw leven beginnen ...'

'Barcelona is toch een plek waar Layam ons niet heen kan brengen?'

'Ik zal je laten zien waar het ligt.' Zuster Valentina stond op, liep naar een boekenkast aan de andere kant van de kamer, pakte een atlas en legde die open op een bladzijde met een kaart van de hele wereld. 'Kijk, hier zitten wij', zei ze terwijl ze naast Sita ging zitten met het open boek op schoot en Bombay aanwees. 'En hier ligt Barcelona', vervolgde ze en trok met haar vinger een denkbeeldige lijn van rechts naar links.

'Kun je er met de trein heen?'

'Nee, met de auto duurt het al heel lang en zou het een zware reis worden, maar met de trein zou het nog moeilijke worden. Je gaat met het vliegtuig.'

'Met het vliegtuig? Hoe reis je met het vliegtuig?'

'Vliegend, Sita! Wacht maar af, je zult het vanzelf zien. Het is net als met de bus gaan, maar dan in de lucht. En met een paar uur vliegen ben je er al.'

'En zullen dat voorgoed mijn ouders zijn? En hoe weet u dat?'

'Omdat ze me dat hebben verteld in een heel lange brief.'

Zuster Valentina deed de atlas dicht, zette hem terug op de plank en ging weer achter haar bureau zitten, tegenover Sita, die nog nooit zo stil op haar stoeltje was blijven zitten.

'Wat hebben ze u dan geschreven?'

Zuster Valentina had nog nooit zo'n emotioneel moment meegemaakt. Een meisje van zeven vertellen dat je een vader en moeder voor haar hebt gevonden, is niet iets wat je dagelijks doet. Eigenlijk maakte ze dit voor het eerst van haar leven mee. Ondanks haar ogenschijnlijke kilheid was het een gevoelige vrouw, en wat zij voelde voor die kleine erwt die altijd maar met vragen bleef komen, met haar wakkere en scherpe blik, ging heel diep. Ze hield heel veel van haar. Nu ze besefte dat Sita voorgoed zou weggaan, voorvoelde ze dat ze haar heel erg zou missen.

'Wat ze me hebben geschreven? Heel veel dingen! Toen je me om een papa en mama vroeg, schreef ik al met deze mensen op de foto. Ze heten Irene en Ramón.'

'Hoe?'

'Irene is de naam van je toekomstige moeder en Ramón van je toekomstige vader.

Sita bleef naar de foto kijken.

'Op een dag sloot ik een foto van jou bij een brief waarin ik vroeg of ze me wilde helpen ouders voor je te zoeken, en nu hebben ze besloten dat zij jouw vader en moeder willen zijn.'

'En gaat u met mij mee?'

'Ik denk niet dat dat mogelijk is, Sita ... Jij bent al groot en je kunt heel goed alleen gaan. In het vliegtuig zullen mensen zijn die je helpen en je vergezellen.'

Sita bleef in de stoel zitten, starend naar de foto. Zuster Valentina had er alles voor willen geven om de gedachten van dat meisje op dat moment te lezen. Een moment waar ze zo lang naar had verlangd.

'Mag ik de foto houden?'

'Maar natuurlijk', glimlachte zuster Valentina.

Voor ze samen de werkkamer uitliepen, stond de non stil voor Sita, hield haar hoofd met beide handen vast en keek haar een ogenblik strak aan, alsof ze voorgoed die blik met die donkere ogen wilde vastleggen.

'Veel succes, lieverd. En nu gaan we je reis voorbereiden.'

Barcelona, 1974

Irene liep naar de ingang en groette vriendelijk de paar kinderen die al voor de deur stonden. Het was nog geen negen uur op deze winterse ochtend. Hun ouders brachten hen naar school en gingen meteen door naar hun werk. Ze waren dik aangekleed met wanten en sjaals, zodat ze het een tijdje in de kou konden uithouden. Ze was pas een jaar juf op deze school en ze had een vijfde klas met leerlingen van tien, elf jaar oud. Het onderwijs was haar roeping. Ze kon zich niet voorstellen dat ze iets anders moest doen. Ze had ook vier jaar gewerkt op een kleuterschool in een chique wijk van de stad. Een huis bedekt met bougainvilles die vanaf het begin van de lente tot de herfst in bloei stonden met paarse bloemen. Om daar te komen moest ze de stad met haar witte Seat 600 doorkruisen. De sfeer op de kleuterschool was heel gemoedelijk. De klassen waren klein en het was een luxe om de kinderen stuk voor stuk al je aandacht te kunnen schenken en voor te doen hoe je een figuurtje langs het lijntje moest prikken of hoe ze hun eerste letters moesten schrijven. Maar werken op een grotere school trok haar veel meer. Bovendien was het een bijzondere school, geëngageerd, idealistisch, die streed voor de vrijheid die nog niet zo wijdverbreid was in het land.

Nu kon ze lopend naar haar werk en gebruikte Ramón de auto. Als ze er flink de pas in zette, was ze er binnen een half uur. Zo bleef ze bovendien in conditie. Ze nam de trap naar de eerste verdieping waar haar klas was. Twee grote ramen keken uit op straat, op het grijs geverfde, ijzeren hek en het binnenplein bij de ingang waar steeds meer kinderen met hun schooltassen stonden te wachten tot de school begon.

Precies tegenover de school lag de entree van het Güellpark en vanuit de klas kon je de twee huizen met de ronde vormen zien die volgens de kinderen zo uit een sprookje konden komen. Ze hing haar jas op en haalde de papieren met oefeningen die ze in de klas hadden gemaakt, en wat schriftjes uit haar tas. Ze ging zitten op haar stoel, met haar gezicht naar twee lange rijen van twee tafels waaraan haar tweeëndertig leerlingen zaten. Ze vond het prettig om ruim op tijd te zijn zodat ze nog wat voorbereidingen kon treffen en zich nog even kon concentreren voor de dag begon. De laatste tijd was ze met haar gedachten duizenden kilometers verwijderd van het klaslokaal. Ze pakte haar agenda en haalde een kopie van een zwart-witfoto tevoorschijn: een glimlachend meisje met een doordringende blik, een donkere huid, twee zwarte vlechten met linten. Binnenkort zou dat haar dochter zijn. Nog heel even en dan zou haar droom in vervulling gaan en zou ze moeder worden na zo veel jaren van vergeefse pogingen.

De acht uren vlogen om. De kinderen kregen dictee, wiskunde, geschiedenis, wetenschap en Frans van Irene en muziekles van een collega. Tussendoor hadden ze pauze, bleven ze over op school, zongen ze liedjes, deden spelletjes of knutselden ze ... Ze had het naar haar zin en over het algemeen waren de kinderen rustig en putten ze haar niet zo uit als andere leerkrachten die ouder waren dan zij en die vaak doodmoe waren na een dag lesgeven. Met haar zesendertig jaar stroomde Irene nog over van energie. Ze wachtte met spanning op de komst van Sita om haar het beste van zichzelf te geven, als moeder en als pedagoog. Ramón en zij hadden een kamer ingericht voor het meisje. Op de muren hadden ze behang met grote, vrolijke bloemen geplakt. Ze hadden een houten bed van vrienden gekregen dat mooi paste bij het ronde, licht houten tafeltje met vier stoeltjes. Ze vroeg zich af of dat meisje uit India zich thuis zou voelen in die kamer. Soms vroeg ze zich ook af of ze niet een veel te grote en gecompliceerde stap maakten. Ze kende niemand die een kind hadden geadopteerd en dat maakte haar soms erg onzeker en eenzaam in dit avontuur. Regelmatig voelde ze zich verloren, heel erg verloren. Ze kende een paar echtparen die ook geen kinderen konden krijgen, maar die zich erbij hadden neergelegd, maar dat wilde zij niet. Ze wilde moeder zijn. Ze had ook over een stel gehoord, kennissen van vrienden, dat drie weeskinderen had geadopteerd, maar die kwamen alle drie uit Barcelona.

Het waren vreemde tijden. Steeds vaker klonken er opstandige geluiden. Het regime van de dictatuur was onverdraaglijk en er moest een uitweg voor zijn, die desalniettemin op zich liet wachten. Sinds ze de adoptieprocedure in gang hadden gezet, woonde Irene niet meer de schoolvergaderingen bij waarin gediscussieerd werd over de noodzaak aan onderwijs dat open en stimulerend was en niet zo repressief en doctrinair zoals tot dan de norm was. Ze ging ook niet meer naar de wijkbijeenkomsten die politieker en veeleisender getint waren. Ze moest zich concentreren op zichzelf, zich voorbereiden op de komst van het meisje dat haar dochter zou worden. Elke dag waren er meer mensen die zich schaarden bij de strijders tegen de dictatuur en dat suste haar slechte geweten omdat zij zich nu op de vlakte hield.

'Is zij dat?' vroeg Pilar, Irenes jeugdvriendin die in Parijs woonde en die bij hen kwam eten, terwijl ze de zwart-witfoto van Sita van een plank pakte.

'Ja, dat is ze. De directrice van het weeshuis in Bombay stuurde deze foto mee met een brief waarin ze ons vroeg of we een gezin kenden dat haar zou willen adopteren', antwoordde Ramón. 'Al maanden prijkt deze foto op de eetkamerkast zoals je ziet. Bijna iedereen verklaart ons voor gek omdat we een ouder kind adopteren, maar het maakt ons niet uit, we willen het doen.'

'Hoe oud is ze?'

'Vijf of zes, op deze foto. Als ze komt, zal ze zo'n jaar of zeven of iets ouder zijn.'

'Wat een schatje', verzuchtte Pilar met de foto in haar hand.

'Inderdaad, een schatje, maar God mag weten wat ze allemaal heeft meegemaakt. Wat voor taal ze spreekt. Wat ze denkt. Hoe ze is opgevoed. Wat voor ziektes ze meebrengt! Wat er in haar genen zit!'

Rosa, Ramóns zus, had haar twijfels over de adoptie van een meisje met onbekende genen dat uit een weeshuis in India kwam en bovendien al wat ouder was. Tijdens andere etentjes hadden ze rond dezelfde houten tafel gezeten en uren gediscussieerd met Irene en Ramón over hun beslissing. Als arts hechtte Rosa veel waarde aan de genetische erfenis, aan alles wat van ouders op kinderen overging zonder dat iemand daarbij stilstond. Zij had twee kinderen van vier en vijf jaar, precies met een jaar ertussen, en was ervan overtuigd dat ze vanaf de eerste dag als twee druppels water leken op haar man en haar. Niet alleen fysiek, maar in elk gebaar, en qua karakter.

'Maar vinden jullie het geen eng idee dat je niet weet waar dat meisje vandaan komt of wie haar ouders zijn?'

'We hebben het al duizend keer uitgelegd, Rosa!' zei Irene. 'Nee, daar zijn we niet bang voor. We hebben erover nagedacht en uitvoerig met elkaar over gesproken, en dat vinden we niet eng. Dan heeft ze niet onze genen en lijkt ze op ouders die wij niet kennen en waarvan we niet eens weten wie het zijn, omdat ze haar in de steek hebben gelaten of omdat ze dood zijn. Wij willen haar ouders zijn en haar het beste geven wat we hebben, een beter leven dan dat ze ooit kan krijgen als weesmeisje in Bombay. Een opvoeding, alle liefde die we kunnen geven, onze dagelijkse aandacht ...'

'Ja, jullie initiatief is lovenswaardig, maar misschien beseffen jullie niet goed waar jullie aan beginnen. Een kind is voor altijd! Als het van jezelf is, verdraag je het, maar als het niet je eigen kind is en het gaat niet goed, wat doe je dan? Zul je het dan ook je hele leven kunnen volhouden?'

'Rosa, we weten heel goed dat een kind voor het hele leven is. En onze dochter, hoe ze ook is, zal altijd onze dochter zijn!' antwoordde Ramón ernstig, zijn pijp rokend. Hij leek onverstoorbaar, maar van binnen kookte zijn bloed.

'Hebben jullie al over een naam gedacht?' vroeg David, de man van Rosa.

'Hoe ze zal heten? Wat bedoel je? Ze heeft al een naam. Ze heet Sita. Dat weet je toch!'

'Maar Ramón je gaat me nu toch niet vertellen dat jullie haar gewoon Sita zullen noemen? Ze zal de enige Sita in heel Barcelona zijn!'

'Dat is haar naam, dat is een van de weinige dingen die ze heeft! Het maakt deel uit van haar geschiedenis. Iemand heeft die naam ooit voor haar uitgekozen en wie zijn wij om dat zomaar uit te wissen? Bovendien is Sita een prachtige naam uit de Indiase mythologie', weerlegde Ramón met zijn pijp in zijn hand.

Eindelijk vertrokken Pilar, Rosa en David. Irene was het beu familie en vrienden steeds weer tekst en uitleg te moeten geven. Ze had het gevoel dat ze zichzelf voortdurend moest verdedigen. Ze begreep wel dat ze zich zorgen maakten. Dit besluit, ouders worden van een onbekend meisje dat alleen uit een heel ver land met het vliegtuig zou komen, dat de eerste zeven jaar van haar leven gewoond had in een land dat zij niet kenden, was niet zomaar iets. Voor een land zo geïsoleerd als het hunne was het een ongebruikelijke beslissing. Een vriend van Ramón had een artikel uit een Amerikaanse krant geknipt over de adoptie van Koreaanse kinderen in de Verenigde Staten. Dat krantenstuk had hun het gevoel gegeven dat ze toch niet zo vreemd waren. In de Verenigde Staten werden er al ruim twintig jaar kinderen geadopteerd en woonden er inmiddels al duizenden adoptiekinderen. Ze waren het zat bekritiseerd te worden en verantwoording te moeten afleggen aan iedereen uit hun naaste omgeving. Nadat ze van tafel waren opgestaan, de afwas hadden gedaan, elk bij een wasbak, ondertussen de discussie van die avond nog eens doornemend, waren ze naar bed gegaan. Ze kenden elkaar al tien jaar en elke dag zeiden ze tegen elkaar dat hun relatie het mooiste was wat hun was overkomen en dat wilden ze delen met een stel kinderen.

Op de eettafel lagen alleen nog de cadeautjes die Pilar uit Parijs had meegenomen: een plaat van Ravi Shankar waarvan ze had gezegd dat ze daar echt naar moesten luisteren als ze India dichter wilden benaderen, en een enorm groot, gebonden boek met zwart-wit- en kleurenportretten van Indiase jongens en meisjes. Ze zouden nog vaak luisteren naar de sitar van Ravi Shankar en kijken naar de foto's in het boek.

De kantine van het Bellvitgeziekenhuis was op de begane grond. Daar konden familieleden en kennissen die op ziekenbezoek waren, praten met de artsen, verpleegkundigen of ander personeel. De drukte en het kabaal contrasteerden met de rust die heerste in de rest van het gebouw van twintig verdiepingen, geïsoleerd van de wereld en de buitenwijken van de stad, vlak bij het vliegveld. Het lawaai van borden, kopjes en bestek in de kantine vermengde zich met het geschreeuw van de obers en het geroezemoes van mensen die graag praatten. En rookten. Ramón ging van de verdieping waar hij werkte naar beneden met het idee zijn vriend Gabriel een vraag te stellen die hem nu al dagen door het hoofd maalde. Zoals elke dag hadden ze op hetzelfde tijdstip voor de lunch afgesproken. In de lift kwam hij een echtpaar tegen met tussen hen in een meisje dat hen allebei vasthield. Hij keek haar aan en vroeg zich af hoe oud ze zou zijn. Vijf jaar? Misschien zes?

Gabriel stond al in de rij bij het buffet, ruziemakend met de mensen om hem heen. Op zijn blad lagen vier croissants en een fles water die hij bij de selfservice had gepakt. De rook was er om te snijden en er hing een lucht van gebakken spek.

'Belachelijk. Ik heb hier een hele tijd staan wachten voor ik werd geholpen. Die ober had me tien minuten geleden al gezien, maar hij hielp iedereen behalve mij. Dat kan toch niet! Ik hoop dat je zoals altijd een koffie verkeerd wilt hebben, want dat heb ik net besteld.'

Ze slaagden erin een plekje te vinden aan een tafel bij het raam waar het wat rustiger was zodat ze konden praten zonder te moeten schreeuwen. Door het raam zagen ze dat er net op dat moment een ambulance aan kwam rijden.

'Wat een vreselijke plek. Niemand houdt het hier toch vol?'

Ramón stak zijn pijp op. De kantine stond blauw van de rook. In het ziekenhuis rookten bijna alle dokters.

'Gabriel,' zei hij eindelijk, van de gelegenheid gebruikmakend dat zijn vriend een hap nam van een van zijn croissants, 'voelde je bij de geboorte van Clara meteen vanaf het begin dat het je dochter was?'

'Hoe bedoel je?'

'Nou, gewoon. Of je vanaf het eerste moment wist dat dat je dochter was, of je vanaf de eerste dag, toen je haar voor het eerst zag, van haar hield?'

'Je doet wel een beetje raar de laatste tijd. Wat is er met je aan de hand?'

'Niets, ik wil het alleen weten. Of je toen je in de verloskamer Clara geboren zag worden, of later op de kamer toen ze aan de borst lag en dronk en jij gefascineerd toekeek, of je toen al het gevoel had dat ze van jou was, dat ze uit jou was gekomen ...'

'Jemig, uit mij, uit mij ... Uit Luisa wel, dat kan ik je wel verzekeren.'

'Maar had je het gevoel dat ze iets van jou was, echt iets van jou?

'Goh, dat weet ik niet, hoor.'

'En nu ze twee is. Voel je nu dat ze alleen van jou kan zijn?'

'Tja, ik geloof van wel. Ik weet het niet. Eerlijk gezegd heb ik er nooit zo bij stilgestaan ... Hoezo? Waarom wil je dat zo graag weten, Ramón?'

'Omdat ik heb zitten nadenken. In wezen adopteren alle vaders op de een of andere manier hun kinderen. De vrouw brengt ze ter wereld na een fysiek proces van maanden waar de man niets van voelt. En wanneer de baby wordt geboren, wordt die door de vader geadopteerd. Vaders moeten accepteren en geloven dat het kind van hen is. Die moeten zich het kind eigen maken. Snap je?'

'Ja, ik geloof van wel ... Wat je bedoelt, is dat voor een man buiten de verloskamer wachten tot zijn kind ter wereld komt hetzelfde is als wachten tot het kind uit India met een vliegtuig arriveert?'

'Min of meer.'

'Het is eerlijk gezegd niet hetzelfde. Maar wat je zegt, heeft wel iets grappigs. Zo heb ik het nooit bekeken!'

Ramón keek naar buiten. De ambulance was al uitgeladen en het was minder druk bij de ingang voor de spoedeisende hulp.

‘Maar weet je waar ik me de laatste tijd vooral zorgen over maak?’

‘Als jij het zegt, kan het van alles zijn’, riep Gabriel uit.

‘Het zit me niet lekker dat Sita in een klooster van katholieke zusters heeft gezeten ... Wat voor dingen zullen ze haar hebben ingeprent?’

‘Kom nou, niet zo overdrijven!’

‘Hoezo overdrijven? Hebben we in dit kloteland niet genoeg te lijden gehad van de katholieke onderdrukking? De priesters en die onzin hangen me de keel uit. Ik ben het zat, ik zweer het je!’

‘Maar goed dat je je hebt laten uitschrijven, toch?’

‘Inderdaad, de kerk afvallen was een van de dingen die me de afgelopen jaren een goed gevoel hebben gegeven.’

‘Waarom had je dat gedaan?’

‘Omdat mijn schoonouders wilden dat we voor de kerk trouwden. Je weet wat voor geloofsfanaten het zijn en hoe lastig ze het ons hebben gemaakt om gelukkig te leven zoals wij willen. Ik was niet de ideale schoonzoon, niet de man die ze voor hun oudste dochter in gedachten hadden! Ze dreigden Irene dat als we niet trouwden, ze nooit meer met haar zouden praten ... Alleen door afvallig te worden aan de kerk kon ik voorkomen dat we in de kerk moesten trouwen. Als ik niet als katholiek geregistreerd stond, kon ik niet voor de kerk trouwen, kon ik alleen voor de wet trouwen ... Het was geen fijne ervaring ... Ik herinner me het gezicht van de priester nog. Hij zag de vlammen van de hel al aan me likken.’

Gabriel luisterde geamuseerd naar zijn collega en zocht naar zijn aansteker in zijn witte doktersjas.

‘De nonnen die voor Sita hebben gezorgd, staan vast heel ver af van jouw voorstellingen, met de sfeer van hier ...’

‘Ik hoop dat je gelijk hebt ...’

'Je weet niets van haar verleden.'

'Wat je zegt. Ik weet niets van haar verleden en ik ben heel bang.'

Ramón hield zijn pijp met beide handen vast en keek naar zijn vriend. Geen van beiden zei nog iets. Ze dronken hun koffie met melk op en Gabriel drukte zijn sigaret uit in de glazen asbak. Ze stonden op en ze namen de lift naar de verdieping waar ze werkten.

Bombay 1975

In de maanden voorafgaand aan de reis van Sita waarin allerlei voorbereidingen werden getroffen, werd de tocht met de taxi langs de keukens van de hotels in Bombay uitgebreid met bezoekjes aan winkels en markten. Zuster Valentina liet zich bijna altijd vergezellen door Sita, en in de winkels, de meeste met tweedehandskleding, zocht ze naar winterkleding die niet makkelijk te krijgen was in Bombay. Als ze iets vonden, kwam het meestal uit Engeland. Sita paste truien en wollen rokken, jassen, mantels, regenjassen in allerlei kleuren die op haar huid plakten en prikten. Het idee dat er een plek bestond waar je zulke dikke kleren aantrok, vond ze maar vreemd. Zuster Valentina begeleidde haar en deed een eerste selectie, uiteindelijk vroeg ze aan Sita te kiezen welke ze wilde hebben. Stukje bij beetje verzamelden ze een kleine garderobe van kledingstukken die Sita mee naar Europa zou nemen. Het werelddeel waarover zuster Valentina had verteld dat het er veel kouder was en dat de regen er heel anders was dan in India waar het alleen met bakken uit de hemel kwam tijdens de warmste dagen van een aantal maanden per jaar. In Europa, had ze haar uitgelegd met de geïllustreerde atlas op het bureau in haar werkkamer, was de regen veel fijner en kouder. Bovendien kon het er het hele jaar door regenen. Het sneeuwde er ook. Om uit te leggen wat sneeuw was, had zuster Valentina een oude kalender opgedoken die ze van een vriendin uit Oostenrijk had gekregen. Daar stonden foto's op van Tirol en de witte straten van Innsbruck.

Op een dag kreeg Sita voor het eerst van haar leven schoenen aan haar voeten. Zuster Valentina stapte beslist een schoenenwinkel binnen, vastbesloten een paar stevige stappers te kopen voor dat meisje dat een verre reis zou gaan maken. De verkoopster, een dikke vrouw in een rode sari met polsen vol gouden armbanden die aan een stuk door tinkelden, trok haar voor het eerst van haar leven een paar kousen aan. Daarna begon het avontuur van het schoenen passen, het ene paar na het andere. Met veters, met gesp, of gewoon instappers ... het was een onmogelijke toer. Sita was gewend blootsvoets te lopen en begreep de druk die de knellende schoenen op haar voeten veroorzaakten niet. Ze zei dat ze allemaal ongelooflijk veel pijn deden. Na heel veel paren gepast te hebben, verlieten ze de zaak uiteindelijk met een stel donkerblauwe sandalen met dichte hiel en voorkant, met een dikke zool en een riempje met gesp in een tasje. Sita liep liever op haar blote voeten.

Ondertussen drong steeds meer het besef tot haar door dat haar leven op het punt stond een wending te nemen. Elke week die voorbijging, elk lesuur, elke nacht dat ze op de handdoek lag en de ventilators aan het plafond ronddraaiden, bracht haar dichter bij de verwezenlijking van haar droom: een vader en een moeder krijgen. Een vage droom, een kinderdroom die vorm kreeg als ze op feestdagen gluurde naar de meisjes van het internaat. De foto die zuster Valentina haar had gegeven, droeg ze altijd bij zich in de zak van haar jurk of van de enige broek die ze had. Hij raakte steeds meer verkreukeld. In de uren die ze vrij had en alleen was, jaagde ze niet meer zo vaak als vroeger op vlinders, maar bleef ze zitten in een hoekje, alle details in zich opnemend van de zwart-witfoto van die twee mensen die haar familie waren en die, dat wist ze wel en begreep ze goed, vol verwachting op haar wachtten.

De andere weesmeisjes probeerden één keer de foto af te pakken. Eén keer maar. Met alle kracht die ze in haar kleine lijfje had, verzette Sita zich tegen hen. Ze schopte, krabde en schreeuwde als een waanzinnige en voor er een paar gealarmeerde nonnen kwamen kijken wat er aan de hand was, had het groepje meisjes Sita met haar verkreukelde foto alweer met rust gelaten.

Op een gegeven moment besloot zuster Valentina dat Sita een cadeau moest kopen voor haar nieuwe familie. Het was moeilijk om geld aan zoiets uit te geven als je altijd was gewend dat er niet eens genoeg was voor melk of vlees, maar de Riba's hadden geld gestuurd voor de onkosten van Sita's reis. Ze had een vliegticket en een aantal documenten nodig waaronder een Indiaas paspoort dat naar de Spaanse ambassade in New Delhi moest worden gestuurd, onder andere voor de aanvraag van een visum. Bovendien hadden ze geschreven dat ze geld schonken aan het weeshuis. Zuster Valentina had al besloten waaraan ze het zou besteden. Het gebouw waar de weesmeisjes en de nonnen verbleven, had tijdens het laatste regenseizoen veel te verduren gekregen en moest dringend gerepareerd worden. Uit dankbaarheid wilde ze een souvenir voor hen kopen. In een winkel van een oude bekende die handwerkkunst uit het hele land verkocht, koos Sita een paar houten danseressen uit Rajastan die hun hele lichaam bewogen als je ze een tikje gaf: die zouden voor haar ouders zijn.

Het waaide, de palmbomen in de tuin bewogen in de wind. Een warme wind. In de stad was de dag al begonnen, zoals elke willekeurige dag. Straatventers zochten een plekje op het trottoir. Jongens en meisjes in hun uniform waren op weg naar school. Auto's, vrachtwagens, motoren, fietsen, Engelse dubbeldekkers volgeladen met mensen die naar hun werk gingen, en riksja's in allerlei vormen en maten hielden zich allemaal aan hun eigen verkeersregels. Ze toeterden luid en continu, ontweken hier en daar een koe en manoeuvreerden tussen voetgangers door die zich een weg baanden door de drukte en hun best deden niet overreden te worden. Maar het was niet zomaar een dag. Het was een van de belangrijkste dagen uit Sita's leven. De dag van de grote reis was aangebroken.

Na het ontbijt had zuster Valentina alle nonnen en meisjes van het FMM-centrum in de kapel bijeengeroepen. Toen iedereen eenmaal op de houten banken zat, nam de moeder-overste plaats achter het altaar en hield een korte toespraak ter ere van Sita's vertrek. Ze legde uit dat ze naar een land ging dat heel ver weg lag, en vroeg iedereen een Onze Vader te bidden en te vragen of alles goed zou verlopen. Sita zat op de voorste rij en hield haar blik strak gericht op het gebrand-schilderde raam tegenover haar. Ze staarde naar de kleuren en vormen, niet in staat te denken of zich ook maar te concentreren op wat voor gebed ook. Bij de uitgang wachtten een paar geëmotioneerde nonnen Sita op om haar een kus te geven en haar het beste toe te wensen.

Nadat Irene en Ramón eenmaal het idee hadden losgelaten dat je het best een jong kindje kon adopteren, en hadden besloten het meisje te adopteren dat hen had geobserveerd vanaf de foto in hun boekenkast, moest zuster Valentina hemel en aarde bewegen om de andere nonnen te overtuigen van de voordelen van Sita's adoptie. Nog nooit hadden ze met zoiets te maken gehad en ze hadden er geen duidelijk beeld van. Het was geen optie die binnen hun educatieve opvattingen paste. Ze zagen de weesmeisjes als hun eigen kinderen en op hun manier hielden ze van hen. Zo'n meisje laten gaan, deed hun veel pijn, ook al wisten ze dat ze een beter leven zou krijgen.

In de deuropening van de kerk kwamen meisjes van allerlei leeftijden naar Sita toe en namen afscheid van haar. Ze kon niet zeggen dat het haar vriendinnen waren. Ze hadden samen gespeeld, ze hadden naast elkaar gezeten in de klas, in de kapel of in de eetkamer, of ze hadden naast elkaar op de grond van de slaapzaal gelegen.

'Hé, wacht. Sita, wacht!'

Sita draaide zich om. Ze liep naar het kloostergebouw naast zuster Valentina die vandaag anders was, zenuwachtig, en zag Sundari op haar af rennen.

'Sita! Kom je ooit nog terug?' vroeg ze hijgend.

'Ik weet het niet. Ik ga heel ver weg.'

'Sita, vergeef je me?'

'Wat?'

'Van de beet in je wang. Je kunt het litteken nog steeds zien.'

Zuster Valentina die samen met Sita had halt gehouden, liep verder.

'Niet treuzelen, Sita! We moeten naar het vliegveld.' Met moeite kon ze haar tranen inhouden, terwijl ze de twee meisjes die stilstonden in die zee van tropische bloemen en planten in de tuin, achter zich liet.

'Natuurlijk vergeef ik het je, Sundari. En het litteken op mijn wang zal me helpen je niet te vergeten.'

'Weet je al waar je heen gaat?'

'Nee, niet echt ... Wil je de foto zien van de mensen die mijn papa en mama worden?' En ze haalde hem tevoorschijn.

'Kijk, dit zijn ze.'

Sundari keek naar de zwart-witfoto zonder goed te weten wat ze moest zeggen. En Sita keek naar dat meisje dat haar zo vaak had gepest, die zo veel vriendinnen had en de baas speelde. Zij zei ook niets.

'Kom je ooit een keer terug?'

'Ik weet het niet.'

'Ik hoop je terug te zien.'

'Ik ook.'

Sita draaide zich om, stopte de foto in haar zak, zei vaarwel tegen Sundari die de andere kant op rende, en haastte zich naar het klooster. In de hal stond haar kleine koffer klaar. Die had ze samen met zuster Valentina gekocht tijdens een van hun tochten door de stad. De gele jurk met bloemetjes die haar al te klein werd en nog wat kledingstukken die ze had, bleven achter in een la van de gemeenschappelijke kast. Die zouden worden gebruikt door de kleinere meisjes als ze groter werden of door een nieuw weesmeisje dat misschien ook haar handdoek zou gebruiken om op te slapen.

'Sita, kom. Je moet je sokken en je schoenen aantrekken voor je weggaat. Je kunt niet op blote voeten naar het vliegveld.'

Sinds ze de schoenen hadden gekocht, had ze ze zelfs niet een keer aangetrokken. Zuster Juliette zei dat ze in een van de fauteuils in de hal moest gaan zitten en hielp haar met het aantrekken van de witte kniekousen en de schoenen. Sita vertrok geen spier. Die ochtend had zuster Juliette haar geholpen bij het aankleden. Ze had haar een rode rok met mouwloos hesje aangetrokken met daaronder een katoenen truitje met donkergroene, lange mouwen. Over een andere stoel hing een bruine jas en een schooltas.

Het moment was aangebroken. Ze gingen naar het vliegveld. Zuster Valentina en zuster Juliette gingen met haar mee. De andere nonnen bleven staan op de treden van de trap bij de ingang, onder de overdekte galerij, en keken hoe Sita wegliep over het aarden pad naar de ijzeren poort die ze voorgoed achter zich zou laten. Het was alsof ze op pad gingen om het eten in de hotels op te halen en ze na een paar uur zouden terugkeren, maar iedereen wist dat dat niet zo zou zijn. Een van de bewakers droeg haar koffer naar de auto van Layam, die wachtte voor de poort, en samen maakten de mannen de koffer vast op de imperiaal. In de kofferbak lagen de schone schalen en pannen die ze moesten terugbrengen. Omdat de klep niet dicht kon, hadden ze die vastgebonden met een touw. De twee vrouwen en het meisje stapten achterin en de taxi reed weg en verwijderde zich van het FMM-centrum. Sita zei de hele weg geen woord. Ze keek uit het raampje en dacht alleen maar dat ze weldra alles wat haar zo vertrouwd was, achter zich zou laten.

De luchthaven was enorm groot, saai en druk, hele families namen afscheid of haalden een reiziger af. De tl-buizen aan het plafond gaven nauwelijks licht. Sita liep aan de hand van zuster Valentina terwijl zuster Juliette haar jas en schooltas droeg. Ze liepen naar de balie van Air India met Layam en de koffer in hun kielzog. Er stond een korte rij. Zuster Valentina wilde niet nog zenuwachtiger worden dan ze al was en had haar uiterste best gedaan om ruim op tijd te zijn. Layam zette de koffer neer en nam afscheid van Sita.

'Goede reis, kleintje. Het is beter als ik de auto goed ga parkeren. Ik wacht buiten op u, mevrouw.'

Toen was het haar beurt. Bij het zien van haar paspoort en vliegticket naar Barcelona met een overstap in Londen lachte de stewardess die gekleed was in een sari van de luchtvaartmaatschappij.

'Nou, nou, wat ga jij een grote reis maken!'

Sita bleef verborgen achter de balie staan en de stewardess stond op om naar haar te kijken.

'We zetten je aan het raam zodat je alles goed kunt zien. Wat dacht je daarvan?'

De koffer met het grote etiket dat er was opgeplakt, gleed weg over de transportband. Zuster Valentina's hart had nog nooit zo hard geklopt. Sita keek de koffer stralend na nadat de stewardess haar had uitgelegd dat de band hem naar het vliegtuig zou brengen en dat hij samen met de andere bagage in het vliegtuig zou worden geladen.

'Maakt u zich geen zorgen, mevrouw. Het meisje kan elk moment worden opgehaald door een van mijn collega's.' Zuster Valentina wilde er zeker van zijn dat alles onder controle was en bestookte de stewardess met allerlei vragen. De rij passagiers was inmiddels enorm gegroeid.

'Ja, bij aankomst in Londen lopen we met haar mee naar de paspoortcontrole en daarna naar de boarding gate van het vliegtuig naar Barcelona en we zorgen ook voor haar koffer die in Londen moet worden opgehaald en opnieuw moet worden ingecheckt bij de balie van Iberia voor de vlucht naar Barcelona.'

Nadat ze op alle vragen die zeer ingewikkeld leken, een antwoord hadden gekregen, moesten ze nog lang wachten tot het tijd werd om in te stappen. De twee vrouwen en Sita gingen in een hoekje in de wachtruimte zitten. Overal waren mensen en het was niet eenvoudig om drie vrije stoelen te vinden.

'Sita, je moet me beloven dat je tekeningen zult sturen en dat je ons zult schrijven zodra je dat kunt. Je nieuwe ouders hebben mijn adres. Afgesproken?'

'Ja, zuster Valentina.'

Om haar heen zag ze families in de zaal eten en drinken. Sommige kinderen zaten achter elkaar aan en een sikh met een donkerrode tulband die zijn schoenen had uitgedaan, lag op vier stoelen te snurken; een groepje zakenlieden met stropdassen discussieerden met drukke gebaren. Ruim voor het afgesproken tijdstip meldden ze zich bij de balie van Air India, waar ze hadden afgesproken met de stewardess die Sita zou begeleiden naar het vliegtuig. Het was niet gebruikelijk dat een meisje van haar leeftijd alleen naar Europa reisde, en die dag was Sita het onderwerp van gesprek van de werknemers van die luchtvaartmaatschappij. Ze liepen naar de glazen deur die de wachtruimte scheidde van de zone die alleen toegankelijk was voor de reizigers, waar de paspoortcontrole werd gedaan en de boarding ruimte zich bevond. Zuster Valentina en zuster Juliette moesten hier afscheid nemen. Ze omhelsden haar zoals ze nog nooit een non iemand had zien omhelzen en ze bedolven haar wangen onder de kussen.

'O, kindje toch. Moge God je zegenen', zei zuster Valentina in het Spaans met haar Dominicaanse tongval. Sita begreep er niets van, maar ze vond het wel grappig klinken. Toen nam een stewardess haar bij de rechterhand. Zelf hield ze haar jas en schooltas vast die zuster Juliette haar had aangereikt. Ze liepen door de glazen deur en de twee nonnen bleven achter, zwaaiend voor als Sita zich nog een keer zou omdraaien. Maar dat deed ze niet. De stewardess hield haar hand goed vast en Sita voelde een vreemde kriebel in zich. Ze was zo vol verwachting dat ze geen angst of verdriet voelde. Ze keek strak naar het einde van de gang die haar naar Barcelona zou brengen. Die gang gaf de weg aan en geen haar op haar hoofd dacht eraan zich om te keren. Met haar zeven jaar wist Sita dat er een nieuw leven ging beginnen.

Tijdens de reis naar Londen, zat Sita geen moment stil op haar turkooizen vliegtuigstoel van Air India. Ze krabbelde wat in een schriftje met drie kleurpotloden die ze van de stewardess had gekregen. Ze at alles op wat haar werd voorgeschoteld en gooide een beker sinaasappelsap over de stoel en de man die berustend naast haar zat. Ze wandelde door het hele vliegtuig, op en neer, met een stewardess of alleen, ze mocht kijken in de cockpit van de piloot ... Het traject tussen Londen en Barcelona legde ze slapend af, uitgeput.

Toen ze haar vlak voor de landing wakker maakten, keek ze uit het raampje en zag ze voor het eerst de immensheid van de zee. Zover het oog reikte, zag ze een diepblauwe zee met een paar vrachtschepen en veel andere kleinere boten, waarvan er een paar witte zeilen hadden. De zon scheen en straalde midden in haar gezicht. Het was een aangename warmte. Ze drukte haar voorhoofd tegen de ruit, haar mond stond open. Het vliegtuig draaide en ze zag een enorm lang, verlaten strand met helder zand. Aan de horizon alleen bergen. Een lijn met zachte bochten die het landschap vulden. Ze had zich geen tijd gegund om zich een voorstelling te maken van Barcelona, de stad waarover ze haar hadden verteld. Als ze dat wel had gedaan, dan was haar beeld vast niet zo stralend geweest als haar eerste impressie.

Addis Abeba, 1978

Solomon rende voor de laatste keer nog éénmaal de weg naar huis terug, alsof hij geen vierkante meter wilde overslaan. Zijn bagage stond sinds gisteravond al klaar bij de deur. Aster had een kleine koffer voor hem gekocht, waarin hij kleding, zeep, haarolie en wat tekenschriftjes had gestopt. Ze wisten niet goed wat hij nodig zou hebben en het was moeilijk geweest om te beslissen wat hij moest meenemen. Tussen zijn gevouwen kledingstukken had Solomon een eucalyptustak gestopt, samen met een stukje sandelhout dat hij uit de kerk had meegenomen. Het fossiel van het bizonbot en het boek dat Peter Howard hem had gegeven, moesten ook mee. Hij ging op de vensterbank zitten. Hij was enorm gegroeid. Hij was al twaalf jaar, maar als hij zijn benen goed introk, paste hij er nog op. Hij nam alle details van de groen geschilderde Entoto Mariamkerk in zich op en sloeg ze goed in zijn herinnering op. In de verte zag hij de stad liggen, gehuld in de ochtendnevel, voorbij het eucalyptusbos. Hij zag een jongen met een kudde geiten en drie koeien langskomen en dacht aan zijn vriend Biniam. Op een dag was hij zomaar verdwenen en sindsdien had hij niets meer van hem vernomen. Dat was voor zijn vader in Somalië was overleden. Waarom had hij zo nodig aan het front moeten koken voor de soldaten? Waarom had hij niet langer geprobeerd werk te zoeken in een van de hotels van de stad in plaats van zich in de oorlog tegen Somalië te storten? De Somalische strijdkrachten, goed gewapend dankzij de steun van Arabische landen, waren erin geslaagd door te stoten tot vlak bij de steden Harar en Dire Dawa. Zijn vader was omgekomen in een hinderlaag, vlak voor Cubaanse troepen zich aansloten bij de Ethiopiërs en ze uiteindelijk het Somalische leger wisten te verdrijven. Aster en hij kregen het bericht samen te horen en konden het nog steeds niet geloven. Ze stuurden een telegram naar Maskarem in Londen. Het lichaam van hun vader is nooit naar Addis Abeba teruggekomen. Ze mochten blij zijn dat ze op de hoogte waren gebracht van zijn dood, meestal vermoedden de achtergebleven familieleden dat hun vader of zoon was gedood omdat ze geen berichten of brieven meer kregen van de vrachtwagenchauffeurs die het leger bevoorraadden.

Aster had haar middelbare school afgerond en dacht dat ze daarmee aan de wensen van haar ouders had voldaan, en nu zat er niets anders op dan te gaan werken. Gelukkig vond ze een baantje in de bibliotheek van de rechtenfaculteit. Het was niet makkelijk geweest om alleen met zijn tweeën in het huis in Entoto te wonen, maar ze moesten verder. Solomon ging voor het portret van zijn moeder staan en keek nog een keer goed naar haar blik, de tatoeage op haar voorhoofd, de kracht die ze uitstraalde. Zijn moeder zou altijd bij hem zijn.

Ze hadden het een keer op een middag op de radio gehoord: de Cubaanse regering had zich solidair verklaard met de Ethiopiërs en bood de jongsten beurzen aan voor een studie op Cuba. De regering van Mengistu had besloten dat die beurzen beschikbaar werden gesteld aan de kinderen van hen die hun leven hadden verloren in de strijd voor de revolutie en het land. Aster was de volgende dag onmiddellijk informatie gaan inwinnen en had een aanvraag ingediend voor Solomon zodat hij op Cuba kon studeren.

'Cuba lijkt helemaal geen naam voor een land ...' zei Solomon kijkend naar de opengeslagen atlas die Aster mee had genomen uit de bibliotheek.

'Nou, ik vind het een goede naam voor een land. Vooral

voor een eiland waar het nooit koud is!'

Solomon hield zijn blik op de landkaart en gleed met zijn vinger over de blauwe vlek die het Afrikaanse continent scheidde van de Caribische eilanden.

Toen de lijst met namen van degenen die een beurs hadden gekregen, werd bekendgemaakt, stond Solomon Teferra erop. Voor ze naar Cuba vertrokken, werden alle kinderen van wie de vader in de strijd was omgekomen en die waren geselecteerd, naar Tatek gebracht dat vijfendertig kilometer van Addis Abeba af lag. Daar was een oud trainingskamp waar de kinderen werden voorbereid op de reis. Een jaar eerder waren vanuit datzelfde kamp duizenden militairen vertrokken om te vechten tegen de Somaliërs in Ogaden.

Een buurman in Entoto bood Solomon en Aster een lift aan naar Jan Meda, een grote, kale vlakte in de wijk Sedest Kilo, vanwaar alle jongens en meisjes met militaire bussen naar Tatek zouden reizen. En vanaf daar, het was nog niet bekend wanneer precies, zouden ze naar de haven van Assab gaan, waar ze zich zouden inschepen naar Cuba. Ze stopten de bagage in de achterbak en namen de weg, vol kuilen en bochten, naar de stad.

'Lopen ze zo op te scheppen over een spoorverbinding tussen Addis Abeba en Djibouti en nu is ze al afgesloten. Die oorlog met Somalië brengt alleen maar ellende', mopperde de buurman onderweg alsof hij in zichzelf sprak. 'En nu komen die bijdehante militairen op het lumineuze idee om meer dan duizend kinderen in autobussen door Eritrees gebied te sturen. Waar houdt dit op!'

Het kamp van Jan Meda, waarvan gezegd werd dat daar voor het eerst een vliegtuig in Ethiopië landde, stond vol met achter elkaar geparkeerde bussen en militaire vrachtwagens. Er stonden er veel meer dan op het busstation. Het zou nog lang duren voor alle voertuigen werden gestart, maar Aster en Solomon waren beiden zenuwachtig en wilden ruim op tijd aanwezig zijn. Straatventers waren toegesneld. Een man verkocht suikerriet. Daar was Solomon gek op en Aster kocht een mooi stuk. Ze gingen met zijn tweeën op de koffer zitten. Solomon knaagde met zijn tanden op het riet, spuugde de stukken die hij ervan afbeet uit en kauwde en zoog daarna krachtig op de zoete pulp. Hij voelde een knoop in zijn maag en wilde niet nadenken over wat zijn zusje zou voelen die alleen thuis achterbleef. Moederziel alleen.

'Ik hoop dat je snel een goede man zult vinden. Zoek er een, Aster. Blijf niet te lang alleen. Het doet me veel verdriet je hier achter te laten ...'

'Maak je geen zorgen', glimlachte Aster. 'Alles komt goed.'

Langzaamaan kwamen er steeds meer jongens en meisjes met een verwarde blik in de ogen, vergezeld door hun moeders of andere familieleden. De groep groeide geleidelijk aan tot het honderden kinderen waren met hun koffers en hun begeleiders, tot het meer dan duizend mensen waren die wachtten. Een man in een militair uniform klom op een stapel banden met een megafoon in zijn hand en begon aanwijzingen te geven. Zodra de jongens en meisjes hun naam hoorden, stapten ze zo snel mogelijk in. Voor ze instapten, gaven ze hun koffer af. De militair vroeg de familieleden vast afscheid te nemen zodat de hele operatie zo snel mogelijk zou verlopen. In een mum van tijd zagen ze overal kinderen in de armen van hun moeder huilend afscheid nemen. Aster en Solomon verroerden zich niet, ze hielden elkaars hand stevig vast midden in dat massale afscheid. Tranen rolden over Asters wang, maar ze zei niets. De woorden wilden niet over haar lippen komen. Meisjes, niet veel jonger dan zij, gingen ook naar Cuba. Maar Aster nam de rol van moeder op zich, zonder er een te zijn, ze had een dochter kunnen zijn, maar dat was ze niet. De jongsten waren acht jaar, de oudsten zeventien of achttien.

'Solomon Teferra!'

Aster drukte hem krachtig tegen zich aan. Ze omarmde hem zo stevig dat hij even bang was dat hij zou stikken. Zijn zus zei iets, maar hij verstond haar niet omdat ze met haar armen zijn oren had afgedekt.

'We gaan. Vooruit!'

Het waren de laatste woorden die hij haar hoorde zeggen voor hij naar de bus liep. Hij draaide zich om naar Aster, nadat hij zijn koffer aan de mannen had afgegeven die de bagage boven op de bus plaatsten en op en af het verroeste trapje klommen. Zijn zus huilde en zwaaide gedag met haar hand. Hij zei dag en stapte de bus in.

De voertuigen werden gestart en reden achter elkaar onder een luid getoeter het station uit, de moeders, broertjes en zusjes achterlatend die zagen hoe de jongsten van hun familie vertrokken naar een bestemming waar ze zich geen voorstelling van konden maken. Solomon zat bij het raam. Alle kinderen zaten stilletjes, net als hij. Nog een keer zwaaide hij naar Aster. Beiden toverden met moeite een lach op hun gezicht.

'Hé, jij daar! Mannen huilen niet. Weet je dat niet?' schreeuwde een soldaat vanaf het midden van het gangpad naar een jongetje dat zich niet meer groot kon houden en in snikken uitbarstte toen hij zijn familie niet meer zag.

Uiteindelijk kwamen in Tatek twaalfhonderd leerlingen samen. Ze verbleven daar twee volle maanden. Twee heel vreemde maanden op een omheind terrein met huizen die waren gebouwd van ijzeren platen en asbestcement, zowel de muren als de daken. Militaire barakken. De barakken deden dienst als slaapzaal en waren ingericht met lange rijen bedden van dunne eucalyptusstammen die van het ene eind naar het andere liepen, met daar bovenop matrassen naast elkaar.

In Tatek waren milities opgeleid en duizenden mannen getraind voor de oorlog in Somalië. Van daaruit was zijn vader vertrokken. Nu waren er alleen kinderen in het kamp. Alle mannen waren aan het vechten of waren dood.

Om vijf uur 's ochtends werden ze gewekt, als het nog donker was, en werden ze gedwongen hard te lopen, alsof het kindsoldaten waren. In hun waanzin leerde de kampleiding de kinderen zelfs te marcheren als militairen, zowel de jongens als de meisjes. Die vreemde driloefeningen lieten hun weinig tijd voor iets anders, behalve dan eten en een beetje ontspanning. Injera en shiro wot met thee met suiker en *dubo**, een rond, dik, zacht brood. Elke dag kregen ze hetzelfde te eten. Geen kip, lam, eieren, linzen ... Slechts een keer werd er van het menu afgeweken. Toen werden een paar kalveren geslacht die graasden binnen de afrastering, en kregen ze injera met een gestoofd vleesgerecht. Ze kregen nauwelijks les.

Een dag voor ze zouden doorreizen naar Assab kregen ze het uniform dat ze tijdens de lange reis zouden dragen. De jongens droegen een blauwe, korte broek en de meisje een korte rok in dezelfde kleur. Ze moesten hun koffers uitpakken en ze op bed laten liggen. Hun eigendommen moesten ze in een rood, plastic koffertje stoppen dat hoorde bij het uniform. Daarna kwamen de twaalf leraren die op Cuba Amhaars en Ethiopische geschiedenis en aardrijkskunde zouden geven. Er ging ook een Ethiopische kolonel mee. Hij zou de expeditie leiden. Dertien Ethiopische mannen hadden de leiding over twaalfhonderd jongens en meisjes.

Ze werden vroeger dan ooit wakker gemaakt, in het holst van de nacht. Buiten was het koud. Een paar soldaten hadden net de lading opnieuw gepakt in de vrachtwagens die het eten vervoerden voor de reis naar Assab. Gekookte kip, dabo, sinaasappels en heel veel kolo, een mengsel van geroosterde cereals, pinda's en kikkererwten dat als tussendoortje werd gegeten. Weinig dingen meer.

Met de kleine, rode koffer in hun hand en half slaperig staken de kinderen in rijen het omheinde kamp over en in stilte liepen ze naar de plek waar de ruim twintig bussen stonden die hen naar de kust van Eritrea, naar de Rode Zee, zouden brengen. De motoren ronkten al, de koplampen brandden en verlichtten spookachtig de enorm lange rits kinderen die in de bussen stapten en de bevelen opvolgden die de militairen in de megafoon schreeuwden.

'Snel, schiet op! In elke autobus passen zeventig kinderen. Er is voor iedereen plek!'

Solomon wist een plaatsje bij het raam te bemachtigen. Naast hem kwam een oudere jongen met een heel donkere huid zitten. Allebei met hun rode koffertje op schoot, stilletjes. Niemand zei iets. Een soldaat stapte in om te kijken of alle plaatsen bezet waren.

'Alleen uitstappen als wij dat zeggen. Afgesproken? Ook al stopt de bus. Als jullie uitstappen, moeten jullie onmiddellijk in de rij gaan staan bij de vrachtwagens waar het eten wordt uitgedeeld en de tankauto's met water. Het is drinkwater, dus gebruik het niet om je gezicht te wassen.'

Enkele minuten later zetten de vrachtwagens zich in gang en begonnen weg te rijden uit het militaire kamp van Tatek. Het was nog steeds donker maar Solomon zag een voorhoede met jeeps en gewapende militairen. In Eritrea waren guerrillastrijders actief en daarom kregen ze een escorte mee.

Geleidelijk aan vielen ze allemaal in slaap. Solomon leunde met zijn hoofd tegen het raam en bij elke kuil bonkte zijn hoofd ertegenaan. Ze hadden verteld dat de reis minstens drie lange dagen zou duren en dat ze alle drie de nachten in de bussen zouden slapen.

Het was al een aantal uren geleden dat de zon was opgekomen en ze Addis Abeba, Nazrēt, Āwash en Mile achter zich hadden gelaten.

'Dat is de weg naar Kembolcha ...' zei de jongen naast hem heel zachtjes en wees naar een weg die naar links ging en die zij voorbijgingen.

'Hoe weet je dat?'

'Die gaat naar Kembolcha. Dat weet ik. Ik kom daarvandaan.'

Stuk voor stuk hadden de jonge reizigers in die bussen een lange, verborgen geschiedenis die was vervlochten met de naam van een stad of van een dorp waarvan de anderen nog nooit hadden gehoord.

Zonder de tijd te doden met praten, muziek maken of zingen gleden de uren en kilometers traag voorbij en zagen ze het landschap steeds droger worden. Af en toe stopten ze om te tanken met de slangen van de tankauto's. De kinderen maakten tijdens de tussenstops van de gelegenheid gebruik om hun behoeften te doen achter wat struiken of rotsblokken. De karavaan die al die kinderen vervoerde, was erg lang. De weg was slecht, een rijstrook van aarde en steen, en omdat de voertuigen overbeladen waren, moesten ze om de haverklap stoppen vanwege autopech. Meestal was het een lekke band. De jeeps reden dan naar de voorste bussen om ze te laten stoppen. En zo verstreken de uren onder de brandende zon. Het wemelde van de vliegen en het was erg warm.

Eindelijk stopten ze om te eten en te slapen. Eerst stonden ze lange tijd in de rij bij de vrachtwagens voor een beetje kip met dabo en een sinaasappel, daarna bij de watertanks voor een beetje water. Nadat de kinderen hun eten op de stoffige grond hadden opgegeten, stapten ze weer in de bussen om te gaan slapen. De soldaten en vrachtwagenchauffeurs staken vuren aan bij de geparkeerde bussen en de vrachtwagens. Zittend rondom de kampvuren kauwden ze khat en dronken ze *tella*•. Na een tijdje werden ze dronken en werd de sfeer steeds lacheriger. Het geïmproviseerde kampement met die vuren zo midden in de duisternis had iets tribaals.

In de bus van Solomon huilden drie meisjes, de kleinsten. Eentje was ermee begonnen en had de anderen aangestoken. Een tijdje geleden hadden ze een soldaat horen schreeuwen naar een kind in de bus naast hen, omdat het gevraagd had of hij uit mocht stappen.

'Je moet plassen en poepen wanneer je aan de beurt bent, niet wanneer het je uitkomt! Vooruit, kom maar! Maar dit is wel de laatste keer!'

Twee soldaten hadden het kind meegenomen iets verder van de kampvuren af. Ze waren gewapend voor het geval er hongerige hyena's zouden opduiken en hen zouden aanvallen.

In tegenstelling tot de meeste anderen was hun buschauffeur niet uitgestapt om tella te drinken en khat te kauwen. Hij had zijn stoelleuning naar achteren gedaan en probeerde te slapen, net als zijn passagiers. Hij heette Derriba en hij was een forsgebouwde Oromo• uit Ghimbi, dat in de provincie Wellega in het oosten van het land ligt, met een donkere huid en een indringende blik. Net als de rest van de chauffeurs van het konvooi hadden ze hem gedwongen de reis naar Assab te maken in ruil voor twee zakken teff en droge peulvruchten voor zijn familie. De militaire regering gaf bevelen en daarmee uit. De drie meisjes huilden nog steeds en inmiddels waren ze niet meer de enigen. Het gesnik en gehuil klonk door de hele bus. Vanwege de duisternis was het moeilijk om te achterhalen wie er huilden. Derriba stond op en stak de lont van een olielamp aan. Het geluid van het afstrijken van de lucifer en de onverwachte vlam brachten de kinderen in een keer tot zwijgen.

'Wat is hier aan de hand?' vroeg hij met luide stem en hij scheen met de olielamp in de richting van het gangpad dat de rijen stoelen in tweeën verdeelde. Bijna alle kinderen sloten meteen hun ogen en deden alsof ze sliepen. Maar een van de meisjes bleef huilen, nog banger dan eerst.

'Maar wat scheelt er?'

'Niet slaan, alstublieft.'

'Waarom zou ik je slaan? Je hebt toch niets gedaan!'

Hij liep naar het meisje en aaide haar over haar hoofd. Haar haar was gevlochten in rijtjes kleine vlechtjes.

'Wie heeft je haar zo mooi gevlochten?'

'Mijn moeder ...' En het meisje barstte opnieuw ontroostbaar in tranen uit.

'Kom eens bij me, kleintje. Huil maar lekker uit.' En Derriba nam haar in zijn armen zoals hij zijn eigen dochter van vijf vastpakte.

Daarna hing hij de olielamp aan een ring aan het plafond van de bus. Hij gaf niet veel licht, maar hij doorbrak in ieder geval de duisternis. Derriba begon verhalen te vertellen over zijn geboortestreek, over hoe hij al op heel vroege leeftijd leerde paardrijden, zoals het een echte Oromo betaamt, en over de toernooien te paard die in zijn dorp werden georganiseerd met lansen en schilden totdat alle kinderen langzaamaan in slaap waren gevallen.

Solomon was gewend aan een landschap met eucalyptusbossen en wegen die klommen en daalden over de bergen ten noorden van Addis Abeba en had moeite met het eentonige, eenkleurige en vlakke landschap. Ze passeerden nauwelijks dorpen en zagen weinig mensen. Een man, lopend naast een beladen ezel langs de kant van de weg, had naar hen gezwaaid, stomverbaasd over die eindeloos lange stoet van bussen, vrachtwagens, militaire jeeps met zo veel kinderen. Ze aten heel weinig en hadden dorst. Ze kwamen langs een vluchtelingenkamp. Er stonden militaire vrachtwagens. De gieren cirkelden in de lucht boven het desolate landschap, onbeschrijflijke vormen tekenend in de blauwe, wolkenloze lucht. Een groepje mensen stond in de rij bij een vrachtwagen om een kan met water te vullen. Elke keer dat ze stopten, borstelde Derriba het stof van zijn schoenen en kleren. Hij haalde de stoffer ook over de stoelen en veegde het gangpad met een strooien bezem.

Het laatste stukje was het zwaarst. Een woestijn van zand en steen waar geen einde aan leek te komen. Ze waren allemaal erg moe. De onvoorspelbare kuilen volgden elkaar op en de kinderen werden voortdurend door elkaar geschud op de hobbelende stoelen ondanks Derriba's verwoede pogingen de grote stenen en de diepste kuilen in de weg te ontwijken. Tussen Mile en Assab reden ze door een woestijnlandschap. Enkele acacia's boden hier en daar een beetje schaduw en je zag ze al van verre. Stenen en nog eens stenen, droge aarde, het land van bandieten en Eritrese separatisten. Land van de kamelen. Soms zag je ze alleen staan, midden in het woestijnlandschap. Andere zag je langs de weg grazen, beladen met zakken. Ze waren karavanen tegengekomen met alleen twee of drie kamelen, elk met een ruiter. En veel langere karavanen. Soms wel tien kamelen achter elkaar, aan elkaar gebonden met touwen, bepakt en langzaam sjokkend, de een achter de ander, een stel mannen voor hen of op de rug van de eerste paar dieren. Derriba had hun verteld dat hij dit traject al een paar keer had afgelegd. Toen was hij ook uit Djibouti vertrokken. Ze hadden hem aangevallen op het moment hij er het minst op bedacht was geweest. Opeens hadden gewapende mannen de droge weg versperd en ze hadden alles meegenomen: geld, de vracht, de reservebanden ... 'Jullie zijn hyena's, maar we zullen jullie niet doden', hadden ze hem en zijn bijrijder toegebeten. Maar nu, met zo'n gewapende geleide, lieten ze zich niet zien.

De noodstops waren een constante. Door de zware lading en de hitte raakten de banden snel lek, het ene na het andere voertuig kreeg ermee te kampen. Bij iedereen waren er blaren in het gezicht en op de handen verschenen van de zon, het zweet en het gebrek aan hygiëne.

'Hij is van mij. Die sinaasappel is van mij', riep een jongen en hij gaf een andere een harde schop.

'Dat lieg je! Hij is van mij! Je hebt 'm van mij afgepakt', verdedigde de ander zich woedend.

'Genoeg', schreeuwde een soldaat die hen woest uit elkaar trok en ze allebei een paar meppen verkocht. 'Nu is de sinaasappel van mij.'

Alle ruzies eindigden hetzelfde. De ruziemakers kregen uiteindelijk altijd een klap van de soldaten. Solomon at altijd alles zo snel mogelijk op om dit soort dingen te voorkomen.

Derriba haalde een zak uit zijn reistas en begon een handjevol kolo aan alle kinderen uit te delen, van de eerste rij tot achter in de bus.

'Neem kleine beetjes en kauw er goed op. Straks krijgen jullie water, ik heb voor iedereen gehaald. Hierdoor vergeten jullie een beetje de honger. De kolo die mijn vrouw klaarmaakt, is heel goed. Wacht maar.'

De chauffeur had zich ontfermd over de meisjes en jongens in zijn bus. Hij reed alleen en hij hield de motor en de bus goed in de gaten, alsof hij van hem was. Als ze stopten, liep hij zich het vuur uit zijn sloffen om te zorgen voor zijn zeventig passagiers zodat ze zo goed mogelijk zouden aankomen in de haven van Assab. Hij praatte zo min mogelijk met de andere chauffeurs alsof hij niets met hen te maken had en zelfstandig opereerde.

'Ik heb ook een heel zware jeugd gehad', vertelde Derriba tijdens de laatste nacht van de reis. Zoals elke nacht vertelde hij hun verhalen voor het slapengaan. 'Mijn vader stierf toen ik zes was en vanaf dat moment moest ik mijn moeder en zusje helpen te overleven. Mijn familie leefde op het land. Op mijn veertiende vertrok ik uit het dorp en ging in Addis Abeba werken als hulpje van een vrachtwagenchauffeur. Ik sprak alleen maar Afaan Oromo en in het begin begreep ik niemand. Het kostte me veel moeite om het Amhaars te leren. Op mijn achttiende reed ik al vrachtwagens met aanhangwagen van de ene kant van Ethiopië naar de andere.'

'En hoe oud ben je nu?' vroeg een jongetje in de duisternis die flauw werd verlicht door de olielamp aan het plafond van de bus.

'Negenentwintig.'

'En ben je getrouwd?' vroeg een meisje.

'Ja, met Birhani en ik heb twee dochters. Mijn moeder heeft een goede vrouw voor me uitgezocht en ons huwelijk gearrangeerd met haar familie, die uit hetzelfde dorp kwam. Birhani was elf en ik zeventien. Ze had een lichte huid en ik vond haar meteen leuk. De eerste jaren van ons huwelijk zagen we elkaar nauwelijks, omdat ik hard moest werken en zij in het dorp bleef, bij mijn moeder in huis. Daarna kwam ze met me mee naar de stad.

'Vond zij jou ook leuk?' vroeg een wat oudere, half slaperige stem.

'Natuurlijk. Het was liefde op het eerste gezicht. In haar ogen was ik een held: ik nam haar mee naar de stad! Ons dorp is heel arm en het leven op het land is heel zwaar voor mannen en vrouwen.'

De passagiers waren in slaap gevallen bij de verhalen van Derriba. De lamp bleef de hele nacht aan het plafond hangen en ging pas uit als het konvooi verder trok.

Eindelijk bereikten ze de haven van Assab, aan de Rode Zee. Ze waren door een straat gereden met aan beide zijden lage huizen, wit en blauw geschilderd met asbestcementen daken, die ondanks het feit dat hij niet geasfalteerd was toch belangrijk leek. Op een terrein vol hijskranen die gebruikt werden bij het laden en lossen van koffie, zout en andere producten die Eritrea over zee transporteerde, stopten de bussen naast elkaar. De militaire jeeps werden op hetzelfde terrein geparkeerd en de soldaten stapten uit, met hun wapens en een alerte blik. Wie zou er een groep van twaalfhonderd onschuldige kinderen aanvallen en waarom? Ze hoorden de stem over de luidsprekers van een muezzin van een moskee vlakbij. *Allahu akbar.* Opnieuw klommen twee soldaten met een luide stem op iets wat dienst kon doen als podium, deze keer was het een ijzeren container, en ze begonnen bevelen uit te delen. Iedereen moest uitstappen als zij dat zeiden, hun bagage pakken en in rijen van twee naar de boot lopen die op hen wachtte aan de kade. Wie niet precies deed wat er werd gezegd, zou gestraft worden.

'Dag, kleintjes. Een goede reis en succes!' zei Derriba voor ze uitstapten. Hij bleef onder aan de trap staan en schudde iedereen de hand. Met moeite kon hij zijn tranen inhouden.

Het schip heette Afrika-Cuba en was heel groot, immens groot. Solomon had het niet voor mogelijk gehouden dat schepen zo groot konden zijn. Nog nooit was hij in een haven geweest en hij had nog nooit van zijn leven een boot gezien. Deze was wit en in het midden had hij een gigantische, zwarte schoorsteen waar rook uitkwam. In Tatek hadden ze hun uitgelegd dat de boot bijna honderdzestig meter lang was, maar daarbij had hij zich geen voorstelling kunnen maken. Nu zag hij wat er werd bedoeld met heel groot. Hoe was het mogelijk dat zo'n groot en zwaar schip niet zonk? De enorm lange rij kinderen in uniform die twee aan twee de loopplank beklommen, was een ongekende aanblik en alle havenarbeiders en rondslenterende mensen veranderden in een geïmproviseerd afscheidscomité. Er waren niet genoeg kooien en de Cubaanse matrozen en Ethiopische soldaten begonnen matrassen in de gangen te leggen tot er geen plekje meer vrij was.

'De oudsten slapen op de grond van de gangen! Kinderen die ouder zijn dan veertien mogen al gaan zitten op de matrassen die we aan het neerleggen zijn. Kom niet van je plaats vóór wij het zeggen! De jongsten zullen met zijn tweeën in de kooien in de hutten slapen. Begrepen?'

Een soldaat liep door de labyrintische boot en schreeuwde instructies. De toewijzing van hutten, kooien en matrassen was lastig. De kinderen in hun uniform en met hun rode koffertje probeerden zo goed mogelijk de bevelen op te volgen, maar ze waren volledig gedesoriënteerd en uitgeput. Dan moesten ze die kant op en dan weer de andere kant. Degenen die zich installeerden in de hutten, moesten hun rode koffertje op een van de bedden van de twee kooien neerleggen. Solomon kwam onderop, naast een patrijspoort. De ruit was dik en vies, maar hij kon de kade en de mannen die druk in de weer waren met dozen inladen nog vaag zien.

'Iedereen blijft zitten op de plek die hem of haar is toegewezen', beval een duidelijke stem over de luidsprekers.

Een tijdje ging voorbij en Solomon liet geen detail van wat hij door het raam zag aan zijn aandacht ontsnappen.

'Laat mij ook eens kijken. Dat raam is niet alleen van jou!'

riep een van de drie andere jongens met wie hij de hut deelde. Hij heette Siyoum en hij had hem nog nooit gezien.

'En ik ook', zei Werret, die ook niet bij Derriba in de bus had gezeten.

Solomon ging opzij zodat ze konden kijken. De vierde passagier in de hut, Habtamu, lag met zijn gezicht naar de wand te hoesten in de kooi. Van de twaalfhonderd kinderen was er een aantal ziek aangekomen in de haven van Assab en niemand zorgde voor ze.

Over de luidsprekers van de boot werden ze opgeroepen om aan te treden op het dek, alsof ze soldaten waren. Ze moesten het volkslied zingen en ondertussen werd de Ethiopische vlag naast de Cubaanse vlag gehesen. Er klonk een oorverdovend geloei van een scheepshoorn en Solomon voelde zijn hart bonken. De boot kwam in beweging en uit de schoorsteen kwam dikke, zwarte rook. Hoewel de kinderen moe waren van de reis uit Tatek, zwaaiden ze vanaf de reling naar de mensen op de pier. Het anker werd gelicht terwijl de activiteit in de haven zich concentreerde op een ander schip dat net had aangelegd en waar men begon met lossen. Een hijskraan liet een grote container zakken en op de kade hadden de mannen, die dozen in allerlei afmetingen vervoerden, moeite om zich een weg te banen tussen de karren en de menigte.

Ze vertrokken uit Afrika, ze lieten hun wereld achter zich en ze gingen ergens heen hier ver vandaan. Hoeveel landen en zeeën Solomon ook van de atlas uit zijn hoofd had geleerd, hij kon de afstand die de haven van Assab scheidde van die van Havana, niet bevatten. De kust van Eritrea lag achter hen en de Afrika-Cuba zette koers naar het noorden van de Rode Zee, in de richting van het Suezkanaal. Ze voeren vlak langs de petroleumraffinaderij van Assab en de arbeiders groetten hen vrolijk.

'De zee ziet er precies zo uit als het Tanameer. Ik dacht dat het anders zou zijn', zei Siyoum, een van zijn hutgenoten, bij de reling op het dek.

'Ben jij daar geweest?'

'Of ik bij het Tanameer ben geweest? Daar woonde ik!'

'Heb je weleens eerder op een boot gevaren?'

'Bijna alle dagen! Mijn vader bouwde papyrusboten en we gingen vanaf het schiereiland naar de eilanden om koren te verkopen en andere dingen die de nonnen in de kloosters en hun familieleden nodig hadden. Voor mijn vader in de oorlog moest vechten, ging ik vaak met hem vissen.'

Naarmate de kust meer uit het zicht verdween, werd die enorme, blauwe vlakte steeds onbegrijpelijker voor Solomon. De boot verplaatste zich niet hortend, zoals de bussen, maar hij schommelde en slingerde veel. Het waren langzame, constante bewegingen waar je misselijk van werd.

Aan de eerste dagen leek geen einde te komen. Op het dek zaten jongens en meisjes op de grond ontroostbaar te huilen. Velen hadden geen traan gelaten sinds ze afscheid hadden genomen van hun familie bij hun vertrek naar Tatek, maar nu werd het ze allemaal te veel: de gewaarwording van het deinen op die indrukwekkende boot met die rokende schoorsteen, een soort van drijvend gebouw dat zich verwijderde van het land en koers zette naar een onbekende wereld. Nu was er niemand meer die tegen ze schreeuwde of zei dat echte kerels niet huilden. Het leek of plotseling alle volwassenen waren verdwenen en hen alleen hadden gelaten op zee, stuurloos. Het schip zat stampvol kinderen, er was geen plekje meer vrij. Ze waren bang. De grootsten troostten de kleintjes. De oudere meisjes ontfermden zich over hen als moeders. Ze zongen liedjes en vertelden verhalen, de vrolijkste die ze konden bedenken. Maar Ethiopische verhalen en legendes waren niet vrolijk en daarom pasten ze ze hier en daar een beetje aan. Na het eten moesten veel kinderen overgeven zonder dat ze er iets aan konden doen. Ze renden naar de wc's of spuugden over de rand, de reling goed vasthoudend. Het zout droogde de huid op hun gezicht uit.

'Hebben jullie het gehoord? De motoren zijn weer uitgevallen', schreeuwde een jongen.

Solomon zat tegen een wand in een hoekje op het dek. Binnen werd hij misselijk. Hij tekende een vogel na uit het flora-en-faunaboek dat hij had gekregen van Peter Howard, in een van de schriften die Aster voor hem had gekocht. Het was waar. De trilling die hij in zijn rug voelde, was voor de tweede keer die middag verdwenen. De motoren draaiden niet. De matrozen liepen zenuwachtig en zwetend heen en weer op de boot. Ze lagen stil midden op de Rode Zee, omgeven door water. Pas toen het donker werd en iedereen naar binnen ging om te eten, sloegen de motoren weer aan. Iets gebeurde er, want de Afrika-Cuba veranderde van koers. Niemand zei iets en het leven aan boord ging weer zijn gangetje.

'We liggen in een haven', riep Solomon toen hij wakker werd en uit het raampje keek.

'Laat mij eens kijken!'

'Mij ook!'

Solomon, Siyoum en Werret gingen op hun knieën zitten en drukten hun voorhoofd tegen de patrijspoort. Het was de haven van Al-Hudaydah in Jemen. Ze hoorden het geschreeuw van de vissers die terugkeerden van zee en van de muezzins die vanaf de minaretten opriepen tot het gebed. Bij het ontbijt legde een leraar uit dat er een motor stuk was en dat die gerepareerd moest worden.

'We liggen op zijn minst vijf dagen voor anker en we

mogen niet van het schip. Jullie moeten jezelf vermaken door te kijken wat er allemaal in de haven gebeurt. We eten op dezelfde tijden.'

De lucht was grijs en het was warm. Aan beide zijden van het schip wemelde het van de witgeschilderde houten bootjes met felgekleurde strepen, de boeg hoger dan de achterplecht. Wanneer een boot binnenvoer met vis, kwam er een groep mannen met zwart, steil haar naar de boot en de vissers verkochten hun waar aan hen met veel geschreeuw voor ze hun vangst losten. Op de kade en in de boten werkten ook kinderen, de volwassenen helpend. Kinderen net als zij.

'Heb je de kledingdracht hier gezien? De mannen dragen jurken!' zei Solomon tegen Siyoum.

'Kun jij die boten tekenen? Als ik terugga naar huis, wil ik die aan mijn oudere broer laten zien.'

'Heb jij een broer? En waarom is hij niet meegegaan?'

'Hij is veel ouder. Hij is al drieëntwintig, maar hij is ziek. Zijn benen zijn misvormd. Hij kan niet goed lopen. Hij zit altijd.'

'En wat doe hij?'

'Hij weeft netela's en andere katoenen stoffen. Hij zit altijd achter het weefgetouw, urenlang. Hij kan het heel goed.'

'Goed. Ik zal een aantal tekeningen van boten maken.'

Solomon vestigde zijn aandacht op twee mannen die al heel oud moesten zijn. Hun huid was gerimpeld en heel donker gekleurd door de zon. Op hun hoofd prijkte een witte tulband, om hun middel hadden ze een geruite sarong geknoopt en daarop droegen ze een wit overhemd. Ze zaten met blote voeten op een tapijt met een afbeelding van een palm erop en keuvelden tussen de netten, zinken emmers, plastic vaten en houten kisten. Om hen heen maakten jongere mannen, die van de ene boot naar de andere gingen, de vis schoon. Het visafval gooiden ze in het water. In die haven rook het heel anders dan in Assab. In Al-Hudaydah hing een vislucht, een ongekende geur voor Solomon en zijn reisgenootjes.

Op een dag kwam er een boot binnen met een hevig bloedende haai die nog half in leven was en met zijn staart zwiepte. Met zijn zessen losten ze de vis en gaven hem de genadestoot op de kade voor ze hem ter plekke, onder veel geschreeuw, begonnen te verkopen. Ze gunden zich niet eens de tijd om naar de visafslag te gaan om hem daar aan te bieden. De kinderen sloegen alles nauwlettend gade van achter de reling op het dek van de Afrika-Cuba.

Solomon tekende alles wat hij zag vanaf het dek: de vissersboten, de groene minaretten, de karren met ezels waarmee de vis werd vervoerd ... En vooral alle kamelen. Waar je ook keek in de haven, overal zag je kamelen. Elegant zittend, wachtend op hun vracht, bepakt met zakken achter elkaar lopend ... Hij kon er geen genoeg van krijgen. Hij maakte ook tekeningen van de schoorsteen van de Afrika-Cuba vanuit verschillende perspectieven, en portretten van de kinderen die overal zaten ... Hij was al over de eerste schok heen van dat enorme, drijvende, ijzeren gevaarte en hij was gewend geraakt aan het geluid van die oorverdovende scheepshoorn, het geronk van de motoren, het geschreeuw van de meeuwen en de zeevogels die over hen heen vlogen, de geur van petroleum en de dikke, zwarte rook, die hen omgaf als de wind plotseling draaide, alsof het de mist van de heuvels van Entoto was.

Met de gerepareerde motor zetten ze weer koers naar het noorden en kwamen eindelijk bij het Suezkanaal. Aan beide kanten van het bijna tweehonderd kilometer lange kanaal, verloor je blik zich in een woestijn van alle mogelijke okertinten. Het vaarwater van het honderdvijftig meter brede kanaal baande zich een weg tussen dat zand en een strakke, intens blauwe lucht. Af en toe voeren ze langs kustplaatsjes waar vrouwen van top tot teen gehuld in het zwart rondliepen en kinderen die in het bijna witte zand voetbalden. In Port Said legden ze een paar uur aan en laadden brandstof, drinkwater en voedselvoorraden. Hijskranen laadden en losten containers in allerlei maten van en op de immense schepen die daar hadden aangelegd en die zich een reis om Afrika heen hadden bespaard. Ze voeren de Middellandse Zee op, een zee met veel minder blauw schakeringen dan de Rode Zee en zonder de door turkooizen water omgeven koraaleilanden die atollen vormden en die je van ver af zag liggen.

'Kijk!' schreeuwde een meisje met dunne vlechtjes.

'Daar! Daar! Wat een enorme vissen. Moet je zien hoe hoog ze springen!'

'Dat zijn dolfijnen! Die heb ik in mijn boek gezien!' riep Solomon.

Leunend op de reling, joelden en wezen honderden kinderen opgewonden naar de dieren die speels opsprongen vanuit de golven die werden veroorzaakt door de boot. Solomon draaide zich om en zag dat het schrift met tekeningen dat hij op de grond had laten liggen, was verdwenen. Alleen het potlood en de gum lagen er nog. Had de wind het weg geblazen? Maar dan zouden zijn potlood en gum ook zijn meegenomen. Iemand had het gepakt. Solomon begon overal te zoeken. Niemand had het gezien. Het was nergens te bekennen.

'Een jongen heeft het gepakt ...' zei eindelijk een meisje zachtjes.

'Wie heeft het gedaan? Heb je dat gezien?'

'Het was een van de oudere jongens ...'

'Nou dan gaan we hem zoeken!' schreeuwde Siyoum vastbesloten.

'Dat hoeft niet. Echt. Ze willen alleen maar vechten. Dat weet je toch!' antwoordde Solomon. 'Je hebt toch gezien dat ze altijd ruzie zoeken? Ik wil geen confrontatie met hen.'

'Als jij het niet tegen hen wilt opnemen, doe ik het!'

'Ben je gek geworden? Ze zullen je pijn doen.'

'Wat kan mij dat schelen. Ik heb wel vaker klappen gekregen. Ze hebben je tekeningen gepikt van de boten in de haven van Al-Hudaydah die je aan mij had beloofd.'

Siyoum verzamelde een groepje jongens die iets groter waren dan zij, maar niet ouder dan vijftien jaar. Eentje wist waar de oudsten waren. Ze zaten altijd op de achtersteven. Zover als ze maar konden.

'Geef ons het schrift terug!' schreeuwde Siyoum uitdagend met zijn magere twaalf jaar.

'Kijk, daar hebben we de kunstenaars.'

'Geef ons het schrift terug of het is oorlog!'

'O, wat zijn we nu bang.'

Siyoum liep naar de jongens en gaf de jongen die als eerste wat had gezegd een klap op zijn borst.

'Geef hier dat schrift! Het is niet van jullie.'

'We doen waar we zin in hebben, stelletje apen.'

Plotseling, alsof hij was aangevallen, begon Siyoum de jongen die bijna twee keer zo groot en sterk was als hij, te slaan, aan zijn haren te trekken en te schoppen. De anderen die met hem mee waren gekomen, wierpen zich ook op de grotere jongen. Uiteindelijk lagen beide groepen in de clinch en vochten en schreeuwden ze tegen elkaar alsof hun leven ervan afhing.

'Wat is hier aan de hand, verdomme!' schreeuwde een van de Cubaanse matrozen in het Spaans. 'Basta! Ik zei: Basta!' Hij drong zich tussen de vechtende jongens en deelde wat klappen uit aan de oudste om te laten zien dat zij niet de sterkste waren.

Er waren nog twee matrozen bij gekomen die waren gewaarschuwd door de andere kinderen, en een leraar. Samen maakten de vier volwassenen een einde aan het gevecht. Een paar van de vechtersbazen hadden bloed op hun lippen of wenkbrauwen en haalden gejaagd adem.

'Vanaf vandaag zullen de oudsten het dek schrobben. Elke ochtend. Daarna gaan jullie in de keuken helpen met afwassen, aardappels schillen en met andere klusjes. Als jullie nog een keer vechten, gaan we maatregelen treffen. Begrepen?'

Solomon kreeg zijn schrift terug en ging met Siyoum naar de ziekenboeg om zijn wonden te laten verzorgen. Zijn lip lag open en hij had een harde klap op zijn oog gekregen, dat begon te zwellen.

'Dank je wel, maar ik had gezegd dat het niet hoefde ...'

'Ik wilde mijn tekeningen terug. We hebben van ze gewonnen. Dat heb je zelf gezien.'

Ze voeren door de Straat van Gibraltar en vele zeemijlen verder legden ze eindelijk aan in de haven van Santa Cruz op Tenerife, maar ook daar mochten ze niet van boord. Dat was de laatste stop voor ze de Atlantische Oceaan overstaken. De dagen leken nog steeds eindeloos. Af en toe werden de kinderen opgeroepen om aan te treden op het dek en het volkslied te zingen of om wat gymnastiekoefeningen te doen, maar zonder enige duidelijke regelmaat. De maaltijden in de grote eetzaal met lange tafels en houten banken aan beide kanten die werden aangekondigd door de scheepshoorn, waren de enige vaste routine. Alle kinderen hadden droge, gebarsten lippen en hun haren krioelden van de luizen. Sommige waren zo groot dat je ze met het blote oog zag zitten, balancerend op de krullen van de jongens en de vlechtjes van de meisjes.

'Denk je dat we pas weer injera zullen eten als we teruggaan naar Ethiopië?' vroeg Solomon aan Siyoum. 'Bij mij thuis aten we alleen injera.'

'Bij mij thuis ook', zei Siyoum.

'Het eten hier is echt slecht', deed nog iemand aan tafel een duit in het zakje.

'En dan moeten we ook nog met dat vreemde gereedschap eten. Ik snap niet waarom we niet gewoon met onze handen mogen eten zoals we gewend zijn.'

'Omdat er altijd bouillon bij dit eten zit en we geen brood hebben om te soppen. En de stukken vlees zijn te groot ...'

'Ik wil terug', zei Habtamu, de zwijgzame jongen die ook bij hen in de hut sliep. Zoals altijd had hij zijn eten onaangeroerd gelaten.

'Nou, we zijn er nog lang niet!' zei Solomon.

Ze kruisten een vrachtschip en de twee boten luidden hun scheepshoorns als groet. Sommige kinderen renden naar het dek om te zwaaien naar de matrozen, die verbaasd keken naar zo veel Afrikaanse kinderen, allemaal in hetzelfde uniform, midden op de Atlantische Oceaan. De golven waren krachtig en het schip rolde meer dan op de andere zeeën die ze achter zich hadden gelaten. Op de oceaan zagen ze heel weinig dolfijnen, maar daarentegen ontdekten ze wel haaienvinnen die meevoeren in hun kielzog. Vooral wanneer aan het einde van de middag de koks het afval overboord gooiden.

Hé, jongen, voel je je niet lekker?' vroeg een matroos.

Solomon zat in een hoekje van het dek op de grond, leunend tegen een wand, zijn armen om zijn knieën geslagen, starend over de zee. Hij had de vraag begrepen, maar wist niet wat hij moest terugzeggen. Bovendien had hij er de puf niet voor. Eerlijk gezegd zat hij stilletjes, zonder zich te verroeren, te kijken naar de zee en hij voelde hoe de frisse wind over zijn gezicht streek. De matroos bukte en zei nog meer tegen hem tot Solomon zijn gezicht naar hem toe draaide. Het was een grote, stevig gebouwde man met een heel donkere huid. Hij leek wel een Afrikaan, maar hij sprak Spaans.

'Ik heb veel gespuugd en ik voel me misselijk ...' zei Solomon in het Amhaars.

'Ik versta niet wat je zegt, maar ik denk dat ik het wel begrijp. Je bent uitgedroogd. Hoe halen ze het in hun hoofd om jullie onder deze omstandigheden zo'n reis te laten maken!'

De matroos gaf hem een hand en trok hem omhoog, bijna alsof hij een ui uit de grond rukte. Het was een forse man met gespierde armen. Solomon liet zich meeslepen door een gang naar de kombuis waar hij nog nooit was geweest.

'Wat? Nog een? Ben je van plan om ze een voor een te redden? Daar word je niet voor betaald en we zijn nog heel wat dagen onderweg voor we Cuba bereiken', schreeuwde een van de koks. Hij stond in een enorme pan te roeren. Er steeg een geur uit op waar Solomon nog misselijker van werd. De geur van bonen, van stoofpotten ...

'Laat de ziekenboeg voor hem zorgen, daar is die voor. Al die witte jassen en uiteindelijk doen wij alles.'

'Zeur niet zo aan mijn kop', zei de matroos en hij roerde suiker en nog iets wat Solomon niet kende in een glas water.

'Hier, ga zitten en drink dit op.'

Solomon nam plaats op een houten bank in de hoek van de keuken en de matroos kwam naast hem zitten. Hij hield goed in de gaten of Solomon het drankje opdronk met de bittere smaak die verhuld werd door de suiker.

'Je zult zien dat je je snel beter zult voelen. Wacht maar af. Begrijp je?'

Solomon knikte.

'Ze zijn gek geworden. Ze denken dat ze die kinderen als vee kunnen vervoeren omdat het Afrikanen zijn, net als mijn voorouders toen ze werden meegevoerd van de kust van Ghana om als slaven te worden verkocht.'

'Wat zit je nu te kletsen, Oswaldo?' schreeuwde een robuuste kok met donkere huid. 'Onze voorouders zouden maar wat blij zijn geweest als ze onder deze omstandigheden de oversteek hadden moeten maken. Ik kan je verzekeren dat zij niet zo goed te eten kregen en evenmin in kooien met witte lakens sliepen. Deze kinderen hebben het beter, ook al liggen ze met zijn tweeën in één bed of moeten ze op de grond in de gangen slapen!'

'Deze boot heeft de capaciteit om achthonderdtwintig passagiers te vervoeren. Weet je met hoevelen wij op dit schip varen?'

'Dat interesseert me niet. Ik weet alleen dat er veel kinderen ziek zijn, en dat die met de witte doktersjas al dagen achter elkaar niet stilzit. Hij maakt lange dagen en slaapt nauwelijks. Of is je dat soms niet opgevallen?'

'Nu neemt hij het op voor ons blanke doktertje. Onze voorouders reisden ook ziek. Daar klaag ik over. Hoeveel stierven er onderweg aan malaria of gele koorts. Nou? Hoeveel?'

'Krijg de klere!'

Solomon voelde hoe hij steeds meer opknapte en probeerde het gesprek te volgen. Hij begreep het niet zo goed, omdat ze in het Spaans spraken en nog snel ook. Als ze praatten, klonk het als zingen. Waren die koks Cubanen of Afrikanen? Als het schip Afrika-Cuba heette en bijna de hele bemanning Afrikaans was, leek Cuba dan misschien op Afrika?

Vanaf die dag ging Solomon als hij zeeziek werd naar de scheepskeuken om het drankje van Oswaldo te vragen. En als hij zag dat een van zijn reisgenootjes te veel moest overgeven, bracht hij hem naar de kombuis of waarschuwde hij Oswaldo zodat die hem kwam ophalen. Soms ging Solomon en nog een stel anderen ook naar de keuken als ze zich niet ziek voelden. Ze gingen op de houten banken zitten en luisterden naar de verhalen van de scheepskoks die aan een stuk door praatten. Elke keer konden ze hen een beetje beter verstaan, maar het kostte hun nog veel moeite om in hun nieuwe taal te praten. De leraar Amhaars die altijd met zijn neus in een boek zat, had de keuken ook ontdekt en kwam er om Spaans te oefenen, hoewel hij dat al redelijk goed sprak. Solomon bracht zijn schrift mee en maakte tekeningen met zijn balpen. Portretten van de matrozen.

'Deze boot is gebouwd in 1957 door de Spaanse scheepswerf La Naval in Sestao, vlak bij Bilbao. Eigenlijk bouwden ze er twee tegelijk, identiek. Een tweelingschip. Deze heette Cabo San Roque en zijn tweelingbroer Cabo San Vicente. Vele jaren voeren zij tussen Genua en Buenos Aires.'

Oswaldo had een glas rum aangeboden aan de leraar Amhaars die hem gevraagd had naar de geschiedenis van het schip. De matroos had hem graag willen vertellen wat hij allemaal wist.

'Doe er een beetje water bij. Dit is heel sterk!' zei de leraar hoestend na zijn eerste slok.

Solomon luisterde mee vanaf de bank terwijl hij het medicinale drankje met suiker dronk dat Oswaldo voor hem had klaargemaakt.

'Vorig jaar januari lagen we in de haven van Ferrol en werd het schip bijna verwoest door een brand aan boord. Er was enorm veel schade aangericht, maar een paar maanden later kocht een Nederlandse rederij de boot en besloot hem naar Griekenland te slepen. Ze hebben hem gerepareerd in de haven van Piraeus en doopten hem om in Golden Moon.'

'*Luna de oro, chico.* Engels spreek je toch wel, hè?' onderbrak een van de koks hem.

'Eenmaal gerepareerd in Griekenland, hebben ze hem verkocht aan de Cubaanse regering. Deze heeft hem ondergebracht bij de Mambisa-rederij van Havana, onze opdrachtgever.'

'En die heeft de naam weer veranderd.'

'Precies.'

'Ik begrijp niet waarom ze die boten steeds een nieuwe naam geven', mopperde een matroos met een gouden oorring. 'Een boot zou ten onder moeten gaan met de naam waarmee hij is gedoopt.'

'Ze hebben hem Afrika-Cuba genoemd. Je kunt je wel voorstellen waarom', vervolgde de andere matroos.

Solomon wist niet waarom en keek naar Oswaldo in de hoop dat hij het zou uitleggen.

'Deze boot bracht de Cubaanse soldaten naar Afrika om te strijden aan de zijde van de landen die het regime van Fidel Castro steunen ...'

De uren leken eeuwen te duren. Solomon was altijd gewend veel te lopen en te rennen en nu zat hij bijna de hele dag stil. Zijn benen deden pijn. Urenlang zat hij in een hoekje te tekenen. Hij had al twee schriften vol en had er nog maar een over. Maar hij wist niet meer wat hij nog kon tekenen en hij had geen zin meer om portretten te maken. Het uitzicht was altijd hetzelfde. De zee. Een eindeloze zee van een onbestemde, donkere kleur die het midden hield tussen blauw en zwart. Een krachtige, deinende zee. Hij voelde zich zwak en moe. Zoals iedereen. Er was al heel lang niet meer gevochten. De kinderen waren te loom om ruzie te maken. Een van de docenten Amhaars las dikke pillen op het dek, altijd op hetzelfde plekje, en keek naar de zee. De andere leraren waren verdwenen. Soms gingen er dagen voorbij dat ze ze niet zagen, zelfs niet bij het eten. Ze aten vast aan de tafel van de kapitein en de bemanning. Die boot was een drijvende gevangenis. Zodra Solomon de kans kreeg, glipte hij naar de kombuis en luisterde naar de avonturen van de zeelui die van het ene einde naar het andere einde van de wereld hadden gevaren, van Madagaskar naar Brazilië, van Cuba naar Hongkong. Verhalen over slavenhandel, piraten, dodelijke stormen, nachten met harde windstoten die boten heen en weer deden schudden, gigantische golven die woest tegen alles beukten, en over geredde drenkelingen. Een van de matrozen, met een roze huid en lang, vet haar in een staart, zong te pas en te onpas en de rest viel vaak in.

Bij het vallen van de avond hoorde je alleen nog het geklots van het water en soms een paar matrozen, dronken van de rum, zingend bij het maanlicht.

'Stilte op het dek', schreeuwde de kapitein als de mannen te veel lawaai maakten.

De dronken lieden zwegen en waggelden naar hun kooien, struikelend over de dingen die op hun pad lagen.

Het hoesten hield maar niet op. Habtamu had sinds hun vertrek uit Assab elke nacht gehoest. Hij sprak weinig en was ziek sinds ze waren begonnen aan hun reis naar Cuba. Hij had pijn in zijn borst en zei dat hij geen honger had. De hele tijd zweette hij en hij rilde van de kou. Deze nacht klonk zijn hoest anders. Zijn ademhaling ging moeizaam en hij leek te stikken. Solomon was wakker geworden van dat angstaanjagende geluid dat Habtamu maakte bij het hoesten en kon niet meer slapen. In alle hutten brandde voor de veiligheid een klein lampje dat nooit uitging en Solomon keek naar zijn hutgenoot tegenover hem in de onderste kooi. Hij lag met zijn gezicht naar hem toe gedraaid.

'Habtamu, gaat het?' vroeg hij zachtjes.

Het antwoord was nog meer gehoest. Habtamu kwam overeind en Solomon stond op en ging naast hem zitten. Hij zag er slecht uit. Hij was mager en zweette. Weer kreeg hij een hoestaanval en toen het leek of hij erin zou blijven, spuugde hij op het laken. Solomon zag dat het bloed was en besefte dat die grote, donkere vlekken op het kussensloop ook bloed waren.

'Siyoum, Werret, wakker worden!' schreeuwde Solomon verontrust. 'Hé Siyoum, hoor je me? Wakker worden!'

'Wat is er?' klonk er een slaperige stem vanuit de bovenste kooi.

'Habtamu is erg ziek.'

'Dat weten we toch allang? Ik heb slaap', zei Siyoum.

'Hij geeft bloed op en lijkt erin te stikken. En volgens mij heeft hij ook hoge koorts. Hij voelt heel warm aan!'

'Zoals elke zieke.'

'We moeten iemand waarschuwen. Hij is er erg slecht aan toe.' Solomon stond op en deed het licht aan. Habtamu hoestte, spuugde en ijlde.

'Is het al tijd?' vroeg Werret slaperig.

'Werret, Habtamu is heel erg ziek. We moeten iemand waarschuwen!'

Het gehoest en het gegier van de jongen die erin leek te stikken, deden Siyoum, Werret en Solomon in een keer uit hun kooien springen. Solomon stopte zijn kussen achter Habtamu's rug zodat hij rechter op zat, maar de jongen kreeg weer een hoestaanval en stikte bijna. Solomon klopte hem op zijn rug en er kwam nog een dikke, bloederige slijmvlek op het laken.

'Ik ga de dokter of iemand anders erbij halen. Als hij dreigt te stikken, moet je hem op zijn rug slaan!'

In de gangen van de boot was het donker en stil. De noodverlichting bood spaarzaam licht. Solomon herinnerde zich nog vaag waar de ziekenboeg was, maar wist niet goed hoe hij er moest komen. Hij sloeg een gang in en daalde een steile trap af. Hij had zich vergist. Hij liep dezelfde weg terug naar de deur van zijn hut en liep nu de andere richting op. Hij nam een gang naar rechts en daalde een steile trap af en liep toen een paar keer omhoog en omlaag tot hij de ziekenboeg vond. Hij bonsde op de deur tot een man met een slaperig gezicht in lange onderbroek en T-shirt opendeed. Hij had een baard.

'Wat is er, knul?' vroeg hij in het Spaans.

'Mijn hutgenoot is erg ziek. Hij hoest veel en geeft bloed op. En hij is gloeiend heet.'

'Mijn god, nog een!' riep de dokter uit. 'Wacht even, ik kom meteen met je mee.'

Solomon bleef in de gang staan terwijl de dokter zich aankleedde en zijn tas pakte. 's Nachts klonk het geluid van de varende boot anders. Het leek of elk touw, elke reling, elke houten plank op het dek kraakte, knarste, klaagde over de wind die krachtig woei. De boot ging voortdurend op en neer.

'Kom mee!'

Ze renden snel door de gangen, zonder iets te zeggen. Siyoum deed meteen de deur open, toen Solomon aanklopte. Habtamu leunde met zijn hoofd naar achteren tegen de muur, zijn ogen halfgesloten. De arts liep naar hem toe en pakte zijn pols. Zijn andere hand legde hij op Habtamu's voorhoofd. De bloedvlekken op het laken waren duidelijk zichtbaar.

'Mijn god, hoeveel uren is hij al zo?'

'Dat weten we niet. We werden wakker door zijn gehoest en omdat hij bijna stikte ...'

De dokter opende zijn tas en vulde een injectiespuit. Solomon, Siyoum en Werret keken naar hem vanuit de andere kooi.

Habtamu hoestte. Het leek of hij iets wilde zeggen, maar het hoesten belette het hem.

'Rustig, zeg maar niets', zei de dokter. 'Adem diep in. Ik geef je een injectie met een kalmerend middel. Je hebt vast heel veel pijn op je borst. Hoor je me?'

Habtamu keek hem aan met halfgesloten ogen en een hangend hoofd. Alsof hij mijlenver bij hen vandaan was.

'Jij, kom eens. Help me', vroeg de arts aan Solomon. 'Pak hem bij zijn arm. Zo. Ik moet hem een prik geven. Hou zijn arm gestrekt en zorg dat zijn handpalm naar boven wijst.'

Hij wreef een watje met alcohol over zijn arm en stak de injectienaald erin. Daarna gaf hij hem wat water te drinken waarbij hij zijn nek ondersteunde.

'Is hij erg ziek?'

'Ik ben bang van wel.'

Habtamu begon weer hard te hoesten, hij dreigde te stikken en soms leek het of hij geen adem meer haalde. De dokter duwde zijn rug naar voren. Het kind kermde afschuwelijk. Hij bleef erin.

'Hoe heet je?'

'Solomon.'

'Help me hem naar de ziekenboeg te brengen. Hij kan hier niet blijven. Zijn toestand is kritiek. Jullie moeten weer naar bed gaan. Zorg dat je goed slaapt en uitrust, anders worden jullie ook nog ziek. En eet alles op wat je op je bord krijgt. Begrepen?'

De dokter keek ernstig. Hij nam Habtamu op zijn rug. Hij woog vast niet zwaar, want het leek de dokter weinig moeite te kosten.

'Pak een handdoek en leg die hier, op mijn schouder. Als

hij onderweg hoest, veeg je zijn mond schoon. Let op dat er niets op de grond valt. Je kunt de deur opendoen', zei de dokter met de zwetende en zwaar ademhalende Habtamu op zijn rug.

Ze gingen naar de ziekenboeg zonder iets te zeggen. Het was nog steeds midden in de nacht en ze kwamen niemand tegen. Ze hoorden het kabaal van de motoren van de boot, de golven die braken tegen het casco en de wind die alles erger leek te maken. Aangekomen bij de ziekenboeg opende Solomon de deur op aanwijzingen van de dokter die meteen naar binnen ging en doorliep naar achteren, naar een afgescheiden gedeelte waar twee bedden stonden. Hij legde Habtamu op een van de bedden. Naast de patrijspoort, verwijderd van de onderzoekstafel en de kast met de verbandtrommel, pillen, zijn instrumentarium en flesjes medicijnen, stond het bed waar de dokter sliep, als hij tenminste niet ergens nodig was.

'Dank je, Solomon. Ik zorg verder voor hem.'

's Ochtends was de kooi van Habtamu helemaal leeg. Geen spoor van bloed, lakens, sloop of kussen, zelfs de matras was verdwenen.

'Hebben jullie gezien wie alles heeft meegenomen?'

Niemand had iets gehoord, maar iemand was 's ochtends vroeg in hun hut geweest en had alle spullen opgeruimd.

Solomon zat op een van de banken op het dek en keek naar de tekeningen in zijn boek over de flora en fauna in Amerika. Hij had ze bijna al allemaal gekopieerd. Toen verscheen Oswaldo.

'Hé, knul. Ik was je aan het zoeken!'

Solomon lachte alleen. Hij begreep een beetje Spaans, maar kon het niet goed spreken.

'De dokter wil met je praten. Hij heeft me gevraagd je te

halen. Hij wacht op je in de ziekenboeg. Je hebt nu niet meer zo'n last van zeeziekte, hè?'

Solomon schudde nee met zijn hoofd. Hij was moe. De nacht was erg kort geweest. Toen hij op de deur van de ziekenboeg klopte, deed de dokter meteen open. Hij begroette hem hartelijk en vroeg hem op een stoel te gaan zitten. Zelf nam hij plaats op een kruk.

'Solomon, ik moet je vertellen dat Habtamu is overleden. Hij had tuberculose in een vergevorderd stadium en ik heb niets kunnen doen.'

Het was niet de eerste keer en het zou ook niet de laatste keer zijn dat Solomon te horen kreeg dat iemand uit zijn nabije omgeving was gestorven. Hij bleef naar de dokter kijken, zwijgend en onbeweeglijk.

'Waar is hij?' vroeg hij.

'Hier, in hetzelfde bed als waar we hem hebben neergelegd', zei hij en hij wees naar de deur achterin die dicht was. 'We hebben het beddegoed verbrand samen met de kussens en de matras. De as hebben we in zee gegooid. Zojuist heb ik gevraagd of ze jullie hut goed wilden desinfecteren. Tuberculose wordt door hoesten of niezen via de lucht verspreid. Omdat jullie weinig weerstand hebben, kunnen jullie bij besmetting met de bacterie heel snel ziek worden ...' legde de dokter uit in een mengeling van Spaans en Engels.

Solomon herinnerde zich hoe Habtamu had gehoest, hoe hij bijna stikte en bloed had opgegeven. Even dacht hij dat hij duizelig werd.

'Ik wilde zeggen dat we hem vannacht een begrafenis geven.'

'Een begrafenis?' vroeg hij verbaasd.

'Ja, een zeemansgraf. We kunnen het lichaam niet conserveren tot Cuba. De zee is de grootste begraafplaats ter wereld. De kapitein heeft toestemming gegeven om jou en je twee hutgenoten uit te nodigen bij de ceremonie. Maar onder voorwaarde dat jullie het aan niemand verder vertellen.'

Solomon luisterde zonder met zijn ogen te knipperen naar de dokter en hij zag de fijne huid van zijn handen, zijn verzorgde nagels, zo anders dan die van de matrozen op het schip.

'We komen jullie na het avondeten in jullie hut ophalen. Waarschuw je vrienden. Afgesproken? En verspreid het bericht niet verder. Er mag geen alarm worden geslagen. Ik vertrouw op je.'

Achter de gesloten deur lag de jongen die zo zwijgzaam was geweest en zo ziek. Dood. Had hij de dokter eerder moeten waarschuwen?

'Zijn er meer kinderen doodgegaan?' durfde hij te vragen.

'Helaas wel, ja ... Helaas wel.'

De Afrika-Cuba was in stilte gehuld en de nacht was al gevallen. Een flinke poos nadat ze teruggekeerd waren van het eten in de eetzaal, werd er op de deur van hun hut geklopt. Het was de leraar Amhaars. Ze volgden hem door de gangen, over de trappen naar de achterplecht, naast de Cubaanse vlag die wapperde boven het kielzog dat het schip achterliet. Ze waren hier nog nooit geweest omdat een ketting hun de doorgang belette. De kapitein zag er onberispelijk en elegant uit in zijn uniform en praatte met de leider van de expeditie en de andere Ethiopische leraren. Bijna de hele bemanning was aanwezig. Sommige matrozen had hij nog nooit gezien. Iedereen stond in kleine groepjes, praatte zachtjes en rookte. Toen ze de drie kinderen hoorden, draaiden ze zich allemaal naar hen om en zagen ze de kinderen in de duisternis dichterbij komen. Het wit van hun verwarde ogen schitterde van verre, alsof het lantaarns waren. Oswaldo schudde Solomon de hand. Aan een kant, boven op een houten verhoging lag het levenloze lichaam van Habtamu, afgedekt met een wit laken.

'Kom verder, we wachtten al op jullie', zei de kapitein. 'Jullie mogen hier vooraan staan. Alsjeblieft, vóór iedereen. We gaan beginnen.'

De mannen schaarden zich rond de stellage. Solomon bleef gebiologeerd kijken naar het silhouet van het lichaam dat hij onder het laken vermoedde. Zou hij een wit doodskleed dragen? Of was hij misschien naakt? Zouden de haaien hem opeten? Hoelang zou het duren voor ze hem hadden verslonden? Zou hij ook uit zee naar de hemel gaan?

'We zijn hier bijeen om afscheid te nemen van Habtamu Assefa die op elfjarige leeftijd is gestorven op zee ...' begon de kapitein met zijn pet in zijn hand.

Na zijn toespraak las een van de leraren in het Amhaars een bijbeltekst voor en zette een klaagzang in. Alle Ethiopiërs die aanwezig waren, vielen in. Solomon, Siyoum en Werret ook. Het was al dagen geleden dat ze hadden gezongen. Ze hadden ook lang niet meer gebeden.

'Rust in vrede, amen', eindigde de kapitein.

Twee matrozen tilden de draagbaar omhoog waar het lichaam van Habtamu op rustte en hielden hem zo schuin dat het lichaam ervan afgleed en in zee viel. Een witte schaduw zonk naar de diepe bodem van de Atlantische Oceaan. Een droge plons. Niets meer.

Op een ochtend als elke andere cirkelden er opeens meeuwen boven de schoorsteen van het schip .

'Land in zicht! Land in zicht!' schreeuwden de matrozen.

Ze hadden nog niet ontbeten en sommige kinderen sliepen nog. De deuren van de hutten gingen open. Het was waar. Aan de horizon, in de verte, was een dunne, donkere streep vaag zichtbaar: Cuba.

De uren die verstreken voor ze de haven inliepen onder luid getoeter, duurden het langst van allemaal. Bijna alle jongens en meisjes waren op het dek, hun handen aan de reling, de ogen strak gericht op de kustlijn om geen detail te missen van de kust die steeds dichterbij kwam en duidelijker zichtbaar werd. De passaatwinden stonden in de richting van het eiland dat hen opwachtte.

Ze moesten aantreden op het dek in hun uniform met het rode koffertje in de hand. Daarna liepen ze twee aan twee over de loopplank de boot af.

'*Hasta la vista*, dappere kinderen', schreeuwden Oswaldo en de andere koks die op de reling waren geklommen.

Solomon keek naar Oswaldo en zwaaide gedag. Oswaldo lachte en wuifde terug.

'Voel je hoe de grond onder je beweegt?' vroeg Solomon aan Siyoum, lopend over de pier die vol hijskranen stond.

'Dat wilde ik jou ook net vragen. Het lijkt of alles nog meer schommelt dan op de boot.'

Mannen visten vanaf stenen banken met een hengel en in de baai van Havana lagen kleine bootjes voor anker. Aan de balkons van de lage huizen, die contrasteerden met de hoge, modernere flatgebouwen, hing wasgoed aan de lijnen te drogen.

'Moet je zien wat een vreemde auto's! En die kleuren waarin ze zijn gespoten.'

'De jongens en meisjes liepen een klein stukje. Niet zo heel ver verwijderd van de plek waar de Afrika-Cuba was aangemeerd, op een terrein omgeven door palmbomen, stonden heel veel auto's geparkeerd. De leider van de expeditie wachtte tot iedereen er was. Hij had een megafoon in zijn hand en zoals altijd was hij op het hoogste punt geklommen dat hij kon vinden: een kar.

'Stap allemaal zo snel mogelijk in de bussen zodat we de

reis kunnen voortzetten. Ik waarschuw jullie dat er niet voor iedereen een zitplaats is. Degenen die nu niet mee kunnen, wachten tot er meer bussen komen. Dat zal niet lang duren ...'

Solomon, Siyoum en Werret hoorden bij de groep die moest wachten. Zittend op de grond, met het gevoel dat ze nog steeds aan boord zaten, zagen ze drie ambulances voor de Afrika-Cuba stoppen en matrozen met zieke kinderen in hun armen van de boot komen. Ze zeiden niets. Ze observeerden alle bewegingen van de matrozen en verplegers die de kinderen naar de ziekenwagens droegen die daarna met gillende sirenes wegreden.

De hele busreis sliepen ze, zo uitgeput waren ze.

'Een andere haven. Ze hebben ons naar de andere kant van het eiland gebracht', zei Siyoum die de anderen wakker schudde.

'Hoe weet je dat?'

'Dat zie ik aan de zon.'

'Dat zuig je uit je duim!'

'Denken jullie dat we er al zijn?' vroeg Werret, de discussie tussen Solomon en Siyoum onderbrekend.

Ze waren in de haven van Batabanó, een klein vissersdorp met verveloze, houten huisjes. Overal waar ze keken, zagen ze sponsen liggen te drogen. Bij het uitstappen had een man gewezen naar twee aangelegde boten. Ze waren kleiner dan de Afrika-Cuba.

'Een andere boot. Waar gaan we heen?' vroeg Solomon aan de leraar Amhaars die het traject vanaf Havana met zijn auto had afgelegd.

'Naar Isla de la Juventud, een eiland dat vroeger Isla de Pinos heette.'

'En daar blijven we?'

'Ja, daar zijn de scholen. Eindpunt van de reis.'

De overlevenden van de lange reis uit Ethiopië scheepten zich gelaten in via de loopplanken van de boten. Deze boten hadden geen hutten.

'Dat betekent dat we niet lang zullen varen', zei Siyoum overtuigd.

'Denk je?'

Ze gingen op het dek zitten tegen de balustrade of de wanten, of ze zochten een plekje binnen, in grote zalen met banken. De ruiten van de ramen waren vies en je kon er bijna niets door zien.

'Nooit gedacht dat we zodra we aan land waren een klein busritje zouden maken om vervolgens weer aan boord van een ander schip te gaan', zei Solomon die naast zijn vrienden stond, zich vasthoudend aan de reling.

'Nog meer zee ... Dat hou ik niet vol.'

Werret was nu al dagen aan het hoesten.

'We zijn er bijna', zei Solomon bemoedigend.

Ze stonden in kleine groepjes zachtjes te praten zonder lawaai te maken. Ze waren zo moe dat ze niet klaagden. Ze keken alleen, namen alles op met hun donkere, angstige ogen. Iedereen was vies. De haren van de meisjes in de war.

De kust was heel anders dan de kusten die ze tot dan hadden gezien. Er groeiden palmbomen en bomen tot aan het water, volle stranden en mensen vissend in het water tussen de bootjes met netten en kistjes vol kreeften of vissen. Het was een zee met blauwe en turkooizen tinten zoals de Rode Zee.

'Denk je dat die kleine eilandjes bewoond zijn?'

'Geen idee', zei Solomon, turend naar de eilandjes in de verte die ze voorbijvoeren, groen van de vegetatie en de hoge palmbomen. Ze hadden de haven van Batabanó al ver achter zich gelaten, ze konden hem bijna al niet meer zien.

'Hier hielden veel piraten en zeerovers zich schuil', vertelde een leraar.

‘Wanneer?’

‘Heel lang geleden. Wel meer dan vierhonderd jaar geleden! Op de bodem van de zee liggen veel gezonken schepen. Bijvoorbeeld het fregat Cuba. Achter elke naam van een schip gaat een strijd schuil, een naam van een piraat, een vergelding ... De Caribische Zee was het toevluchtsoord van de meest gevreesde zeerovers.’

Aan de horizon werd vaag een kustlijn zichtbaar. Het ronde eiland was niet erg groot, met bergen in het midden. Vanuit de verte leek het een berg, een halve cirkel die verrees uit de zee.

Drie uur nadat ze het anker hadden gelicht, voeren ze de haven van Nueva Gerona in. Op de kade wachtte hen een orkest op. Studenten in uniform begonnen vrolijke marsmuziek te spelen op trombones, trompetten en kleine trommels. De hele stad, met de burgemeester voorop, was uitgelopen om de kinderen die van zo ver kwamen te zien aankomen. Vanaf een brug stonden veel mensen uitbundig te zwaaien. Het euforische gegil contrasteerde met de ernstige en zieke gezichten van de passagiers op de boot, met de stilte waarmee ze alles bekeken.

‘*Bienvenidos a la Isla de la Juventud*’, riep de burgemeester, glimlachend, met een rode sjerp over zijn borst geknoopt waardoor zijn enorme buik nog meer opviel.

Toen hun werd gezegd dat ze weer moesten instappen in bussen die klaarstonden in de haven, geloofden ze hun eigen oren niet. Net als in de haven van Havana bleef meer dan de helft van de kinderen achter, omdat er niet genoeg bussen waren. Nadat ze de anderen hadden afgezet bij de school die vijftien kilometer verderop lag, kwamen de bussen terug om hen te halen.

‘We komen er nooit’, zuchtte Werret.

Voor ze de stad uit reden, staken ze een laan over met een

kerk in koloniale stijl en aan weerskanten palmen en andere bomen. De smalle weg liep door velden met sinaasappels en grapefruits, en door het warme licht van de middagzon leek het landschap met die levendige kleuren net een schilderij. Langs een kant van de weg stond een eindeloze rij houten palen waarover telefoondraden gespannen waren. Af en toe haalden ze een paardenkar met mensen en pakjes erop in of mannen op de fiets die terugkeerden van de akkers. Iedereen groette hen.

'Dit is de school Karamara nummer 16', zei de buschauffeur.

Karamara was de naam van een Ethiopische berg die aan de buitenrand van de stad Jijiga lag waar een aantal maanden geleden de Ethiopische en Cubaanse soldaten de Somaliërs hadden verslagen. Deze school maakte deel uit van de plattelandsscholen van de Esbec, de Escuela Básica Secundaria en el Campo. Ze hadden voor iedereen eten klaargemaakt.

'De tafels bewegen en de banken ook. Voel je dat?'

Ze grepen zich vast aan de tafel alsof ze gingen vallen.

'Ik ben duizelig', zei een meisje, met haar hoofd leunend op haar armen op de tafel.

Nadat de kinderen hun bonen hadden opgegeten en aan hun sinaasappels zaten, klommen de expeditieleider en de schooldirecteur met een megafoon op een paar stoelen en heetten hen officieel welkom.

In dit gebouw blijven de zeshonderd jongste leerlingen, de kinderen uit de vierde, vijfde en zesde klas.'

De Cubaan vertelde alles in het Spaans en de Ethiopiër trad als tolk op.

'Na het eten stappen de anderen in de *guaguas* en worden naar het gebouw van de Mengistu Haile Mariam nummer 43 gebracht.

'Wat zijn guaguas?' vroeg een kind fluisterend.

De Esbec 43. Dat zou de school van Solomon worden. De regering van Fidel Castro had midden op een klein, rond eiland ten zuiden van Cuba twee scholen beschikbaar gesteld voor dat duizendtal Ethiopische leerlingen. In de toespraak werd verder uitgelegd wat ze zouden gaan leren en hoe, en wat er van hen werd verwacht, maar ze waren te moe om er iets van te begrijpen, zelfs niet in het Amhaars.

De school bestond uit twee gebouwen. Het ene telde twee verdiepingen met klaslokalen en het andere drie met slaapzalen. Een gang verbond de twee gebouwen op de tweede verdieping, als een soort bovengrondse tunnel. Drie slaapzalen waren voor de meisjes bestemd en vijf voor de jongens.

'Hier kunnen zeventig kinderen terecht. Vooruit, ga naar binnen en zoek een bed uit!' zei een leraar met stemverheffing.

Solomon nam plaats op het onderste bed van het stapelbed. Siyoum koos het bed boven hem en Werret ging liggen op het bed naast hem, ook beneden. Zonder hun handen te wassen of hun kleren uit te trekken, gingen ze liggen en vielen onmiddellijk in slaap, zonder ook nog maar iets tegen elkaar te zeggen. Ze wilden het gevoel hebben dat ze vaste grond onder de voeten hadden. Dat ze op hun bestemming waren. Solomon sliep in, het kussen vasthoudend, in de waan dat het eiland net zo bewoog als de boot, alle indrukken van die lange reis in zijn hoofd verwerkend.

Het was warm en erg benauwd. In de klaslokalen hingen ventilators aan het plafond, maar op bepaalde uren van de dag boden die geen soelaas. Solomon kon nog steeds net zo goed leren als op school in Addis Abeba. Hij lette goed op in de klas, leerde 's middags en maakte al zijn huiswerk. Het eerste semester kregen ze alleen Spaans en moesten ze in de sinaasappelboomgaarden werken. Op school droegen ze hun uniform en op het land andere kleren met regenlaarzen, net als die op het land in Ethiopië werden gebruikt. Al naar gelang de leeftijd kregen de kinderen een taak. Solomon had een sikkel gekregen waarmee hij het gras tussen de sinaasappelbomen moest maaien. Er stonden lange rijen sinaasappelbomen en honderden jongens en meisjes maaiden gras en legden het op een hoop. Als het droog was, werd het verbrand.

Een paar dagen na hun aankomst, kwamen twee artsen naar de Esbec 43 om alle kinderen te onderzoeken en vooral om ze te testen op tuberculose. Ze vormden een rij in de eetzaal, gingen een voor een naar een van de dokters voor een prikje tussen de pols en hun elleboog.

'Als over een paar dagen het plekje waar je bent geprikt, begint op te zwellen, moet je meteen de leraren waarschuwen', herhaalden ze telkens.

De reis had voor iedereen een enorme overgang betekend en sommigen waren er nog steeds niet van bekomen. Ze hadden nachtmerries over boten die zonken in de zee of over haaien die op het dek sprongen en hen aanvielen. De meesten misten hun moeders en huilden 's nachts zonder zich daarvoor te schamen. Solomon kon het bloed dat Habtamu had opgehoest maar niet vergeten en vroeg zich de hele tijd af welke vissen hem zouden hebben opgegeten. Ook herinnerde hij zich de laatste glimlach van Aster op het open veld van Jan Meda toen hij al in de bus was geduwd, de liedjes die Maskarem voor hem had gezongen, de laatste woorden van zijn vader voor hij naar het leger in Somalië vertrok, de blik van zijn moeder voor zij stierf en de tatoeage op haar voorhoofd. Maar het was geen heimwee dat hij voelde, het was een veel sterker gevoel. Hij wilde zo veel mogelijk leren op dat vreemde, verre eiland. Hij wilde een goede leerling zijn, zoals zijn ouders hadden gewenst. Het stuk sandelhout rook nog steeds en als hij een eucalyptusblad van de tak dubbelvouwde, snoof hij de intense geur ervan op. Soms ging hij op zijn bed zitten, sloot zijn ogen en dacht terug aan zijn wereld met de heuvels van Entoto, alsof hij de sporen van het sandelhout volgde.

Bij Werret was er meteen een bobbel op zijn arm gekomen. Hij was met tuberculose besmet. Hij moest medicijnen nemen en mocht niet op het land werken, net als veel andere kinderen die ziek en zwak waren.

'Hier zullen jullie genezen. Maak je geen zorgen', zeiden de artsen als ze langskwamen. 'Het klimaat is goed en we hebben geneeskrachtig bronwater.'

In de slaapzalen hingen luidsprekers en om zes uur 's ochtends werden ze met muziek gewekt. Om kwart voor tien 's avonds werd omgeroepen dat het licht over een kwartier uit zou gaan.

'Vooruit, ik doe het licht uit', zei de jongen die verantwoordelijk was voor hun zaal.

Maanden gingen voorbij en ze wenden aan de routine van hun nieuwe leventje. 's Ochtends, na het klinken van een Ethiopische melodie, trad een groepje kinderen aan terwijl een andere groep op het land ging werken. Na het eten werden de rollen omgedraaid. Degenen die hadden gewerkt, kregen 's middags les. De lokalen waren altijd open voor de kinderen die wilden studeren, schrijven of lezen.

'Tadele Alamnu, Solomon Teferra en Bisrat Meskel, kom jullie brief ophalen in de centrale hal voor de eetkamer. Ik herhaal: Tadele Alamnu, Solomon Teferra en Bisrat Meskel ...'

Het deuntje van de luidsprekers maakte iedereen alert. De kans dat er zulk goed nieuws werd omgeroepen was altijd aanwezig. Solomon legde het boek dat hij aan het lezen was opzij en rende naar beneden om de brief van Aster te halen. Het was heel spannend een brief met een Ethiopische postzegel te ontvangen, te ruiken aan de envelop, op zoek naar sporen van een bekende geur. Aster vertelde hem over haar leven in Addis Abeba. Ze was verhuisd naar Shiro Meda, naar het huis van kennissen. Het was niet verstandig om alleen in de heuvels van Entoto te wonen. Hij schreef onmiddellijk terug, op dezelfde dag dat hij haar brieven kreeg, hoewel hij wist dat het lang zou duren voor hij weer antwoord kreeg. Alle peso's die hij maandelijks kreeg, gingen op aan postzegels.

Solomon woonde al bijna twee jaar op Isla de la Juventud toen Siyoum en een stel vrienden die altijd lol aan het trappen waren, hem op een keer overhaalden zijn boeken opzij te leggen en mee te gaan naar de bioscoop.

'Kom, Solomon. Hou op met dat geblok, straks komt er nog rook uit je oren!' zei Siyoum.

Er waren nog een keer zo'n duizend Ethiopische kinderen van alle leeftijden gearriveerd en het was een enorme drukte. Ze namen een guagua van de Esbec 43 naar het centrum van Nueva Gerona en de muziek schalde uit de boxen. De Esbec had twee kleine busjes die altijd voor de ingang stonden geparkeerd. Soms reden die in het weekend naar het strand of naar Nueva Gerona en brachten de kinderen daar de middag door.

'Waar gaan we heen?'

'Naar de Caribe bioscoop.'

Solomon durfde het niet tegen de anderen te zeggen, maar hij had nog nooit van die bioscoop gehoord. Hij zou voor het eerst naar de film gaan. In Addis Abeba werd er afkeurend gesproken over de bioscoop. Zijn vader zei altijd dat de bioscoop voor rijke stinkerds was of voor mensen die van het rechte pad waren afgedwaald. De film had een vreemde titel: *The 36th Chamber of Shaolin.* Ze hadden hem gezegd dat het een kungfufilm was, maar dat zei hem niets. Toen de lichten doofden en de eerste beelden op het witte doek verschenen, kon Solomon zijn ogen niet geloven. Hij liet zich onmiddellijk meeslepen door het verhaal van San Te, een Chinese student wiens familie door de Mantsjoes was vermoord en die bij monniken in een Shaolintempel gaat wonen. Daar krijgt hij les in de kunst van de kungfu aan de hand van vijfendertig kamers ... Solomon had het gevoel alsof hij de klappen en de schoppen moest ontwijken van de hoofdrolspelers, alsof ze hem pijn wilden doen. Hij zat geen moment stil op zijn stoel.

'Zit stil, Solomon! Het is maar een film!' zei Siyoum zachtjes en hij lachte.

'Hoe kunnen ze nu Spaans praten als het Chinezen zijn?'

'Mond dicht!' riep een ander.

Toen hij de zaal uitliep, zag hij de beelden en alle grepen van de oosterse vechtsport nog zo helder voor zich dat hij niet kon geloven dat het niet allemaal echt was gebeurd. Die indruk bleef lang hangen en het kostte hem moeite zich te concentreren in de klas en niet te denken aan kungfugrepen. Ook al wilde hij het niet, hij moest de hele tijd denken aan de lotgevallen van San Te en de testen waaraan de monniken van de Shaolintempel hem onderwierpen.

Het leven op de Esbec was zwaar. Er werd veel van de kinderen geëist in de klas én op het land. Ze moesten ook zelf voor hun kleren zorgen, het in de waszak stoppen, die naar de wasserij brengen, de was ophangen, afhalen en opvouwen ... De zestien-, zeventien- en achttienjarigen misbruikten de jongere kinderen en dreigden hun een pak rammel te geven als ze hun kleren niet wasten en ze mooi droog en opgevouwen terugbrachten. Onder de oudsten werden bendes gevormd en werd er veel gevochten. Roken was verboden, maar de oudsten lapten dat verbod aan hun laars. En soms, als wraak, verklikten de kleintjes hen. Solomon hoorde niet bij de oudsten en niet bij de jongsten. Hij zat er tussenin waardoor hij zich redelijk aan de aandacht wist te onttrekken. Op Isla de la Juventud waren verschillende Esbecs met leerlingen uit verschillende landen. Uit Angola, Namibië, Mozambique, Nicaragua ... De school met de Mozambikanen was het dichtstbij, op minder dan vijf kilometer loopafstand. Solomon hield van wandelen en hardlopen en ging er regelmatig heen, tegen het vallen van de avond, wanneer het was toegestaan. Soms alleen, soms met een groep. Er waren altijd kinderen die van de ene naar de andere Esbec liepen. Wanneer het al donker was, zag je langs de kant van de weg de schaduwen van paartjes, arm in arm. Ethiopische stelletjes, ontluikende adolescente liefdes tussen de Caribische sinaasappel- en grapefruitbomen.

'Als jullie de middelbare school hebben afgerond, gaan jullie studeren in Havana', zei op een dag de directeur van de Esbec 43. 'Voorlopig duurt dat nog zo'n vier jaar, maar het is goed als jullie daar al over nadenken.'

'Ik heb helemaal geen zin om weer naar een andere plek te gaan', fluisterde Solomon tegen de jongen die naast hem zat.

'Zodra het zover is,' ging de directeur verder, 'zal ik jullie een lijst geven van de studierichtingen die jullie kunnen kiezen. Jullie moeten er drie opgeven, in volgorde van voorkeur. Degenen met de beste cijfers en dus de meeste punten krijgen de eerste keuze.'

De leraar Amhaars die op de Afrika-Cuba altijd met een boek op het dek te vinden was geweest, zei keer op keer tegen Solomon dat hij met de cijfers die hij haalde, het beroep kon kiezen dat hij wilde. Diezelfde meester maakte hem wegwijs in de schoolbibliotheek en adviseerde hem het eerste boek dat hij in het Spaans las.

'Alsjeblieft, dit zul je mooi vinden', zei hij op een dag onverwachts en hij duwde hem een boek met een dikke kaft in zijn handen.

'Als ik het in het Spaans kon lezen, zul jij dat helemaal kunnen! Je weet al véél meer dan ik.'

'*Schateiland* van Robert Louis Stevenson. Bedankt. Mooie titel.'

Solomon bracht uren door met lezen, gezeten op de grond, leunend tegen de stam van een sinaasappelboom. Vanaf het eerste hoofdstuk werd hij gegrepen door de avonturen van Jim Hawkins die op zoek was naar de schat van de kaart van kapitein Flint op een eiland dat sprekend leek op het eiland waar hij op woonde. Dagenlang keek hij reikhalzend uit naar het moment dat hij vrij had om zich over te geven aan het lezen. De hoofdpersoon van het boek was een adolescente wees die zich had ingescheept naar de Antillen, net als hij. *Schateiland* veranderde veel dingen voor Solomon, vooral zijn relatie met de zee. Zodra hij de kans kreeg, glipte hij weg naar de zee om naar de horizon te turen en fantaseerde hij dat hij het silhouet van De Hispaniola zag, de driemaster waarmee Jim Hawkins naar het eiland voer. De Hispaniola, met zijn zeilen en ongemakken, was niet de Afrika-Cuba, maar Solomon identificeerde zich volledig met het verhaal.

Architectuur. Dat was zijn eerste studiekeuze en dat was ook de opleiding die hij in Havana ging volgen. In de loop der jaren had hij schriften vol getekend met huizen die hij in Nueva Gerona of andere dorpen op Isla de la Juventud had gezien, of die hij zich herinnerde uit Ethiopië, of die hij zelf bedacht. Toen het moment was gekomen dat hij moest beslissen wat hij wilde worden, was het besluit snel genomen: architect. Havana was een stad die bruiste van het leven, maar hij hield zich afzijdig van alles wat niet met zijn studie te maken had. Hij bleef de gereserveerde jongen van altijd. De studenten woonden op de campus. Een kleine stad in een stad. In het studentenhuis deelde hij een kamer met drie andere jongens: Siyoum, nog een Ethiopiër die Girma heette en António, een Angolees. Ze studeerden allemaal iets anders. Ze kregen zestig peso's en acht pakjes sigaretten per maand en konden televisiekijken in een gemeenschappelijke zaal.

'Wil je meer geld verdienen?' vroeg Girma.

Solomon lag op zijn buik een boek te lezen. Hij keek op van zijn pagina en keek zijn kamergenoot lachend aan.

'Waar gaat het over? Natuurlijk wil iedereen wat meer geld verdienen, maar het hangt er wel vanaf hoe.'

'Hé, jongens. Onze architect toont belangstelling! Dat wordt feest!'

Girma ging naast Solomon op zijn bed zitten en stak een sigaret op, hoewel roken verboden was op de kamers.

'Ik zal het uitleggen. Zo makkelijk en leuk heb je nog nooit je geld verdiend', zei hij na theatraal de rook te hebben uitgeblazen. 'Het blijkt dat veel Cubanen dollars ontvangen uit Miami. Dat is natuurlijk illegaal geld. Hun familie stuurt geld, gevouwen tussen brieven of pakketjes. Maar de Cubanen kunnen dat geld niet uitgeven of wisselen, want dat is verboden. Alleen buitenlanders kunnen met dollars betalen in de *duty free shops* van Havana ...'

Solomon sloot zijn boek en ging rechtop zitten met zijn rug tegen de muur.

'Als wij bijvoorbeeld de duty free shop op La Giraldilla of de Siemens Club binnengaan en spijkerbroeken, een radio of Amerikaanse T-shirts of overhemden met van die glimmende letters voorop met dollars kopen, dan zal niemand daar iets van zeggen, omdat wij Ethiopiërs zijn ... Valt het kwartje?'

'Min of meer, ga verder, misschien dat ik dan de lol van je handeltje inzie ...'

'Nou,' zei António, 'volgens mij kun je het met hem wel op je buik schrijven.'

'Laat me uitpraten. Luister, Solomon: een Cubaan geeft ons tweehonderd dollar om spijkerbroeken, T-shirts en elektronische apparaten in een duty free shop te kopen. Voor elke dollar die we uitgeven aan die aankopen, geeft hij ons een peso. Een tegen een. Wat vind je ervan? Makkelijk, toch? Daarna delen we met elkaar wat we hebben verdiend.'

'Heel makkelijk! Maar waarom heb je mij daarbij nodig?'

'De laatste tijd verdenkt de politie ons Ethiopiërs ervan *jinetes* te zijn. Zo noemen ze de jongens die dat soort zaken doen. Ze wachten ons op bij de ingang van de zaak ... We moeten het team uitbreiden, we hebben meer bondgenoten bij de winkelbediendes nodig, dat iemand in de gaten houdt dat de *fiana* niet komt ...'

'De fiana?'

'De smeris! Je moet meer de straat op. Je weet niet eens hoe de Cubanen op straat praten.'

'En wat gebeurt er als de politie ons aanhoudt?

'Dat hangt ervan af. Laatst kwam er eentje op me af, en nadat ik mijn aankopen had afgegeven, vroeg hij me: "Waar heb jij twintig broeken van het merk Magnum voor nodig?" En ik antwoordde dat ik op de campus belast was met het aanschaffen van kleding voor alle studenten. Toen gaf hij me er drie terug en liet me gaan! Het is zo grappig om te doen. Net alsof je aan het toneelspelen bent.'

Zich bezighouden met de zwarte markt van Havana trok Solomon niet, maar hij begon wel te denken aan terugkeren naar Addis Abeba en aan de weinige peso's die hij te besteden had. Zijn kamergenoten spraken over hun operaties alsof ze de hoofdrolspelers waren in zo'n Amerikaanse actiefilm die zaterdags op televisie werd uitgezonden. Vanuit een telefooncel belden ze hun bondgenoten op om te vragen hoe de situatie op straat was, ze verdeelden de aankopen over verschillende tassen en gingen daarna ieder een eigen kant op.

'Als je me een keer nodig hebt, kun je op me rekenen', zei Solomon op een ochtend en hij liet zijn vrienden met open mond staan.

Voor de volgende operatie moest voor honderdvijftig dollar aan meisjeskleding worden gekocht. Ze besloten Solomon het alleen te laten doen. Hij was heel onopvallend gekleed in de kleren die de Esbec hem gaf. Eenvoudige Cubaanse kleding, geen merkspijkerbroek met een felgekleurd T-shirt met Engelse opdruk zoals Girma, Siyoum en António droegen.

'Je moet zeggen dat je teruggaat naar Ethiopië en dat je een mooi cadeau voor je zusjes en nichtjes wilt meenemen', legde Siyoum lachend uit.

Solomon ging alleen de duty free shop in het oude gedeelte van Havana binnen. Zenuwachtig. Hij liep meteen naar de afdeling met dameskleding, maar wist niet waar hij moest beginnen.

'Kan ik je helpen?' vroeg een verkoopster lachend.

'Ik denk het wel.'

Hij slaagde erin de winkel te verlaten met een T-shirt met zilveren opdruk, jurken met opvallende prints en moderne zonnebrillen. Zijn vrienden wachtten hem op in een ijswinkel wat verderop. Door de nauwe straten van het oude Havana reden geen auto's, alleen karren en fietsen konden er rijden.

'Goed gedaan! De architect heeft het 'm gelapt.'

Solomon inde de peso's die hij had verdiend, veel meer dan hij in een aantal maanden kon sparen.

'Volgens mij spelen die verkoopsters meer onder een hoedje met de politie dan met ons, Girma', zei Solomon op een keer 's avonds nadat ze al hun aankopen hadden moeten afstaan aan een stel mannen in boerenkleding die hen opwachtten bij de ingang van de winkel.

'Hoe bedoel je dat ze samenwerken met de fiana's? Heb je niet gezien hoe Graciela met me danst? We hebben gewoon pech gehad en daarmee uit!'

Maar vanaf toen werden ze elke keer bij de deur aangehouden en moesten ze hun koopwaar afstaan. Solomon vond het een beetje duister en besloot niet meer mee te doen. Uiteindelijk werden Girma, Siyoum en António gearresteerd. Later werden ze Cuba uitgezet. Girma en Siyoum keerden terug naar Addis Abeba met een gewone vlucht op kosten van de Ethiopische regering.

Studeren en alle faciliteiten zo veel mogelijk benutten. Dat was het enige wat Solomon deed. De beste eindejaarsstudenten, met name de wetenschappers onder hen, kregen werk, een vervolgstudie of een onderzoek op Cuba aangeboden. Enkelen accepteerden het aanbod. Terugkeren naar Ethiopië was voor hen niet interessant, omdat niemand hen daar meer opwachtte. Sommige meisjes waren verliefd geworden op Cubaanse jongens en besloten ook te blijven. Voor Solomon was het duidelijk dat hij terug naar huis wilde. Het was bijna tien jaar geleden dat hij zich had ingescheept in de haven van Assab en als hij te lang wachtte met terugkeren, had hij langer op het Caribische eiland geleefd dan in zijn eigen land. Hij miste het aroma van brandende koffiebonen, de geur van omgekapte eucalyptusbomen en verbrand sandelhout.

De chartervluchten van Ethiopian Airlines vulden zich met de afgestudeerden van de verschillende studies. In alle koffers zat een lijst met een diploma. Zo ook in die van Solomon en Werret. Van Havana naar Berlijn, van Berlijn naar Khartoum, waar ze bijna een hele dag moesten wachten vanwege een zandstorm. Toen het opklaarde, zagen ze de majestueuze Nijl, stromend door de Soedanese hoofdstad, met al zijn bruggen. Bij aankomst in Addis Abeba, regende het.

TWEEDE DEEL

Los Angeles 2004

In hotel Bel Air heerste stilte. Het leek of er niemand was, maar er was juist heel veel activiteit. Efficiënte, geruisloze activiteit. Veel Hollywoodacteurs en -actrices die geen huis in de buurt hadden, verbleven hier tijdens filmopnames, promotieactiviteiten voor een film waaraan ze hadden meegewerkt of voor speciale castings. Of ze vergaderden er met producenten of regisseurs over nieuwe projecten. Hun persoonlijke secretaresses logeerden hier ook. Je zag ze heen en weer lopen door de labyrintische tuinen met in de ene hand een mobiele telefoon en in de andere documenten. Het hotel was een complex van diverse gebouwen van een of twee verdiepingen, omgeven door groenvoorzieningen met veel bloemen, ronde perken met fonteinen in het midden, bankjes, sproeiers in de hoeken ... Een van de gebouwen, een klein huis, was speciaal ingericht voor de ontvangst. De haard brandde er altijd, of het nu koud of warm was. Het restaurant was in een ander gebouw, ook hier brandde de haard altijd. De sportzaal, de vergaderruimtes ... Het was als een traditioneel hotel, ingericht in oud-koloniale Engelse stijl, alleen bestond het niet uit een maar uit verschillende kleinere gebouwen, en het lag verborgen voor de hele wereld. De ingang, onder aan een rustige straat in de luxewijk Bel Air, was onopvallend en alleen de portiers die daar in hun donkere en elegante uniform wachtten, trokken de aandacht. Van buitenaf leek het of de blauwe taxi's die in Bel Air reden, de luxeauto's met chauffeur, of de limousines, stopten bij de ingang van een bos. De gasten staken een overdekte brug over een riviertje over met eenden en witte zwanen, zonder dat iemand kon zien waar ze heen gingen. Het was een van de plekjes met de meeste privacy in Los Angeles.

Muna was alleen in het zwembad. Een ober had een glas vers mangosap voor haar op een tafeltje naast haar ligstoel gezet, zoals zij hem zo-even had gevraagd. Alles was perfect. Het blauw van de hemel, de watertemperatuur, de gemaaide gazons met verzorgde bloemen in allerlei kleuren, de stilte … Vanuit het zwembad keek Muna naar de Californische palmbomen die leken op die in India, maar tegelijkertijd zo anders waren. Ze was nu al tien dagen in het Bel Air vanwege de promotie van haar laatste film, waarin ze een kleine rol had. Ze was al te oud om een hoofdrol te krijgen in een Bollywoodproductie en om het ritme van de veeleisende choreografen nog te kunnen volgen. Haar lichaam was niet meer zo energiek en lenig als dat van een twintigjarige, noch van een dertigjarige. En zonder dans was er geen film. Drieënveertig jaar was oud in de ogen van filmproducenten, of het nu Amerikanen of Indiërs waren. Maar voor haar zelf wogen ze ook zwaar, ze voelde de last van een intens geleefd leven.

Voor Hollywood was het te laat. Het was nu het moment van Aishwarya Rai, Vimana Kadamba, Khushboo en Anita Madurai en zij steunde hen. Muna had negendertig films opgenomen. Dat waren er veel, misschien wel te veel. Hoezeer ze ook op elkaar leken, negenendertig films betekenden heel veel choreografieën, vele uren repeteren en trainen om goed te kunnen dansen en alle bewegingen, die soms veel weg hadden van acrobatische toeren, soepel te kunnen maken. Bevallig dansen en ondertussen glimlachen en doen alsof je zingt, was niet makkelijk. Geloofwaardig playbacken vereiste vele uren oefenen.

Ze was een van de eerste Indiase filmsterren die de sprong naar Amerika had gemaakt en hoewel ze te oud was, was ze dolblij dat ze dit mocht meemaken. In India was ze de beroemdste actrice van Bollywood en Bollywood was in.

Nooit had ze kunnen denken dat haar films overal ter wereld gezien konden worden. Haar fans stonden elke dag voor haar huis in Juhu, een van de luxebuitenwijken van Mumbai, vlak bij het strand, om een glimp van haar op te kunnen vangen. Gelukkig had ze in haar huis mensen werken die veel om haar gaven en die meer waren dan alleen bewakers, tuinmannen of kokkinnen, ze waren als familie voor haar. En allemaal waakten ze over haar privacy. Sommige mensen zeiden dat Muna Kulkarni veel meer fans had dan Amitabh Bachchan, de beroemdste acteur van het land die, hoewel hij ruim zestig was, nog steeds veel harten op hol wist te brengen. Veel mensen vereerden hem als een goeroe en wel zozeer dat Bachchan een keer per maand zijn huis openstelde, zodat iedereen die dat wilde, jong en oud, rijk en arm, blinden en kreupelen, hem kon opzoeken. Ze klampten hem aan in afwachting van zijn zegening. Ze raakten zijn voeten aan als gebaar van verering. In alle grote steden in India hingen posters van Muna en Amitabh Bachchan. Hun gezichten glimlachten de mensen toe vanaf de billboards in de straat, in reclames voor auto's of verzekeringen ... Muna trad steeds minder op in allerlei televisieprogramma's en liet zich minder vaak interviewen door tijdschriften, maar jarenlang had ze haar medewerking aan alles verleend. En daarom kende de hele wereld haar, waar ze ook was. Op internet waren er meer dan vijftienduizend websites aan haar en haar films gewijd. Allemaal gemaakt door haar fans, behalve een, haar officiële website, die gemaakt was door Charlie, haar Amerikaanse agent. Muna Kulkarni was meer dan een grote filmster. Ze was een mythe, ze was het grote voorbeeld van de succesvolle vrouw die met niets begonnen was en nu alles had wat haar hartje begeerde. Van iemand die niet was vergeten waar ze vandaan kwam, ook al stond ze boven aan de top.

'Er is een dringende fax voor u binnengekomen, mevrouw Kulkarni', hoorde ze iemand zeggen.

'Bedankt. Leg hem maar op het tafeltje. Ik kom uit het water.'

Ze kwam rustig uit het water en keek vanuit haar ooghoek naar de afzender. Ze glimlachte. Ze droogde zich met de witte handdoek af en ging onder de parasol op de ligstoel zitten. Ze dronk in een keer de helft van haar glas leeg en begon het bericht te lezen.

Hallo mama,

Hoe gaat het met je? Ik heb je geen e-mail gestuurd, omdat je die toch niet leest. Je snapt niets van computers. Maar deze fax zal je in no time bereiken. Ik ben voor al mijn examens geslaagd! Ik dacht dat je dat wel graag zou willen weten. Nu hebben we twee weken vakantie waarin ik alleen maar hoef te tennissen en meedoe aan het cricketkampioenschap van school. Tijdens de feestdagen ben ik thuis. Ik heb zin om op mijn kamer te zitten. Dan heeft Aditi ook nog iets te doen. Ze klaagt dat ze zich verveelt als ik er niet ben en er niemand is om voor te koken. Papa is zoals altijd druk bezig, maar heeft nog wel tijd om te golven met Paul en Rajvinder en de rest van de groep. Ik geloof niet dat hij je erg mist. Ik hoop dat alles goed gaat in Los Angeles en dat de film veel succes heeft. De volgende keer ga ik met je mee. Goed? Bel me als je tijd hebt. Ik vergis me altijd als ik het tijdsverschil probeer uit te rekenen en ik wil je niet midden in de nacht wakker bellen. Ik hou veel van je en kom snel terug!

ARUN

Met de fax in haar hand keek ze naar de hibiscusstruiken met hun rode, uitgekomen bloemen aan de rand van het zwembad. Ze wist dat het moment was aangebroken dat ze in het reine moest komen met haar verleden. Ze kon het niet langer uitstellen, en dat moest ze ook niet doen. De gelegenheid waar ze altijd op had gewacht was gekomen, het geschikte ogenblik.

Kevin wachtte haar buiten op bij de zwarte auto, de Lincoln Town, die haar van de ene plek naar de andere in Los Angeles bracht. Altijd schoon en blinkend, alsof ze er elke dag voor het eerst in reed, de leren bekleding zwart en glanzend. Sinds haar eerste reis naar Los Angeles was Kevin haar vaste chauffeur geweest. Hij was in uniform, met een keurig wit overhemd, en een stropdas met dunne streepjes.

'Waar gaan we heen, mevrouw Kulkarni?'

'Naar William Morris', antwoordde Muna terwijl ze achterin instapte en het portier beslist achter zich sloot.

'Wilt u muziek horen?'

'Ja, zet de cd van Jagjit Singh maar op, alsjeblieft.'

'Doe ik, mevrouw.'

Kevin reed door Bel Air over de wegen met flauwe bochten die leidden langs spectaculaire villa's en tuinen van wereldberoemde zangers, acteurs, actrices en producenten tot ze in Beverly Hills kwamen onder begeleiding van de stem van Jagjit Singh en het zachte ritme van de Indiase percussie, het onbeschrijflijke geluid van de *tabla**. Muna was altijd onder de indruk geweest van het feit dat er een straat naar haar agentschap was vernoemd. Charlie Shawn was al jaren haar agent, al ruim voor ze haar eerste film buiten India draaide. Charlie was nog geen veertig maar werkte al bijna twintig jaar bij het William Morris Agency. Hij was bij het agentschap begonnen als stagiair, in het kantoor van een van de belangrijkste agenten. Hij was gewend om te gaan met de meest gevraagde acteurs en actrices en namen als Catherine Zeta-Jones of Russell Crowe maakten op hem geen indruk, omdat hij ze stapje voor stapje had zien opklimmen uit de anonimiteit tot wereldberoemde filmsterren. Toen hij werd benoemd tot agent en hij carte blanche kreeg om zijn eigen portefeuille met cliënten samen te stellen, wist hij dat de toekomst buiten de Verenigde Staten lag en dat hij talenten uit andere werelddelen en culturen moest gaan vertegenwoordigen. Hij was de meest excentrieke agent van het bureau, maar hij boekte enorme commerciële successen en ze lieten hem zelf bepalen wiens belangen hij wilde behartigen. Hij volgde de ontwikkelingen van de Bollywoodcinema op de voet en op een dag kwam hij naar Mumbai, vastbesloten Muna Kulkarni en nog een paar andere acteurs en actrices die in de mode waren, te overtuigen dat ze zich het best door hem kon laten vertegenwoordigen vanuit Los Angeles.

Ze reden langs het hotel waar *Pretty Woman* zou zijn opgenomen en onmiddellijk daarna sloeg Kevin rechtsaf, de William Morris Road in. Muna moest zich melden bij de receptioniste bij de ingang. Ze wist nooit zeker of ze haar niet herkenden of dat de afstandelijke houding van die jongens en meisjes met hun minuscule oortjes en microfoontjes die de bezoekers te woord stonden en de telefooncentrale beheerden zoals in een sciencefictionfilm, contractueel was vastgelegd. Op dat bureau werkten meer dan vijfhonderd agenten die voor allerlei soorten artiesten werkten. Binnen een paar minuten kwam Charlie gehaast uit een van de liften naar haar, in het midden van de hal.

'Muna, wat een verrassing! Maar wat zie je er weer prachtig uit! Zoals altijd elegant. Je ziet er goddelijk uit in die salwar kameez, darling. En je komt ook altijd zonder te waarschuwen ...'

'Je weet al dat ik het moeilijk vind een afspraak te maken als ik zo dichtbij ben, Charlie. Heb je even tijd voor me en gaan we naar je kantoor, of zal ik je ontvoeren en gaan we hier weg? Ik kan niet wachten tot je tijd hebt om naar het hotel te komen. Ik blijf nog maar een paar dagen in Los Angeles.'

'Ik was bijna klaar met een bespreking met iemand aan wie ik je graag wil voorstellen. Ik snap eigenlijk niet dat jullie elkaar nog niet kennen! Zullen we naar boven gaan? Dan gaan we daarna iets met zijn drieën drinken. Vind je dat een goed idee?'

Charlie praatte altijd zo snel en nam in een paar seconden een besluit. Het was bijna onmogelijk om hem dan nog op andere ideeën te brengen.

'Ik loop over van het werk, Muna. Je kunt je niet voorstellen hoe druk ik het heb, maar het maakt niet uit. Volgende week heb ik vakantie en dan zijn alle problemen en dringende zaken opgelost.'

Het kantoor van Charlie, vlak tegenover de lift, op de tweede verdieping, was klein. Zoals alle kantoren in het gebouw, hoewel de mensen die er werkten enorme verantwoordelijkheden hadden en veel geld binnenbrachten. Op een donkergroene bank zat een vrouw, jonger dan zij, in een opvallende, kapotte spijkerbroek en een klassieke, witte bloes waarvan de mouwen tot haar ellebogen waren opgerold.

'Dit is Nighat Nawaz.'

Nighat was opgestaan toen zij het kantoortje binnenliepen en stak haar hand uit.

'Het is een eer u te leren kennen, mevrouw Kulkarni.'

'Muna, zeg maar Muna. Kom je uit India?'

'Ja, uit New Delhi, maar ik woon in Mumbai.'

'Ze is een van de beste, vrouwelijke *directors of photography* die er is. Toen ze me waarschuwden dat je in de stad was en Nighat me vertelde dat jullie elkaar niet kenden, dacht ik meteen dat dat echt niet kon.'

Met zijn drieën wandelden ze over Rodeo Drive, af en toe stilstaand voor een etalage van een beroemd kledingmerk, afgevend op de modellen, maar vooral op de prijzen. Muna was trouw gebleven aan de Indiase kledingstijl en aan modeontwerpers van haar land die exclusief kleding voor haar ontwierpen die trendsettend was. Ze kwamen bij Charlies meest favoriete cafetaria in Beverly Hills in een wijk die meer het decor van een reclame leek dan een plek om te leven of te werken. Niets was of leek echt. Ze vonden een rustig plekje en meteen kwam iemand vragen of ze iets wilden bestellen.

'Ben je met een bijzondere reden naar me toe gekomen, Muna?'

'Eerlijk gezegd wel, maar die heeft niets te maken met werk of met de film. Het heeft met mijn verleden te maken. Ik dacht dat je me kon helpen. Ik ken niemand die zo efficiënt en vasthoudend is als jij. Zelfs mijn man niet, en dat wil heel wat zeggen.'

'Als jullie privékwesties hebben te bespreken, ga ik wel weg, hoor', zei Nighat Nawaz.

'Nee, alsjeblieft, blijf zitten. Charlie kent me al jaren en weet veel over me, maar één ding weet hij niet en ik vind het niet erg om dat ook aan jou te vertellen. Ik geloof dat je ik je nog nooit over mijn zusje Sita heb verteld ...'

'Ik wist niet dat je een zusje had.'

'Nou, ik heb er dus een, tenminste als ze nog leeft ... Ik was vijf jaar toen ze werd geboren en acht toen een stel nonnen haar meenam over een stoffige weg uit mijn dorp. Sinds die dag ben ik haar nooit vergeten. En nu wil ik weten wat er met haar is gebeurd. Of ze nog leeft of dood is ... En als ze nog leeft, wil ik weten hoe het haar is vergaan ... Als ze het slecht heeft, wil ik haar helpen. Ik heb voor haar gezorgd vanaf de dag dat ze werd geboren en als ze haar niet hadden meegenomen, was ik daar gewoon mee verdergegaan ...'

‘Bedoel je dat je een zus wilt zoeken die je meer dan dertig jaar niet hebt gezien en van wie je niet weet waar ze is terechtgekomen toen ze haar meenamen? En als ze nu haar naam hebben veranderd? En stel dat ze net als duizenden andere Indiërs niet is geregistreerd?’

‘Ik moet uitzoeken wat er met haar is gebeurd.’

De serveerster kwam met drie ijscoupes met vanille-ijs en drie koffie. Aan haar gezicht was te zien dat ze Muna herkende (en Charlie ook omdat hij een vaste klant was), maar ze liet dat niet blijken door een gebaar of een opmerking, net zomin als de receptionisten bij William Morris.

‘Maar Muna dat is heel moeilijk! India telt meer dan een miljard inwoners! En waarom wil je juist nu naar haar op zoek gaan?’

‘Omdat ik het me nu kan veroorloven. Het moment om het te doen is gekomen. Ik heb alles wat mijn hartje begeert. Irshad en jij hebben ervoor gezorgd dat ik de top van mijn carrière heb bereikt, ik heb meer geld dan ik nodig heb en als ik doorga met werken is dat alleen omdat ik het leuk vind; ik heb een fantastisch gezin, een zoon die al volwassen is en die gelukkig en voor zichzelf verantwoordelijk is ... En ik wil niet langer wachten.’

‘Waarom heb je het niet eerder gedaan? Waarom heb je zo lang gewacht?’

‘Ik weet het niet, Charlie. Elke keer als ik het wilde uitzoeken, gebeurde er iets. Of er waren opnames of ik was bang dat ik niet kon verwerken wat Sita misschien was overkomen ... Het is een lang verhaal.’

‘En wat zegt Irshad ervan? Je man heeft veel contacten in India en kan je makkelijk helpen.’

‘Irshad denkt dat je het verleden met rust moet laten, en dat je alleen op die manier als mens kunt verder komen. We hebben er uitvoerig over gesproken en hij denkt dat het niet goed is om oude wonden te openen. Irshad helpt me om in mezelf te geloven, om voorgoed mijn leven te veranderen en leert me om vrij te zijn ... Dat was niet makkelijk. Jarenlang heb ik naar hem geluisterd. Zo vaak heeft hij naar mijn herinneringen geluisterd en me getroost, en telkens benadrukte hij dat ik vooruit moest kijken. En ik weet dat hij me niet zal helpen bij de zoektocht naar mijn zus.'

'Ik wil je graag helpen,' zei Nighat plotseling.

'Meen je dat?'

'Ja. Ik keer een paar dagen na jou terug naar Mumbai. Ik heb nog tijd. De datum voor de opnames voor de nieuwe film waaraan ik meewerk, is nog niet bekend. Bovendien wordt het toch weer uitgesteld. Zo gaat dat altijd. Ik heb geen vriend of kinderen. In Mumbai heb ik praktisch geen familie, die wonen allemaal tussen New Delhi en Lahore.'

'Zie je nou! Een moderne Indiase: single op haar achtendertigste, ze doet waar ze zin in heeft, reist van de ene plek naar de andere, heeft zo veel minnaars als ze wil ...'

'Charlie!'

'Sorry, sorry', zei Charlie met een charmant gebaar en hij strooide twee zakjes suiker leeg in zijn koffie.

Muna keek uit het raam. De straten van Beverly Hills waren verlaten, stil, schoon ... en plotseling zag ze de straten van Bombay voor zich, van haar oude Bombay, voor de stad werd omgedoopt tot Mumbai, straten vol geuren en kleuren, krioelend van de mensen, lawaaierig, vies, vol koeien, geiten, een voortdurende uitbarsting van leven ...

'Als Sita nog leeft, zou ze nu ongeveer jouw leeftijd hebben', zei Muna.

'Weet je waar je moet beginnen met zoeken?'

'Ik heb niet zo veel aanwijzingen, maar ik herinner me namen van dorpen en sommige namen van mensen. En natuurlijk betaal ik alle onkosten.'

‘Maak je daar maar geen zorgen over. Ik heb een fourwheeldrive en kan overal heen rijden.’

Muna pakte haar beide handen en hield ze met een brede glimlach vast.

‘Dank je wel, echt! Ik snap niet waarom ik zo lang heb gewacht ...’

‘Tot nu toe was het niet het juiste moment, toch? Dat heb je al gezegd ...’

Drie dagen na het gesprek met Nighat en Charlie in de cafetaria in Beverly Hills, ging Muna terug naar huis, naar de wijk Juhu. Irshad en Arun haalden haar zoals altijd af van het vliegveld. Sinds haar eerste reis had Irshad haar opgewacht in de aankomsthal, zonder een keer te missen. Voor de komende maanden stonden er geen reizen meer op het programma. Ze vond het fijn om terug te gaan naar huis, door de tuin te wandelen voor ze haar koffers uitpakte, zelfs nog voor ze zich zou opfrissen. De zeelucht die tot in haar huis doordrong, was nergens anders te ruiken. Irshad en Arun lachten onderweg in de Porsche. Alles stond klaar om met zijn drieën aan tafel te schuiven en tijdens het eten uitgebreid bij te praten. Ze wist dat haar man haar verbaasd observeerde. Soms leek het of ze elkaar weer voor het eerst zagen en dat was een fijn gevoel. Zonder zich om te kleden, rende ze de groene tuin met prachtig gekleurde bloemen in naar het huisje achterin om de familie Kiran te groeten en ze persoonlijk te vertellen dat ze thuis was.

‘Namasté, mevrouw Kulkarni!’ begroetten ze haar met hun handen tegen elkaar aan gedrukt op borsthoogte.

‘Namasté’, antwoordde zij met hetzelfde ceremoniële en tegelijk hartelijke gebaar.

Kiran was een van de eerste meisjes, nu alweer een aantal jaren geleden, dat ze uit een illegaal naaiatelier had gered. Ze was erin geslaagd het toen dertienjarige meisje uit dat onmenselijke hol te halen. Ze was verkracht, terwijl ze nog niet eens vrouw was, en haar gezichtsvermogen was verwoest omdat ze vijf jaar lang nauwelijks licht had gezien. Vijf jaar opgesloten, geknecht, dag in dag uit meer dan veertien uur achter elkaar bordurend, zonder buiten die donkere en naargeestige fabriekshal waarin ze onder onmenselijke omstandigheden werkte, te komen. Muna had haar herenigd met haar familie die in een klein dorp in Madhya Pradesh woonde. Haar ouders waren misleid met valse beloften over opleidingen die Kiran in de stad zou gaan volgen. Uiteindelijk had ze haar, haar oudere broer en Kirans ouders in dienst genomen voor de bewaking, de tuin, het koken, de huishouding ... Ze kregen allemaal een volwaardig salaris, waren verzekerd tegen medische kosten en van een huis in de tuin. Het gezin was gelukkig bij haar en betere werknemers kon ze zich niet wensen.

Muna was ook medeoprichter van de Stop Children's Slavery Foundation, de organisatie die haar beste vriendin had opgezet om kinderslavernij uit te bannen. Indira Raghavan was haar eerste vriendin en zou altijd haar beste vriendin blijven. Muna was trots op Indira, die eigenlijk ook een soort zusje van haar was. Ze was een van de moedigste advocaten in het land, ze kwam op voor de rechten van de vrouwen en de meest behoeftigen. Muna wist dat ze op haar kon rekenen als ze Sita niet kon vinden. Maar daar wilde ze haar niet mee lastigvallen. Het was niet zo belangrijk als de dingen waar Indira zich mee bezighield en wat zo veel voor zo veel miljoenen jongens en meisjes betekende.

Nighat en Muna hadden sinds hun ontmoeting in Los Angeles met elkaar afgesproken bij Muna in Juhu in haar huis dat modern en westers was ingericht, maar waarin traditionele

Indiase stijlelementen niet ontbraken. Onder het genot van een kopje thee spraken ze uitgebreid over Muna's herinneringen en andere zaken. Met een vinger reisden ze over de kaart van Maharashtra die lag uitgevouwen op tafel. Steevast namen ze afscheid met het gevoel dat ze veel te kort met elkaar hadden kunnen praten, dat er nog veel vragen onbeantwoord waren gebleven. Er waren nog steeds veel dingen van Muna die Nighat niet wist. Ze was een gesloten vrouw. Ze luisterde en observeerde liever, dan dat ze zelf het woord voerde. Ze was sterk, heel sterk, daarvan was Nighat overtuigd. Ze had veel bewondering en respect voor haar. Door haar werk was Nighat gewend met beroemde mensen om te gaan, met acteurs en actrices die in alle tijdschriften opdoken en op alle televisiezenders te zien waren. Met hen samenwerken was een ding, maar bij hen thuis films kijken of oude familiealbums doorbladeren, was heel iets anders. Muna Kulkarni leek totaal niet op andere Bollywoodsterren, die van de ene op de andere dag beroemd waren geworden en die in de duurste designoutfits op feestje verschenen met miniatuurhondjes als mascotte in hun tasjes. Muna had alles, ze was heel rijk, maar liep er niet mee te koop.

Nighat had eigenlijk al twee maanden geleden moeten beginnen aan de opnames van haar nieuwste film, maar telkens werd de datum om de een of andere reden opgeschoven. Het opnamerooster was klaar, ze zouden maandag beginnen. Maar die vervloekte maandag werd telkens een maandag van een week later. Dat was de filmwereld: wispelturig en onvoorspelbaar. In India waren praktisch geen vrouwelijke directors of photography, de meeste waren man. Maar dat gold niet alleen voor India. Nighat werd enthousiast bij het idee midden op een weg te staan die door de politie voor ander verkeer was afgezet, tussen enorme kranen met schijnwerpers, de regie voerend over het licht, instructies gevend aan een cameraman op een dolly en aan een andere met een *steadycam* en zijn twee assistenten. Te midden van al die hectiek, in haar werkkleding, een oude spijkerbroek met blauwe bloes, ondertussen de vierhonderd figuranten in de gaten houdend die opgemaakt en aangekleed wachtten op haar bevel om hun plaats in te nemen, was ze in haar element. Als ze snel moest denken, onder druk van de opnames en het tijdgebrek, legde ze een hand op haar middel en met haar andere hand streek ze haar haar naar achteren of ondersteunde ze haar hoofd, alsof het te zwaar was vanwege alle problemen die zich op het laatste moment voordeden en die ze moest oplossen. Ze overzag met één blik de hele set, alsof ze al aan het draaien waren. Ze filmde liever buiten dan op een filmset, maar in de wijk Andheri stonden een paar geweldige studio's en de uren die ze daar, opgesloten in een fantasiewereld, doorbracht, genoot ze ook volop. Ze keek naar de diverse monitors met de beelden van de verschillende camera's. Ze liet de scènes meerdere keren overdoen en filmde ze vanuit verschillende hoeken. De regisseurs zaten meestal voor de schermen, terwijl zij regieaanwijzingen gaf aan de cameramensen en de lichttechnici of de *make-up artist* vroeg een actrice nog een beetje bij te werken zodat alles was zoals het moest zijn. Ze zat geen moment stil. Ze besprak allerlei technische problemen. Iedereen waardeerde haar dan ook zeer en ze kreeg dezelfde verantwoordelijkheid als een regisseur.

Midden in de wijk Andheri, niet ver van de studio's waar ze werkte, lag het Saint Catherine's Home. Daar was ze heen gegaan om haar nicht Vandana op te zoeken met de lijst achternamen en dorpen in Maharashtra die Muna haar had gegeven. Vandana was vrijwilligster in dat opvangcentrum voor weeskinderen. Haar man verdiende genoeg geld en daarom had ze nooit hoeven te werken, maar sinds haar kinderen de deur uit waren en in de Verenigde Staten studeerden, ging ze elk uurtje dat ze kon naar dat weeshuis om een handje te helpen. Vandana was een van de vele vrouwen uit de hogere klasse die hun vrije tijd staken in hulp aan landgenoten die het minder goed getroffen hadden en in nood waren. Ze riepen stichtingen in het leven van waaruit educatieve projecten werden opgezet voor kinderen en volwassenen uit de alsmaar uitdijende sloppenwijken van Mumbai. Nighat was nooit eerder in een weeshuis geweest en deze eerste keer maakte enorme indruk op haar. Eigenlijk had ze nog nooit de dagelijkse werkelijkheid van zo veel eenzame en rondzwervende weeskinderen van dichtbij gezien. Ze was gewend aan de armoede op straat, die had altijd deel uitgemaakt van haar leefomgeving zonder dat ze daar last van had, maar nooit had ze die in haar eigen leven ervaren. Vandana had haar verteld dat er in India tientallen miljoenen kinderen waren die opgroeiden en onderwijs kregen op dat soort instellingen; dat waren degenen die nog geluk hadden. Ze deden hun uiterste best bemiddelde Indiase gezinnen te zoeken die misschien een kind wilden adopteren, vooral kinderen van boven de vijf, zes jaar. De situatie van de kinderen boven de zeven jaar die daar waren terechtgekomen omdat hun ouders waren overleden en er niemand anders in de familie was die voor hen kon zorgen, was het schrijnendst.

Vandana was drieënvijftig en haar man een paar jaar ouder. Dolgraag had ze nu hun kinderen hun studie aan het afronden waren een jongen of een meisje willen adopteren van wie het verleden onbekend was. Maar haar man stemde er niet mee in om daar op haar leeftijd nog aan te beginnen.

'Sita, zeg je? Maar Nighat, er waren zo veel Sita's in de weeshuizen! Herinnert ze zich een non in het wit? Het kan zijn dat katholieke nonnen het meisje hebben meegenomen, maar hoe komen we erachter waar ze haar mee naartoe hebben genomen en wie dat dan waren? Je praat over ruim dertig jaar geleden!'

'Kijk, ik heb alle dorpen aangekruist op deze kaart van Maharashtra', zei Nighat terwijl ze een kaart uitvouwde die ze in haar tas had. 'Kun jij me helpen uitzoeken welke katholieke kloosters en weeshuizen vlak bij die dorpen lagen? Je hebt daar vast een lijst van, toch?'

'Is het niet makkelijker om eerst naar die dorpen te gaan en met de mensen daar te praten? Misschien woont er nog iemand die zich iets kan herinneren. Er zijn dertig jaar verstreken, maar veel van die dorpen zijn niet veranderd. Veel families wonen daar nu nog.'

'Misschien. Ik doe het allebei. Heb je wel of geen lijst met kloosters en weeshuizen?'

'Ja, ik heb wel een lijst. Wacht even, dan pak ik hem. Sinds wanneer ben jij in iets geïnteresseerd wat niet met film heeft te maken?'

Vandana liep de kamer uit en Nighat keek naar de foto's die op een groot prikbord aan de muren waren geprikt. Foto's van jongens en meisjes van allerlei leeftijden, gekleed in westerse kleding in felle kleuren, lachend, gezond, met glanzend, zwart haar. Vandana had haar verteld dat al die kinderen het centrum hadden verlaten en waren geadopteerd door Europese, Amerikaanse en soms door Indiase families. Dat de families nog foto's of brieven stuurden was een aardig gebaar, ook al gebeurde dat niet vaak en deden ze het niet allemaal. Elke brief was als een bericht van meerdere kinderen tegelijk. Van de meesten wisten ze niets en zouden ze ook nooit meer iets horen. Maar sommigen waren teruggekeerd en hadden het Saint Catherine's Home bezocht vanuit België, Engeland, Nederland, Zweden ... Met hun adoptieouders, alleen of met hun partner. Sommigen bleven zelfs een aantal weken van hun vakantie om te helpen waar ze konden: ze organiseerden spelletjes, leerden de kinderen liedjes, hielpen bij het haar wassen met een antiluisshampoo of bij het eten geven aan de kleintjes.

'Alsjeblieft, hier heb je die lijst', zei Vandana toen ze terugkwam in het kantoortje. 'De nonnen die in de jaren zestig en zeventig naar Shaha, Patri en dorpen uit die streek kwamen, waren uit Nasik of Puna. In Sinnar was een parochie, maar die komt niet meer voor op de lijst ... Puna ligt ver weg, dus ze zullen niet regelmatig daarheen zijn gereisd. Ze kwamen vast uit Nasik. In die tijd waren de nonnen van de Missionarissen van Maria het meest actief, een franciscaner orde die nog steeds opvangcentra heeft in India. Als ik jou was, zou ik het daar proberen.'

En ze vertrok. Met haar fourwheeldrive en een digitale camera. Ze ging nooit op stap zonder een fotocamera in haar tas. Het was gewoon een beroepsdeformatie. Ze moest alles fotograferen. Nasik was een kleine, heilige stad. De rivier de Godavari was het centrum van activiteit. Op elk tijdstip van de dag deden vrouwen de was op de *ghats*•. Ze legden de gekleurde sari's plat te drogen op de grond. Rechthoeken in allerlei kleuren: oranje, paarse, rood, turkoois ... Een paar grote billboards herinnerden aan de Kumbh Mela van bijna een jaar geleden. Het was een van de grootste bedevaarten ter wereld die in verschillende Indiase steden werd gevierd. Een keer in de dertien jaar werd hij in Nasik en het vlakbij gelegen Trimbak gehouden.

Het centrum van de nonnen vinden was makkelijk. Het was een klooster waar negen nonnen van verschillende nationaliteiten woonden, die de zorg hadden over meer dan tachtig weesmeisjes, dat gevestigd was in een modern gebouw, omringd door een tuin vol bloeiende rozen. Twee nonnen ontvingen haar hartelijk en nieuwsgierig nadat ze de tuin was ingereden en haar auto naast een schommel had geparkeerd. Ze boden haar sinas aan en gingen aan een tafel zitten in de woonkamer van het kleine klooster om te horen wat ze precies wilde. Het was een sober ingerichte ruimte, een paar meubels en een televisie als enige luxe en teken van moderniteit. Zoetjesaan mengden zich ook andere nonnen in het gesprek. Ze waren stilletjes naar de kamer gekomen, nieuwsgierig geworden door het bezoek, in hun witte habijt en grijze schort dat ze voor hadden gedaan zodat hun habijt niet vuil werd. Een van de oudste vrouwen met wit haar en een gerimpeld gezicht herinnerde zich Sita omdat het een van de eerste meisjes was die ze opvingen toen alleen nog het hoofdgebouw bestond, waar ze nu waren. Haar herinneringen waren vaag, het was zo lang geleden, en ze haalde de meisjes door elkaar. Alle verhalen waren uniek, maar leken toch op elkaar. Meisjes die 's ochtends vroeg bij de ingang van de tuin lagen, vlak bij de ijzeren poort, met een briefje waar vaak genoeg alleen een naam op stond. Soms zelfs dat niet eens. Alleen een hongerige baby, uitgedroogd, op sterven na dood. Of een ouder meisje dat werd begeleid door een ver familielid dat niet voor haar kon zorgen, of door een politieagent die haar alleen en verdwaald op straat hadden gevonden ... Nighat had zich altijd afzijdig gehouden van deze werkelijkheid van haar land. Ze had in een luchtbel van faciliteiten geleefd, in een gegoede en ontwikkelde familie. Ze had een werkelijkheid genegeerd die ogenschijnlijk bij buitenlanders beter bekend was dan bij Indiërs zelf, die geobsedeerd werden door succes, die er voor alles naar streefden om India tot een van de machtigste landen van de film- en de informatica-industrie te maken, die per se een schotelantenne op hun dak wilden, die gefixeerd waren op een studie aan de beste universiteiten ter wereld. India kende vele gezichten. Op zijn minst twee: India en Bharat Varsha, de Hindi naam van het land. India was de naam die de Britse kolonisten hadden gegeven aan Hindoestan, de Urdu naam van het land. Nighat kende of wilde de werkelijkheid van Bharat Varsha niet kennen, waar de halve wereld wel van op de hoogte leek te zijn, maar die zij met zo veel moeite kon accepteren.

'In dit boek vind je misschien de informatie die je zoekt', zei een van de nonnen die even het vertrek was uitgelopen. Ze gaf haar een rechthoekig schrift met een harde, zwarte kaft. Nighat bladerde het meteen door en zag dat het een register was van de meisjes met de datum van aankomst en de datum van vertrek, geschreven in een onberispelijk handschrift in blauwe inkt. Het begon in 1969 en eindigde in 1976, toen waren er geen bladzijden meer over.

'Hartelijk dank! Ik wilde u niet lastigvallen ... Mag ik hier even in dit boekje kijken?'

De nonnen hadden er geen bezwaar tegen als ze daar bleef, integendeel. Ze hielden elke beweging die Nighat maakte, nauwlettend in de gaten, alsof ze een attractie was.

'Er is weer water!' riep een jonge non uitgelaten. Nighat had haar nog niet gezien. 'Eindelijk stromen alle emmers vol', zei ze haar handen afdrogend aan haar grijze schort en ze draaide zich om om terug te lopen.

'We hebben veel problemen met de toevoer van stromend water', legde een van de vrouwen uit. 'Vroeg in de ochtend valt de druk weg en we weten nooit wanneer het water terugkomt. We zetten heel veel emmers onder elke kraan. We hebben vooral water voor de toiletten nodig. Het zijn veel meisjes ...'

'Dat gebeurt ook in Mumbai', zei Nighat met het zwarte boek in haar handen terwijl ze blaadje voor blaadje omsloeg. 'Volgens onze berekeningen moet Sita in 1971 of in 1972 uit Shaha zijn opgehaald. Dus in die periode moet ze hier zijn gearriveerd ...'

Ze zocht de bladzijde op met aankomsten in het jaar 1971. Er stonden maar vijf namen. En ja hoor. Er was een Sita bij.

De nonnen hadden haar het boekje geleend zodat ze fotokopieën kon maken van de pagina's die haar interesseerden, in een kleine winkel vlak bij het klooster waar drie computers met internetverbinding stonden, telefooncellen om naar het buitenland te bellen en een kopieerapparaat. Na een eenzame nacht in het Taj hotel in een buitenwijk van Nasik, keerde Nighat terug naar Mumbai en ging meteen naar Muna om haar alles in geuren en kleuren te vertellen. Haar volgende stappen waren vrij eenvoudig: ze zou de nonnen in het klooster in Mumbai bezoeken, de bladzijden met verbleekte inkt uit het registerboek dat uit de jaren zeventig dateerde doornemen, met een aantal nonnen praten die zich Sita konden herinneren die uiteindelijk in haar eentje op het vliegtuig naar Barcelona was gestapt, en op haar twintigste hen met haar adoptieouders had opgezocht.

'Weet je zeker dat Sita mijn zusje is?' vroeg Muna die het dienblad met de pot hete thee en twee kopjes op het lage tafeltje zette.

'Heel zeker. Waarom twijfel jij eraan?'

'Ik weet het niet. Het is een raar gevoel. Het is allemaal zo makkelijk en snel gegaan nadat ik er zo veel jaren over heb nagedacht. Stel dat we volslagen vreemden voor elkaar zijn? We hebben zulke verschillende levens geleid dat het misschien niet tussen ons klikt. En zij was nog zo klein. Ik weet zeker dat ze zich er niets van herinnert ...'

'Iedereen leidt een ander leven. Mijn zus en ik zijn nooit weggeweest uit India en we hebben niets gemeen. Ze heeft onze ouders gevraagd een echtgenoot voor haar te zoeken zoals ze al generaties lang in onze familie doen! Ik werd woedend toen ik het hoorde. Na al die studies en al die wereldreizen vraagt ze mijn ouders een man te zoeken! Na haar huwelijk vertrok ik voor een lange periode naar Europa. Ik nam afstand van haar, ze had me teleurgesteld ...'

'Dus ze hebben een man voor haar gevonden!'

'Wat dacht jij dan? Je kunt je niet voorstellen hoe gelukkig mijn moeder was met het verzoek van mijn zus! Een heel jaar is ze ermee bezig geweest. Ze zat uren voor de computer, surfend over het internet van web naar web! Elke *matchmakers.com* die je maar kunt bedenken, heeft ze bezocht. Website vol foto's van Indiase jongens van goede families die zo hard werken dat ze geen tijd hebben om hun ideale vrouw te zoeken, en zich op het internet zetten om het proces wat te versnellen. De meesten woonden in New Delhi, Mumbai en Bangalore. Maar er waren er ook die in Engeland of de Verenigde Staten woonden en die een Indiase vrouw zochten die niet haar roots vergeten was. Ze schreven erbij dat de kaste er niet toe deed!'

'En wat voor man hebben ze voor haar gevonden?'

'Het gekke, en dat heeft me altijd verbaasd, is dat het de ideale man is. Ze hebben drie kinderen en een fantastisch huis in New Delhi. Ze maken nooit ruzie, zijn modern, werken allebei ... Maar ik zou zoiets nooit doen! Trouwen met een man twee weken nadat je hem hebt leren kennen alleen omdat je ouders denken dat het een goede partij is! Wat een waanzin!'

'Er zijn veel mensen die geloven dat niemand je zo goed kent als je ouders ... Dat zal ik nooit weten, omdat die van mij al jong stierven. Een huwelijk tussen twee mensen is voor veel mensen ook een verbintenis tussen twee families ...'

'Je gaat me toch niet zeggen dat jij het ermee eens bent!'

'Ik weet het niet, maar ik begrijp het wel. Ik kon gelukkig kiezen. Tegen vrouwen die geen keuze hebben, wordt altijd gezegd dat ze eerst maar moeten trouwen en dat de liefde vanzelf komt ...'

'Bij mijn moeder en mijn zus heeft die formule gewerkt, tenminste dat zeggen ze ... Maar ik neem het risico niet om het ook te proberen ...'

Muna schonk de twee glazen vol thee.

'Ben jij ooit in Barcelona geweest?'

'Ja, maar slechts vier dagen. In de twee jaar dat ik in Londen woonde en film en fotografie studeerde, maakte ik van de gelegenheid gebruik om zo veel mogelijk Europese steden te bezoeken. Ik zocht op internet naar de goedkoopste vluchten en bracht lange weekenden door in Rome, Parijs, Amsterdam, Stockholm, Praag ... en ook in Barcelona, in maart 2002.'

'Ik heb gehoord dat het op Mumbai lijkt.'

'Op Mumbai? Voor geen meter. Het is net een groot dorp aan zee, perfect, schoon, geordend, de straten zijn rastervormig aangelegd. Iedereen is goedgehumeurd. Je hebt allerlei soorten winkels, de architectuur van Gaudí ... De mensen klaagden over geluidsoverlast, de vervuiling en de viezigheid van sommige wijken ... Als ze hier zouden wonen, zouden ze doodgaan!'

Ze hadden afgesproken een wandeling te maken over het strand van Juhu dat elke middag volstroomde met stelletjes, kinderen die hun vliegers hoog in de lucht oplieten, vissers die hun netten repareerden, allerlei soorten mensen met hun sandalen in de hand en hun voeten in het water, venters met pinda's en ijsjes ... Ze sloten de dag af met *Monsoon Wedding*, bij Muna thuis. De vrolijke muziek klonk en de aftiteling rolde over het scherm, maar Muna bleef stilliggen, met blote voeten onderuitgezakt op de bank, alsof de film nog niet was afgelopen. Ze keek naar de enorme lijst met namen van acteurs, actrices, geluidstechnici en alle andere mensen die hadden meegewerkt aan het project, en nu nog kon ze bijna niet geloven dat die film zo'n internationaal succes was geworden, maar ze was er wel blij mee. Die moessonbruiloft was een van haar lievelingsfilm van de laatste tijd. Ze had het erg fijn gevonden om in die film te spelen. Wat had ze genoten van de samenwerking met Mira Nair. Bollywood begon verleden tijd te worden. Ze wist niet of ze nog lang in dit wereldje actief zou blijven, ze kreeg steeds meer zin iets anders te gaan doen.

'Elke keer als ik deze film zie, mis ik New Delhi!' zei Nighat gapend, zittend op de grond op een stapel kussens, leunend tegen de bank waarop Muna zat, met gekruiste benen, waardoor de gaten en scheuren in haar dure merkbroek nog meer opvielen. 'Hier in Mumbai mis ik het open en extraverte karakter van de Punjabi's.'

'Zijn jullie echt zo extravert?'

'Ja. Heb je niet horen zeggen dat wij, Punjabi's, op de Italianen lijken, maar dan een Indiase versie ervan. O! En het Hindi in deze film is zo echt, zo doorspekt met woorden uit het Urdu, of misschien wel andersom. Als puntje bij paaltje komt, is het dezelfde taal, maar toen ze het land opsplitsten in 1947 werden het twee taalgebieden.'

'Is je hele familie Punjabi?'

'Ja, maar heel weinig familieleden zijn in India gebleven na de deling. De meesten van mijn ooms, tantes en neven en nichten, zowel van mijn moeders- als van mijn vaderskant wonen in Pakistan. En zelfs na meer dan vijftig jaar zijn de wonden en trauma's in de familie nog steeds niet geheeld.'

Muna zette de dvd-speler en de tv uit en ging naar de keuken om twee glazen water te halen. Ze deed meteen een paar lampen in de zitkamer aan, het was inmiddels donker geworden in huis. Ze waren alleen thuis. Ze genoot van Nighats gezelschap en ze zou haar altijd dankbaar blijven voor haar hulp bij de zoektocht naar haar kleine zusje en het uitzoeken van wat er met haar was gebeurd. Ze voelde dat ze was veranderd. Het was onmogelijk om gewoon verder te leven alsof er niets was gebeurd. Haar zus leefde. Ze was achtendertig jaar. Ze was arts en woonde in Barcelona. Wat zou ze zeggen als ze elkaar zouden weerzien? Wat zeg je tegen een zus als je haar meer dan dertig jaar niet hebt gezien? Wat zeg je tegen een zus die jouw taal niet spreekt en aan de andere kant van de wereld woont? Hoe kon het zo makkelijk zijn geweest om haar te vinden?

Ze waren in gedachten verzonken. De kom vol pistachenootjes en de kan met citroenlimonade met suiker die Muna had gehaald, waren onder het kletsen en het luisteren naar de cd van Norah Jones leeggeraakt. Nighat had haar de cd cadeau gedaan. Beiden hadden het grappig gevonden dat deze zangeres die nu overal ter wereld zo veel succes had, de dochter was van Ravi Shankar.

'Het is beter als ik nu ga. Het wordt al laat.'

'Bedankt voor alles. Echt!'

Nighat had haar Jeep bij de ingang van de tuin geparkeerd en Muna liep met haar mee. De nacht was rustig, ze hoorden het ruisen van de zee.

'Irshad wil graag met je kennismaken. Ik bel je snel om je uit te nodigen voor een etentje bij ons.'

'Ik wil je man ook graag leren kennen. Tot snel!'

De fourwheeldrive reed weg, het ijzeren hek openlatend dat een van de bewakers had opengezet. Muna bleef nog even in de tuin wandelen. Ze snoof de intense geur op, geparfumeerd door de jasmijn die over de muren klom, terwijl ze langzaam liep rond de vijver met rode vissen en de fontein die zo'n aangenaam geluid maakte. De magnolia was alweer uitgebloeid.

Het gaf Nighat een vreemd gevoel om in zo'n stijlvol huis in de wijk Juhu te zijn, aan een prachtig gedekte tafel met kaarsen en Engels porseleinen servies te zitten, terwijl de gastvrouw zelf opstond om iets uit de keuken te halen en om de anderen op te scheppen, hoewel er een kok en een paar dienstmeisjes rondliepen. En wat haar nog meer verbaasde, was dat de gastheer en zijn zoon ook van tafel opstonden om een lege schaal naar de keuken te brengen, een fles wijn te halen of om de waterkan te vullen, alsof het de gewoonste zaak van de wereld was, zonder te klagen over de niet zo attente bediening. Ze had nooit gedacht dat het personeel helemaal niets hoefde te doen in het huis van een van de belangrijkste Indiase actrices en een machtige Bollywood-producer, een familie die gewend was aan de filmwereld. Thuis bij haar ouders in New Delhi, niet half zo rijk of beroemd, stond niemand van tafel op en was het personeel voortdurend in de weer en alert op het belletje dat haar moeder om de haverklap liet rinkelen om dan weer dit en dan weer dat te vragen.

'Herinner jij je Olivia Cooper?' vroeg Muna aan Irshad.

'Olivia Cooper ... Die Amerikaanse multimiljonaire die niet weet wat ze met haar geld moet doen?'

'Precies! Ze wil onze stichting een aanzienlijk bedrag schenken. Ik had haar verteld dat we een huis hadden gekocht om meisjes te kunnen opvangen en ze wil meewerken ...'

'Geweldig!' zei Irshad lachend en hij pakte over de tafel de hand van zijn vrouw en drukte er een kus op.

Irshad was een aantrekkelijke man. Lang, bruin, maar niet donker, grijs haar en twee donkere ogen die geen detail misten en die glommen als hij naar Muna keek.

'Ze zijn zo vervelend. Ze gedragen zich altijd zo, alsof ze in zo'n walgelijk zoete, romantische film zitten', zei Arun tegen Nighat die naast hem zat.

'Hoelang zijn jullie getrouwd?'

'Binnenkort vijfentwintig jaar ...' antwoordde Muna met twinkelende ogen terwijl ze zich glimlachend tot Irshad wendde.

'Zie je? Ze zijn zo erg. Vijfentwintig jaar samen en dan nog zo ...'

'Hoe hebben jullie elkaar leren kennen?'

'O nee, hè? Weet je dat echt niet? Je gaat me toch niet vertellen dat ik dat hele verhaal weer moet aanhoren!'

Arun was een grappige jongeman, zich bewust van zijn aantrekkelijke uiterlijk en tevreden met zichzelf.

'Waarom vertel jij het dan niet als je het zo goed weet', zei Irshad.

'Inderdaad, vertel jij het maar.'

'Nou, ik zei het je toch, Nighat. Ze zijn onuitstaanbaar. Het is al goed. Oké dan, dames en heren, de legende van de Godavari! De rivier die net zo heilig is als de Ganges. Ik zal beginnen met het verhaal, maar als ik me vergis, verbeteren jullie me, hè? Soms denken ze dat ik erbij was!'

En Arun begon de liefdesgeschiedenis van zijn ouders uit de doeken te doen terwijl Kiran de borden afruimde met een glimlach die haar bril scheef op haar neus schoof – zij kon het verhaal ook wel dromen. Ze bracht de desserts, het theeservies en een dampende theepot waar een geur van kardemom en andere specerijen uit opsteeg. Arun vertelde dat Muna als jong meisje in het huis van de familie Raghavan werkte als dienstmeisje, om niet te zeggen slavin, aangezien ze geen stuiver verdiende en van zonsopgang tot zonsondergang werkte. Die op de grond in de keuken sliep! Die uren achter elkaar afwaste, linzen las, aardappels schilde, veegde, streek en dat in een huis van een echtpaar met vijf kinderen en een oma dat vaak gasten ontving! Ondertussen studeerde

Irshad op het King's College van Cambridge waar hij de beste vriend was geworden van Sanjay, de oudste zoon van de familie Raghavan. Hoewel ze allebei iets anders studeerden, waren ze onafscheidelijk. Irshad had veel over Muna gehoord. Vanwege haar was de relatie tussen Sanjay en zijn vader gespannen geworden en dat had Sanjay doen besluiten in Engeland te blijven werken. Dit tot grote woede van meneer Raghavan. Hij had zijn zoon naar Cambridge gestuurd om te studeren. Het was de bedoeling geweest dat hij na zijn opleiding zou terugkeren naar India en daar een hoge functie zou krijgen en zich in zijn beroepstak zou onderscheiden, niet dat hij in Engeland zou blijven. Maar dat laatste deed hij. En uiteindelijk trouwde hij met Emily, een echte Engelse. Mevrouw Raghavan was geschokt en verdrietig toen haar zoon aankondigde dat ze geen Indiase schoondochter zou krijgen, een meisje dat gedisciplineerd en goed opgevoed was, uit een brahmaans gezin, met wie ze zijden, geborduurde sari's kon kopen en vertrouwelijkheden kon uitwisselen, maar een buitenlandse schoondochter met andere gewoontes.

De eerste keer dat Irshad Muna in levenden lijve ontmoette, was hij zevenentwintig en zij zestien. Irshad was al teruggekeerd uit Cambridge en in tegenstelling tot Sanjay was hij ervan overtuigd dat hij zich het meeste thuis voelde in India. Hij was teruggekeerd naar Mumbai nadat hij vele liefdesavonturen had beleefd met Engelse meisjes met gouden haren en lichamen vol sproeten en urenlang had geroeid over de kanalen van Cambridge in het King's College-uniform ... Op een dag ging hij eten bij de familie Raghavan tijdens een van de weinige keren dat Sanjay in de stad was. Op slag werd hij betoverd door de schoonheid van Muna die aan tafel bediende. Door haar schoonheid en de kracht die sprak uit haar gebaren en blik. Muna was zwijgzaam en bij hoge uitzondering hoorde je haar stem. Maar Irshad voelde aan dat ze veel te vertellen had. Vanaf die dag greep Irshad elk excuus aan om naar het huis van de familie Raghavan te gaan: om een boek te vragen uit Sanjays bibliotheek, om te overleggen met meneer Raghavan die veel contacten had met ministeries en veel informatie had over de belangrijkste bedrijven in de stad, of om Chamki een recept uit Kerala te vragen, zogenaamd voor zijn moeder ... Indira, wakker en opmerkzaam als altijd, wist dat er meer schuilde achter die bezoekjes van Irshad tijdens Sanjays afwezigheid. En hoe aardig hij ook tegen haar was, ze zag haarscherp dat hij niet naar haar keek zoals naar Muna. Irshad werkte bij een reclamebureau en op een gegeven moment had hij het ideale excuus om Muna te benaderen. Voor een advertentie van een hip commercieel centrum waren ze op zoek naar een model en zij was precies het meisje dat ze zochten. Het was nog een hele klus om de heer en mevrouw Raghavan te overtuigen. Uiteindelijk stemden ze in als de fotosessie in hun tuin zou plaatsvinden. En omdat Muna geld voor haar werk zou krijgen, zodat meneer Raghavan zijn geweten van kinderuitbuiter kon sussen. Irshad kwam op een ochtend met een heel team van assistenten: kapsters, visagisten, een lichttechnicus ... De styliste droeg een koffer vol kleren en sieraden. Indira en Muna genoten er net zo van als Chamki en mevrouw Raghavan, die af en aan liepen met dienbladen vol samosa's, glazen thee met melk, of water. En de tuinmannen bekeken alles nieuwsgierig, terwijl ze langzamer dan anders tussen de rozenstruiken werkten met hun snoeischaren en messing gieter in de handen.

'Let maar op hoe Irshad naar je zit te kijken, je zult zien dat ik het me niet inbeeld!' zei Indira geamuseerd tegen haar vriendin.

Nadat Muna een aantal outfits had gepast, kwam ze het

huis uit in het perfecte kostuum. Toen Irshad zijn camera scherp stelde op Muna wist hij meteen dat hij haar nooit meer uit het oog wilde verliezen, dat hij haar elke dag moest zien en dat hij haar gelukkig wilde maken. Sanjay had haar geschiedenis aan zijn vriend verteld, het verhaal van een weesmeisje, slavin in een clandestiene tapijtfabriek, haar pogingen om op elfjarige leeftijd te leren lezen en schrijven, optellen, aftrekken en vermenigvuldigen ... Al snel werd duidelijk dat Muna een natuurtalent was. Ze kon heel goed poseren, volgde de aanwijzingen van de fotograaf op en was in staat met haar gezicht uit te drukken wat ze van haar verlangden. Haar schoonheid verblufte hem. De foto's waren een groot succes en de klanten waren zo tevreden met het resultaat en met de keuze van Muna als model dat ze haar ook vroegen voor het eerste televisiespotje van het modehuis dat filialen zou openen in de belangrijkste Indiase steden. Irshad zou de regie van het spotje doen en ze zouden gedurende twee dagen opnames maken in de straten en de haven van Mumbai, in de omgeving van de Poort van India, van 's ochtends vroeg tot 's avonds laat. Meneer Raghavan moest opnieuw goedkeuren dat Muna haar werk in huis opzijlegde en modellenwerk deed. Ook deze keer vroeg hij Chamki's mening, die zoals altijd Muna steunde. In het huis was er minder te doen dan anders. Sanjay woonde in Engeland en Bani was getrouwd met de zoon van een rechter die zelf ook rechter was geworden. En de anderen, Parvati, Indira en de kleine Rajiv hadden minder zorg nodig en maakten niet meer zo veel vuil als vroeger, ze waren groot geworden.

'Het is een geweldige kans, meneer Raghavan. Een televisiespotje! Stelt u zich eens voor: wat een kans! Onze Muna. Ik red het uitstekend alleen en anders zoek ik wel hulp. Maakt u zich maar geen zorgen!'

Die twee dagen had Indira examens. Ze moest naar school en alle uren die ze vrij had, gebruikte ze om te leren. Irshad was dan ook verantwoordelijk voor Muna. Hij haalde haar 's ochtends met de auto op en bracht haar 's avonds na de opnames thuis. Muna kwam tot de ontdekking dat Indira gelijk had. Irshad keek op een bijzondere manier naar haar. Tussen het regisseren door, wanneer hij niet iedereen vertelde wat ze moesten doen, was hij een man die nog heel jong en verlegen was. Tenminste bij haar. Telkens als hij de kans kreeg om in haar buurt te komen, greep hij die. Als haar lange, zwarte haar werd gekamd of haar make-up werd bijgewerkt, stond hij toevallig vlak bij haar een glaasje mangosap of thee te drinken, maar hij miste ondertussen geen enkel detail. Hij kon niet geloven dat zij met haar achtergrond kon acteren alsof ze een actrice was die was opgeleid aan de beste toneelschool. Hij vond het fijn om naar haar stem te luisteren toen ze zich eindelijk zeker voelde en haar mond durfde open te doen. Muna keek vooral eerst de kat uit de boom voor ze iets zei. Maar toen ze eenmaal haar schaamte had overwonnen, omdat ze niet meer onderwijs had genoten dan de familie Raghavan haar had gegeven, praatte ze honderduit.

Het spotje was een groot succes. Muna vulde het beeldscherm met haar lachende gezicht, de wind speelde met haar sari op het dek van een ferry, met op de achtergrond het monument van de Poort van India en het majestueuze Taj Mahalhotel. Dat was de belangrijkste scène van het spotje die ze de tweede dag hadden gefilmd. Muna was tot op dat moment nog nooit op een vaartuig geweest. Dat had ze Irshad verteld op weg naar het eiland Elephanta. Daar zouden ze een aantal opnames maken, vooral terugvarend naar de stad, vanwege het mooie licht. De reis duurde bijna een uur en eindelijk slaagde Irshad erin om alleen met haar op het dek te zitten. Hij wist niet goed wat hij tegen haar moest zeggen en vroeg daarom het eerst wat er in hem opkwam.

'Wist je dat de naam Bombay door de Portugezen is bedacht?'

Muna schudde ontkennend haar hoofd.

'Ze noemden het Bom Bahia of Bombaim, wat goede baai betekent. In Bom Bahia was iedereen welkom, helemaal als je er voor zaken kwam.'

Irshad vertelde haar alles over de geschiedenis van de stad, over het eiland Elephanta, waarom het eiland zo heette, over de vier tempels die zijn uitgehouwen in de grotten, over hoe hij er als klein jongetje met zijn opa en oma naartoe was gegaan, zoals zo veel families tijdens de feestdagen deden ... Irshad praatte aan één stuk door, zonder haar blik los te laten, alsof er in de zwartste dieptes van haar ogen een schat verborgen lag. Als hij af en toe zijn hoofd wegdraaide om naar het landschap te kijken en te klagen over de hitte en hoe zijn broek vastplakte aan de houten stoel, keek Muna naar zijn profiel, zijn zwarte haar dat langer was dan dat van de meeste Indiase mannen, de verzorgde handen, en haar hart ging sneller kloppen.

'Lag Elephanta maar verder weg. Ik zou wel uren zo kunnen blijven zitten, hier op het dek van de ferry, met jou ...' durfde Irshad te zeggen.

Muna bleef roerloos zitten en keek naar de kust die steeds dichterbij kwam.

'We hebben vandaag geen tijd om de tempels te bezichtigen, maar wil je ze me een andere keer laten zien? Ik weet zeker dat je wel een smoes kunt verzinnen zodat meneer Raghavan me laat gaan!'

Ze bleven elkaar aankijken en lachten, beiden door elkaar gehypnotiseerd, tot iemand van de crew hen kwam halen omdat ze er bijna waren.

Muna kreeg het gebruikelijke honorarium voor het werk van een model van zo'n belangrijk spotje. Zo veel geld had ze nog nooit bij elkaar gezien. Ze bewaarde het in een koekblik, in een geheime hoek in de keuken die Chamki haar had voorgesteld. Na veel aandringen van Indira kocht de familie Raghavan een televisie om het spotje voor de modezaak te kunnen zien.

Niets was meer hetzelfde voor Muna na de opnames voor dat televisiespotje. De familie Raghavan kon haar niet meer behandelen als daarvoor. Indira drong aan dat ze haar horizon moest verbreden, dat ze het geld dat ze had verdiend in een cursus stak. Indira was altijd op de hoogte van wat er in de wereld gebeurde en ze wilde dat haar vriendin dat ook was. Op een dag liet ze haar een knipsel uit een Engelse krant zien waarin stond dat leren de enige manier was om vooruit te komen in het leven. 'Meer opleidingen en kennis leidt tot meer vrijheid', las ze hardop voor.

'We moeten onafhankelijk zijn, Muna. Snap je? Vrijgevochten vrouwen. Dat schrijft Sanjay me elke keer weer in zijn brieven. Dat ik geen tijd moet verliezen en zo veel mogelijk kennis moet vergaren, dat in Europa de vrouwen geëmancipeerd zijn, goed opgeleid en onafhankelijk.'

Nadat ze toestemming had gekregen van de familie Raghavan, schreef ze zich in voor een cursus Engelse literatuur en een toneelcursus aan een privéschool in het centrum van Mumbai, vlak bij de Victoriatuinen. Toen besloten mevrouw Raghavan en Chamki dat Muna in Indira's kamer kon slapen, waar twee bedden stonden. Al heel lang bleven ze elke avond op Indira's kamer praten en uiteindelijk vielen ze, overmand door slaap, uitgeput op de bedden neer. Muna bleef in het huis werken, maar studeerde ook buiten de deur. Misschien was het allemaal te modern voor meneer Raghavans manier van denken: een dienstmeid die een kamer met zijn dochter deelde, naar school ging om te leren ... Zoiets had hij nog nooit meegemaakt bij een andere familie. Maar uiteindelijk had hij er zich bij neergelegd dat hij niet meer zo veel gezag had in dat matriarchale huishouden en dat de tijden veranderden, voorgoed.

Irshad werd partner in het reclamebureau en stapje voor stapje ging het bedrijf zich steeds meer oriënteren op films en stopte uiteindelijk helemaal met het reclamewezen. Er ging een jaar voorbij met lange boottochten door de haven, uitvoerige gesprekken en veel bioscoopbezoekjes. En op een dag, in de deuropening van de keuken die uitkwam op de tuin van de familie Raghavan, Irshad stond op het punt om weg te gaan, bleven ze allebei stilstaan, elkaar strak aankijkend tot hun hoofden in slowmotion dichterbij elkaar kwamen ze en elkaar voor het eerst kusten. Daarna vroeg Irshad of ze met hem wilde trouwen.

Muna was negentien toen ze mevrouw Kulkarni werd. Ze wist heel goed wat ze deed en ze wilde het dolgraag. Vlak voor hun trouwdag ging Irshad met haar mee om zich te laten registreren. Tot dan was Muna nooit in een register vermeld geweest. Ze bestond eenvoudig niet.

Arun rondde het verhaal van zijn ouders af die hand in hand geboeid naar hem hadden zitten luisteren. Er lag geen koekje of stukje fruit meer op tafel en alle kaarsen waren opgebrand. In een hoekje van de kamer had Kiran sandelhoutwierook aangestoken en de geur had de kamer gevuld.

'Wat vind je ervan. Vond je het een mooi verhaal? Ja, toch?' vroeg Arun aan Nighat die aandachtig had geluisterd.

'Heel erg mooi!'

'En zoals je ziet, zijn ze nog steeds heel klef. Dat is toch niet normaal?'

'Het lijkt me geweldig. Wat een luxe!'

'En het vervolg ken je, toch? Papa produceerde zijn eerste film en uiteraard kreeg mama de hoofdrol. Sindsdien rees haar ster en uiteindelijk werd ze de grootste filmdiva van het land. Alle regisseurs wilden met haar werken en ze kreeg de ene rol na de andere aangeboden. Zelfs toen ik werd geboren, was ze met opnames bezig!'

Irshad vulde lachend een glas met water.

'Weet je wat ik me het best herinner van die periode vlak voor ons huwelijk?' vroeg Muna. 'Ik weet nog als de dag van gister wat ik voelde als ik na mijn les terugreed met de bus naar huis. Ik weet niet hoe, maar bijna altijd wist ik een plaatsje bij het raam te bemachtigen, hoe vol de bus ook was. En kijkend naar de drukte op straat, de dagelijkse verkeerschaos, dacht ik aan alles wat ik had meegemaakt, alsof ik in een film speelde en het niet echt was gebeurd! Shaha, Kolpewadi, de tapijtfabriek, mijn jaren bij de familie Raghavan, tevreden omdat ik veel leerde, bewust dat hoe beter ik mijn best deed, hoe meer ik werd gewaardeerd en leerde ... Het leven dat ik tot dan had geleid, lag achter me. Alles bleef achter me, behalve de herinnering aan Sita, die bleef levendig. Er ging geen dag voorbij of ik dacht aan haar.'

Barcelona, 2004

Sita deed de televisie uit, ze was uitgeput. Ze had alle nieuwsbulletins van alle televisiezenders gezien, het ene na het andere. Bijna drie uur achter elkaar had ze op de bank gelegen, omringd door kussens in allerlei kleuren, in stilte, met de afstandsbediening in de aanslag. Het was al laat, maar ze had nog niet gegeten. Ze had naar alle journaals gezapt en overal dezelfde beelden gezien. Ze kende ze uit haar hoofd. Ze voelde zich in de war en ze had behoefte aan frisse lucht. Ze trok een wollen trui aan, ging het balkon op en bleef daar een tijdje stilletjes staan, kijkend naar de gebouwen tegenover haar, naar de verschillende taferelen achter de ramen: een stel op de bank, kijkend naar de televisie, met hun voeten op een laag tafeltje; een oudere vrouw, breiend in een goed verlichte leunstoel, met de televisie aan; een man rokend op het balkon, leunend op de reling (steeds meer mensen stonden te roken op hun balkon, ook al was het koud) ... Op dit uur van de dag begon de stad langzaamaan in te slapen en werd het stiller, alleen in de verte klonk nog zachtjes het geluid van bussen en auto's, een vuilniswagen en een blaffende hond. Ze woonde in een wijk waar veel mensen werkten en door de week leek het of ze allemaal hetzelfde rooster hadden. Vanwege de kerstvakantie waren veel mensen weg. Het was nog rustiger en er waren meer ramen in duisternis gehuld dan anders.

Ze haalde diep adem. Ze werd overspoeld door te veel gevoelens. Vooral woede en onmacht. Ze ging haar flat weer binnen, als een robot. Ze had honger, maar ze kreeg niet meer door haar keel dan een yoghurtje. Tsunami was een misselijkmakend woord. Ze was net vier dagen geleden teruggekomen uit India waar ze een hele maand als vrijwillig kinderarts had gewerkt in een klein ziekenhuis vlak buiten Chennai, het vroegere Madras. Daarna was ze een paar dagen met Mark naar Karaikal en Pondicherry ontsnapt. Het was de bedoeling geweest om daar te blijven. In India, met Mark, werkend als vrijwilligers. Maar ze was naar huis teruggekeerd. Het was de tweede keer dat ze naar India was gereisd en voor de tweede keer had ze gemerkt dat ze zich meer thuis voelde in Barcelona. In het gezondheidscentrum waar ze werkte, hadden ze haar ook nodig en haar vakantiedagen waren op. Bovendien wilde ze terug om Kerstmis en het feest van de Heilige Stefanus te vieren met haar ouders. Dat waren altijd twee magische dagen voor haar geweest en op haar achtendertigste vond ze niets fijner dan 25 en 26 december te vieren met de hele familie, neven, nichten, ooms en tantes.

Marks mobiel stond uit en zijn voicemail was vol. Ze hield zich voor dat in de kuststreken van de Indische Oceaan geen enkele mobiele telefoon werkte. Alle nummers die ze had, had ze tevergeefs gebeld. Het gevoel van wanhoop was onmogelijk te beschrijven. De beelden van de tsunami die uit het niets huizen, mensen, bomen en alles wat zijn pad kruiste, meesleurde, waren op haar netvlies gebrand. Een ongemakkelijk gevoel verlamde haar lichaam en deed haar rillen.

Ze zocht zo veel mogelijk informatie op internet. De kust van de deelstaat Tamil Nadu was zwaar getroffen door de enorme vloedgolf die was veroorzaakt door een krachtige zeebeving ten noorden van Sumatra. Hij verspreidde zich in verschillende richtingen over de Indische Oceaan en verwoestte daarbij duizenden hectares kust van veel Aziatische landen waarbij duizenden mensen om het leven kwamen. Er werd gesproken over meer dan vijfduizend doden alleen al in Tamil Nadu. En de districten Pondicherry en Karaikal stonden ook op de lijst. Mark was daar, maar op de eerste lijsten van geïdentificeerde doden stond geen enkele Mark Howard. Ze hadden afscheid genomen in Pondicherry. Hij wilde meer naar het zuiden gaan, terug naar Karaikal, om de vissersdorpen te ontdekken. Hij wilde met de vissers mee op zee varen en van dichtbij zien hoe de mensen in Nagappattinam werkten in de garnalen- en kreeftenkwekerijen voor hij terugging naar Londen. Nu waren al deze kwekerijen verdwenen, net als veel eigenaren en werknemers, vissers en boten van vele families. En Mark was daar. De speciaal geopende telefoonnummers die werden vermeld op de website van de regering van Tamil Nadu, waren non-stop bezet of misschien buiten werking. Het was onmogelijk om contact te krijgen met iemand van de hulp- en informatiecentra die in elk district waren opgericht.

De brief lag op haar bureau, naast de computer, precies waar ze hem had neergelegd op de dag dat ze hem had ontvangen. Met het fossiel van het bizonbot dat Mark haar had gegeven erbovenop. Een agente van een Indiase actrice wilde haar ontmoeten in Barcelona in verband met een dringende zaak en stelde haar een rits data voor in de maand januari om af te spreken in het Ommhotel waar ze verbleef. De naam Muna Kulkarni zei haar niets. Ze had hem ingetikt op Google en onmiddellijk verscheen er een oneindige lijst met webpagina's waar ze werd genoemd. Als ze zin had, zou ze de volgende dag na haar werk langs een Indiase videotheek gaan. Ze had er een gezien in een straat in de wijk El Raval (ze wist niet meer precies of het nu Calle Hospital, Calle Sant Pau of misschien Calle Del Carme was). Misschien verhuurden ze daar een film waar zij in speelde.

'Heb je nieuws?' vroeg Judith zodra ze Sita in haar witte doktersjas naar haar kamer zag lopen.

'Nee, ik heb niets van hem gehoord.'

Judith schudde met haar hoofd zonder iets te zeggen. Ze werkten nu al vijf jaar samen. Ze zaten op dezelfde golflengte en waren goede vriendinnen geworden, hoewel ze nu verschillende levens leidden. Dat van Judith verliep rustig, zonder verrassingen, met een echtgenoot en drie kinderen. Haar man was haar jeugdliefde en ze wisten dat ze voor altijd bij elkaar zouden blijven. Ze was gek op haar werk als kinderarts, maar ze werkte niet meer dan noodzakelijk om zo veel mogelijk thuis bij haar gezin te kunnen zijn. Voor de geboorte van haar eerste kind gingen zij en Sita minstens een keer per week naar de film, en ze gingen regelmatig samen winkelen. Nu zagen ze elkaar nog maar zelden buiten het werk om. Hun spreekkamers die ze deelden met andere kinderartsen, afhankelijk van hun dienstrooster, lagen naast elkaar.

Sita keek afwezig en stil vanuit haar kamer naar het binnenplaatsje. De grote palmboom in het midden, de gevel van het huis tegenover ... Het idee dat Mark iets was overkomen, maakte haar doodsbang. Nu besefte ze dat hij het meest beantwoordde aan het beeld van de ideale man waarvan ze altijd had gedroomd. Ze had geen geluk gehad met mannen. De lijst van teleurstellingen was al aardig lang. Ze werd altijd verliefd op mannen die haar niet begrepen of andersom, of die te veel bagage hadden: een ex-vrouw die zich voortdurend met zijn leven bemoeide, een lastige zoon die hem een schuldgevoel gaf voor elk uur dat hij niet voor hem klaarstond, of twee puberende, onbeschofte, verwende dochters die samen met de onzichtbare aanwezigheid van hun moeder, zijn ex-vrouw, dubbel zo onverdraaglijk waren ... Waarom was het voor sommige mensen zo simpel om een leuke partner te vinden en voor anderen zo moeilijk, zo niet onmogelijk?

Ze hadden elkaar leren kennen tijdens een intensieve cursus tropische geneeskunde in Londen. Ze moest lachen toen ze terugdacht aan haar eerste indruk: een echte Engelsman. Mark was heel lang en forsgebouwd, met een lichte huid en bruin haar dat zijn blauwgrijze ogen nog meer deed uitkomen. Zijn ogen deden denken aan de koude Noordzee. Maar hij had de sympathiekste blik en meest ontwapenende glimlach die ze ooit had gezien. Als hij haar omhelsde, voelde ze zich plotseling gered, beschermd voor al het kwaad. Zijn grenzeloze levenskracht, zijn nieuwsgierigheid en zijn gevoel voor humor hadden haar betoverd. En zijn betrokkenheid bij de meest behoeftige volkeren fascineerde haar. Sita wist nooit zeker of Mark voor haarzelf was gevallen of dat haar achtergrond zijn belangstelling had gewekt.

'Kom je echt uit India? Dat is toch een grap?'

Dat waren de eerste woorden die Mark tegen haar sprak tijdens een pauze terwijl ze koffiedronken met de andere cursisten. Hoe vaak had ze antwoord moeten geven op die ongelovige vraag. Als Sita niet zei dat ze in India was geboren, kon ze voor mediterraans doorgaan. Haar huid was lichtbruin, maar haar teint leek erg op die van andere Catalaanse, Andalusische, Griekse, Corsicaanse, Italiaanse, Libanese of Berberse vrouwen. Haar haar was ook donker, maar niet bijzonder en haar bruine, bijna zwarte ogen verstrekten haar een ticket voor de anonimiteit, ze konden uit zo veel verschillende streken afkomstig zijn. Ze was niet lang en niet klein, niet vreselijk dun, maar ook niet dik. Als ze het niet vertelde, kwam niemand op het idee dat Sita was geboren in een klein dorp in Maharashtra, dat ze de eerste jaren van haar leven in een weeshuis in Mumbai had doorgebracht en dat ze op haar zevende naar Barcelona was gekomen. Soms verzweeg ze het. Ze vond het fijn om door te gaan voor een Barcelonese. Want ze voelde zich ook Barcelonese. Daar kwam ze toch ook vandaan?

Ze had zich opgegeven voor de cursus, omdat Judith zo had aangedrongen dat een van hen tweeën erheen moest, dat ze op de hoogte moesten blijven. Voor Judith was het moeilijk om twee weken weg te gaan en zo lang haar kleine zoon alleen te laten. En ook al had ze wel gewild, ze beheerste het Engels niet zo goed en voor die cursus moest je die taal vloeiend spreken. Behalve dat Sita haar adoptievader dankbaar was dat hij haar had opgevoed met zijn liefde voor de geneeskunde en zijn principiële overtuiging om alle patiënten gelijk te behandelen, zou ze hem ook altijd dankbaar blijven voor de moeite die hij zich had getroost om haar Engels te laten leren. Hij had gezorgd dat ze extra Engelse les kreeg en hij had toen ze opgroeide, haar reizen door Europa en de Verenigde Staten betaald waardoor ze de taal in de praktijk had kunnen oefenen. Ze hadden zelfs een jaar lang een Canadese studente in huis gehad onder de voorwaarde dat ze alleen Engels met hen sprak. Dat jaar was van doorslaggevend belang geweest. Ook al was het meisje een stuk ouder geweest, ze waren heel goede vriendinnen geworden en hadden heel wat uren met elkaar gekletst. Elke keer kregen ze meer patiënten uit andere werelddelen, kinderen van immigranten met ziektes waar ze in Barcelona nog nooit mee te maken hadden gehad. Of die heel lang geleden door andere dokters waren gezien. Maar ook adoptiekinderen uit Afrika, Azië en Midden-Amerika en ze hadden meer kinderartsen nodig met kennis van tropische geneeskunde. Aangezien de cursus gesubsidieerd werd en ze geen euro hoefde te betalen, schreef ze zich in voor de intensieve cursus van twee weken aan de London School of Tropical Medicine. De universiteit lag in Bloomsbury, twee straten verwijderd van het British Museum en het Russell Square, de ideale plek om op een bankje te blijven kijken naar de eekhoorns die over de dikke stammen van de platanen op het plein klauterden. Ondanks de kou was het aangenaam om daar te zitten en te lezen. Aan de cursus namen zeventig kinderartsen deel uit vijftig landen, de meeste uit Europa, maar er waren ook cursisten uit de Verenigde Staten en Japan. Sita's manier van praten, bewegen en kleden, het timbre van haar stem, haar tongval als ze Engels sprak, verrieden onmiddellijk dat ze een echte mediterraanse was.

'Dus je komt uit India. Wist je dat het hoofd van deze cursus Indiaas is?' vroeg Mark in een van de pauzes die ze met zijn tweetjes doorbrachten, in een hoekje vlak bij de trap. 'Hij was mijn docent op de universiteit. Dokter Raghavan was geweldig. Hij was de beste. Vanwege hem heb ik mijn eerste reis naar India gemaakt. Ik ben zelfs in zijn huis in Mumbai geweest. Hij stond erop dat ik zijn ouders en zijn familie leerde kennen. Alleraardigste mensen. Ze hadden een fantastische kok. Een heel oude vrouw die me dingen heeft geleerd van de Zuid-Indiase keuken. Als je wilt, kunnen we morgen naar hem toe gaan en dan stel ik je aan hem voor.'

Na een paar idyllische weekenden tussen Barcelona en Londen, kwamen ze tot de conclusie dat ze langer bij elkaar wilden blijven, langer dan alleen een weekeinde. Sita's vakantie kwam dichterbij. Zij nam altijd vakantie als niemand van haar collega's wilde. Ze hadden allemaal kinderen en namen hun vrije dagen op in de schoolvakanties. Vanaf eind november tot eind december had ze vrij. Tijdens een telefoongesprek stelde Mark voor om als vrijwilligers te gaan werken in een ziekenhuis in Tamil Nadu, in het zuiden van India. Daar werkte een Indiase vriend met wie hij had gestudeerd. Die had hem verteld dat ze van harte welkom waren om bij hem thuis te logeren. Er was een tekort aan artsen vooral in de dorpen die ver verwijderd waren van de stad. Mark nam een maand onbetaald verlof op van het ziekenhuis zodat hij samen met Sita op vakantie kon.

'Naar India? Maar waarom kunnen we niet ergens anders heen?'

'Dat is het bijzonderste land ter wereld, het meest extreme. Of je wordt erop verliefd, of je krijgt er een geweldige afkeer van. Bovendien is het jouw land!'

'Nee, allang niet meer. Ik voel me geen Indiase. Dat heb ik je al uitgelegd. Toen ik erheen ging, walgde ik er eerder van ... Zo smerig, zo veel ellende, zo veel lawaai ... Ik weet wel dat ik ook prachtige dingen heb gezien, maar ik weet niet ... Laat me erover nadenken. Goed? Ik bel je morgen!'

'Goed, je belt morgen terug. Maar Sita ik zou echt graag met jou naar India gaan.'

Gratis werken voor mensen die geen medische zorg konden betalen, en al helemaal niet de diensten van kinderartsen zoals zij en Mark, leek haar nog het minste wat ze kon terugdoen voor haar land. Mark had gelijk. Je hield van India of niet. Het was ook haar land, het land dat haar het leven had geschonken. Ook al zou ze maar een paar dagen, een paar uur helpen om kinderen in India, die net zo arm waren als zij ooit was geweest, te genezen. Het leek haar een goed idee.

De eerste keer dat ze was teruggekeerd na haar adoptie was ze twintig geweest. Dat was met haar ouders. Ze hadden haar altijd gezegd dat als ze later groot was, ze met zijn drieën naar het land van haar geboorte zouden gaan. Zij waren er zelf nog nooit geweest. Op haar twintigste kwam de dag dat ze terugvloog naar Mumbai en op dezelfde luchthaven landde als waarvan ze als klein meisje was opgestegen. De reis van het vliegveld naar de stad maakte enorme indruk op haar. Miljoenen mensen leefden op straat met plastic zeilen als dak, stukken karton als wanden en enorme ratten die rustig tussen die bouwvallige krotten trippelden. Op haar twintigste kwam de dag dat ze opnieuw door de ijzeren poort liep van het weeshuis van de Missionarissen van Maria in Mumbai. Het was minder emotioneel dan ze had gedacht. Misschien omdat haar ouders haar hadden geholpen haar herinneringen levendig te houden tijdens de dertien jaar die na haar vertrek uit Mumbai waren verstreken. Haar ouders hadden het contact met zuster Valentina in stand gehouden en hadden haar tekeningen en foto's van Sita gestuurd. En zij op haar beurt had tijd gevonden de dingen op te sturen waar Ramón en Irene dringend om hadden verzocht: een foto van het centrum en van een van de nonnen met de meisjes die Sita had gekend. En tot haar dood ook, twee jaar voor Sita's weerzien met India, had ze elk jaar, punctueel, een kerstwens gestuurd. Zuster Juliette had hen op de hoogte gebracht en een rouwkaart gestuurd. Ze legde niet uit waaraan ze was gestorven, maar meldde alleen dat ze ziek was geweest. Zuster Juliette was de nieuwe directrice geworden.

Ze verbleven een volle week in Mumbai, in een klein hotel in de wijk Colaba op het schiereiland ten zuiden van de stad. Ze konden via de boulevard die naar de Poort van India leidt, naar de stad lopen. Bij zonsondergang werd dit koloniale monument, dat lijkt op een triomfboog en geïnspireerd is op de mohammedaanse architectuur van een aantal eeuwen geleden, verlicht voor het imponerende Taj Mahalhotel. Het water van de haven weerkaatste de lichten als een decor. De poort was gebouwd ter ere van de komst van koning George v en onder diezelfde poort hadden de Britse troepen geparadeerd voor ze zich in 1947 inscheepten om voorgoed uit India te vertrekken. De gevel van het Victoria Terminus leek meer op die van een gotische kerk dan op die van een treinstation, de verkopers die overal op straat met fruit, kranten of warme maaltijden ventten, de kleuren van de bloemenkramen bij de ingang van de tempels, de wierookgeuren vermengd met brandende olie, de fietsen, de riksja's, de taxi's, het aanhoudende getoeter, de honden op zoek naar etensrestjes tussen de hopen afval, een olifant met een kind op zijn rug die met zijn vierduizend kilo stil door de straat liep, fietsers en voetgangers inhalend, de ambulante kleermakers met hun mobiele naaimachines, de *sadhoes*• in hun oranje lendendoek ... Sita had het gevoel dat er niets was veranderd, vooral als ze een taxi namen. Vanaf de achterbank concentreerde ze zich op alle details in de auto, op de slinger met jasmijn die over de achteruitkijkspiegel hing, de afbeelding van Sai Baba• ... Tijdens elke rit kwamen de herinneringen naar boven aan de uitstapjes die zij als meisje maakte met zuster Valentina, alsof het filmbeelden waren. Alle taxichauffeurs deden haar aan Layam denken.

Ze brachten een bezoek aan het weeshuis. Zuster Juliette nam de tijd om hen te ontvangen. Ze had er de hele dag voor uitgetrokken. Sita klom samen met haar ouders ontroerd de wenteltrap op. Ze liet hun de zaal zien waar ze samen met de andere meisjes op de grond had geslapen onder de ventilators. Ze aten samen en bespraken wat er de afgelopen jaren allemaal was gebeurd. Zuster Juliette vertelde dat tijdens de tropische regens de bovenste verdieping onder water was komen te staan. Het dak had het begeven na zo veel slecht gerepareerde lekken. De werkkamer van zuster Valentina was het ernstigst beschadigd en al haar papieren, boeken en documenten, het geheugen van het centrum, waren vernietigd.

'Ik denk dat ze door die overstroming ziek is geworden', ging zuster Juliette verder in haar Engels met Franse tongval terwijl ze theedronken met koekjes onder de bogen van de overdekte galerij aan de achterkant van het klooster.

'Dus er zijn geen documenten meer over de voorgeschiedenis van Sita?' drong Ramón aan met zijn pijp in zijn hand.

'Nee, het spijt me. We hebben zelfs de fotoalbums moeten weggooien. Die waren onherstelbaar beschadigd.'

Ze zwegen allemaal. Alleen het gekras van een kraai in de tuin was te horen.

'Het is vreemd,' zei zuster Juliette, 'in dit land staan monumenten ouder dan drieduizend jaar en die zijn nog intact, terwijl de gebouwen die dertig jaar geleden of recenter zijn gebouwd, elk moment kunnen instorten en altijd in de steigers staan.'

Nadat ze een paar duizend kilometer hadden afgelegd in een trein die van messing leek te zijn en veel te zwaar beladen was met mensen en allerlei soorten pakjes, overbrugden ze nog eens enkele duizenden kilometers in een witte Ambassador die ze met chauffeur hadden gehuurd. Hij was gewend aan de Indiase wegen, de koeien en de diepe kuilen die op elk moment het verkeer konden lamleggen. Vanaf Agra, om de Taj Mahal te zien, tot Varanasi, van Jaipur naar Udaipur, Jodhpur, Pushkar en andere steden die Sita uiteindelijk allemaal door elkaar haalde.

Zuster Juliette had een verrassing voor hen toen ze hen opwachtte onder de overdekte galerij. Ze waren teruggekeerd naar Mumbai om het vliegtuig naar Barcelona te nemen en waren nog langs het klooster gegaan om afscheid te nemen. Een jonge vrouw in een turkoois, glimmende zijden sari met een lange zwarte vlecht tot haar taille, zat aan een tafel, waar alleen een vaas met bloemen uit de tuin op stond. Bij het zien van Sita met haar ouders en zuster Juliette stond ze verlegen op. Ja, zij was het. Sita herkende haar onmiddellijk.

'Sundari?'

Zonder goed te weten wat ze moest zeggen, stond Sundari

op uit de stoel en glimlachte. Ze had hetzelfde gezicht als op de foto die zuster Valentina haar jaren geleden had opgestuurd, maar ouder. Met haar elegante sari en de sieraden (braceletten, oorbellen, een knopje in haar neusvleugel en gouden kettingen) leek ze een mevrouw naast Sita die eruitzag als een typische Europese toeriste van twintig jaar. Sita sprak geen woord Marathi meer, dat had ze uit haar geheugen gewist. En Sundari sprak maar een handjevol woorden Engels. Maar zuster Juliette tolkte. Zuster Urvashi kwam er ook bij zitten, ze was al erg oud en behoorlijk blind, samen met een paar jonge nonnen die Sita niet kende. Sundari was veranderd in wat de meeste Indiase vrouwen worden: echtgenote en fulltime moeder. Zuster Valentina had haar uiterste best gedaan een goede man voor haar te vinden en ze was op haar achttiende getrouwd. Ze had een zoontje van een jaar en dat was een paar dagen lang met een groot feest door de hele familie van haar man gevierd. Sita luisterde naar haar verhaal en voelde zich mijlenver weg. Zij had net haar propedeuse medicijnen gehaald. Haar middelbare school had ze afgerond met een herexamen voor één vak en daarna had ze heel hard moeten werken om te worden toegelaten tot de universiteit. Ze had zich volledig op haar studie gestort. Ze woonde nog thuis bij haar ouders, die haar hielpen met haar studie en haar opdrachten. Toen het laat begon te worden, zei Sundari dat ze thuis op haar wachtten. Haar schoonmoeder had op haar zoontje gepast. Nu omhelsde Sundari Sita wel stevig en keek haar een tijdje indringend aan voor ze met haar vinger over het kleine litteken in Sita's gezicht streek, zonder iets te zeggen.

Nog steeds had Sita geen bericht ontvangen van Mark en ze zat met de handen in het haar. Alle telefoonnummers had ze al gebeld. Ze vond het vreemd dat hij niets van zich liet horen. Ze had besloten geen nieuwsuitzendingen meer te kijken en ze kocht alleen nog kranten, twee of drie per dag. Ze wist niet wat erger was: de beelden of de berichten uit Zuidwest-Azië met allerlei soorten wrede en afschuwelijke details. Wanhopig zocht ze naar een alinea die iets vermeldde over het zuiden van India. De berichtgeving concentreerde zich op Thailand en Indonesië, maar hoe was de situatie in India? Wat was er gebeurd in Tamil Nadu? Het enige wat ze wist, had ze gelezen op internet in vier berichten die ze uit haar hoofd kende. Ze stelde zich die witte stranden voor, verlaten aan het einde van de middag. Dat enorm lange strand met dat fijne, witte zand en die eindeloze zee helemaal alleen voor hen twee. Bij afgaand tij liep Mark tot het punt waar de golven braken, op zoek naar een aangespoelde schat voor haar, terwijl zij vanaf haar plekje naar het landschap keek en observeerde hoe hartstochtelijk hij schelpen en koraal verzamelde. Mark vertelde haar het grote avontuur van zijn vader en over zijn herinneringen aan zijn kindertijd. Als kind had hij met zijn ouders een paar jaar in Ethiopië gewoond, jaren die hem voorgoed hadden gevormd. Zijn vader was paleoantropoloog en maakte deel uit van een paar teams die opgravingen en onderzoek deden in het oosten van het land, toen Donald Johanson de resten van het op dat moment oudste hominide skelet ter wereld ontdekte.

'Het was een vrouwtje van de *Australopithecus afarensis* dat tussen de vijfentwintig en dertig jaar oud was geworden en iets langer dan een meter was. Ik herinner me nog goed dat mijn vader het vertelde. Dat was kort na de vondst. Die 30 november 1974 veranderde alles ingrijpend.'

'Denk je dat je nog in Ethiopië had gewoond als ze haar niet hadden gevonden?'

'Die vraag heeft mijn vader zich altijd gesteld. Ik weet het niet ... Hij blijft erbij dat hij een Texaan is met Noors en Iers bloed, maar dat hij een Ethiopiër van geest is.'

Toen Mark de herinneringen aan zijn jeugd in Addis Abeba ophaalde en terugdacht aan het verhaal van zijn vader, veranderde zijn gezicht. Dat was het enige onderwerp waarbij hij iets kwetsbaars uitstraalde en zijn gevoelige kant liet zien.

'Het was duidelijk dat de resten werden ontdekt dankzij de opgravingen van het team, maar het succes werd volledig toegeschreven aan Donald Johanson zonder dat de andere paleoantropologen erkenning kregen voor hun werk. Mijn vader is daar nooit overheen gekomen en heeft het hem nog steeds niet vergeven.'

'Waarom noemden ze haar Lucy?'

'Toen ze het skelet vonden, werd er een liedje van de Beatles gedraaid op de kleine radio die altijd speelde op de opgraving. "Lucy in the Sky with Diamonds" ...' zong Mark, schuddend met zijn hoofd. 'Vanwege dat nummer besloten ze die versteende botten van meer dan drie miljoen jaar oud Lucy te noemen. De Ethiopiërs noemen haar nog steeds Denekenesh, in het Amhaars betekent dat "je bent geweldig".'

Hand in hand slenterden ze uren langs de kust, tot hun knieën in het water. Af en toe kruiste een heilige koe hun pad, die op zijn dooie gemak over het strand liep, hier en daar stilstaand om naar de zee te kijken, net als zij.

'Soms vraag ik me af waarom ik niet in mijn vaders voetsporen ben getreden. Waarschijnlijk omdat ik mijn eigen weg wilde volgen, anders wilde zijn dan hij ...'

'En omdat je medicijnen wilde studeren, toch?'

'Ja, dat vond ik interessant. Maar nu denk ik dat ik misschien een vergissing heb gemaakt door niet zijn werk voort te zetten en me niet te laten besmetten met zijn passie voor Ethiopië. Hij heeft het nooit kunnen verwerken dat ze hem het land hebben uitgezet dat hem zo fascineerde. Hij heeft zeer interessante boeken geschreven over de expedities waaraan hij heeft meegewerkt, en hij doet nog steeds onderzoek naar de gevolgen van de concurrentiestrijd tussen de verschillende teams paleoantropologen van over de hele wereld, over "de bottenhandel" zoals hij het noemt ...'

'De bottenhandel?'

'Een handel zoals elke andere handel. Een openlijke oorlog tussen de ploegen. Er zijn nu nog Ethiopische paleoantropologen die het onbegrijpelijk vinden dat mijn vader het land is uitgezet na al zijn onderzoeken en ontdekkingen.'

Ze hadden een kamer genomen in een klein hotel in een buitenwijk van Pondicherry bij een vrouw die afstamde van Fransen die deze streek hadden gekoloniseerd. Vanuit hun kamer, die een balkon met twee schommelstoelen had, kon je de zee zien.

Nu kon ze 's nachts de slaap moeilijk vatten. Ze droomde dat die rustige zee opeens door het raam naar binnen kwam en haar met bed en al meesleurde, en dan schrok ze wakker. Ze was de hele dag van slag en bang voor haar nachtmerries.

Oud en Nieuw bracht ze door bij haar ouders. Ze tafelden uitgebreid en klokslag twaalf uur aten ze de traditionele twaalf druiven. Daarna gingen haar ouders naar een feest bij vrienden thuis, en hoe ze ook hadden aangedrongen dat ze mee moest gaan – het zou een leuk feest worden met mensen van allerlei leeftijden, muziek en dansen – zij bleef liever thuis naar een oude film uit hun verzameling kijken. *Marnie* was een van haar moeders lievelingsfilms. Ze had hem opgenomen van de televisie, met reclamespotjes van vijftien jaar geleden, omdat ze niet op tijd de pauzeknop had ingedrukt. Sita was blij dat ze in het gezellige, warme huis van haar ouders was gebleven met Tippi Hedren en Hitchcock. Ze had nergens zin in.

Haar laatste patiëntjes, een jongetje met keelontsteking, een typisch winterkwaaltje, was net weg. Ze trok haar doktersjas uit, sloot de computer af en besloot in de wijk El Raval een videotheek te zoeken die een dvd van die Indiase actrice had. Ze sleepte zich nu al dagen lusteloos van haar huis naar het consultatiebureau in de Calle Rosselló, en terug, en maakte alleen een stop bij een supermarkt of een Chinees restaurant op de hoek. De eigenaresse van het eettentje was een kleine, goedlachse Chinese die haar elke keer weer vertelde dat ze haar gewoonte uit Shanghai om te fietsen eindelijk had opgepakt. Hoewel het geen afhaalrestaurant was, gaf ze haar een nasi goreng met kip mee die Sita niet eens voor de helft opat.

De januarikou had haar gezicht bevroren. Ze parkeerde haar scooter in de Calle Pelai, vlak bij de Ramblas, deed haar helm af en liep naar de boekhandel La Central. Ze liep hier graag naar binnen, via de hoofdingang in de Calle Elisabets. Het was haar privétempel. Dat had overigens niets te maken met het feit dat de boekhandel gebouwd was in een kerk uit de elfde eeuw. Ze liep tussen de boekenkasten, vluchtig kijkend naar de boeken op de toonbanken. Ze keek, maar nam niets waar, ze zag de letters van de titels wel, maar las ze niet. Haar lusteloosheid voerde haar naar het café achterin. Een koffie zou haar goed doen. Ze voelde zich niet lekker. Angst is misselijkmakend. Ze was te sloom om op zoek te gaan naar een film met die Indiase actrice uit de brief die ze nog steeds niet had beantwoord. Als de situatie anders was geweest, had ze het grappig gevonden en had ze nieuwsgierig meteen een e-mail gestuurd. Maar nu liet het haar onverschillig. Het enige waar ze nu nog aan kon denken, was het vliegtuig pakken naar India. Ze had zelfs gekeken hoeveel geld ze op haar bankrekening had staan. Niet veel. Maar niemand was van haar afhankelijk en het kon haar niet schelen. Ze had geen schulden, haar flat was afbetaald en ze was in overheidsdienst. Ze vermande zich en liep de zaak uit door de dezelfde ingang aan de Calle Elisabets. Ze doorkruiste de smalle stegen in de richting van de Calle Sant Pau, waar een Indiase videotheek annex telefoonwinkel zou zijn die veel films had. Ze was al weken niet meer in de wijk El Raval geweest en het kostte haar moeite de winkel te vinden. Op straat liepen bijna alleen toeristen, meer verdwaald dan zij, maar met een kaart. In een klein park naast de Calle del Carme waren een paar jongens die Filipijns leken, aan het tafeltennissen onder een boom. Ze moesten vast erg turen om de bal te kunnen zien want het was al donker en de straatlantaarns gaven weinig licht. Ze liep langs een bazaar met tweedehands-artikelen. Vooral schoenen, brillen, radio's en wekkers. Alsof het een overdekte markt was in de Sahara, in een hoekje van een stad. De marktkooplui, allemaal mannen, verzamelden hun koopwaar die lag uitgestald op kleden. In een supermarkt met Afrikaanse, Aziatische en Caribische producten vroeg ze tevergeefs de weg. Nadat ze het opnieuw had geprobeerd in een kapperszaak met een lichtreclame in Urdu en Arabisch die New Fashion heette en vol mannen met een duistere blik zat, vond ze het tentje. Het was meer een telefoonwinkel dan een videotheek. Toen ze binnenliep, hielden de aanwezige mannen op met praten en keken allemaal in haar richting. Ze zag geen andere vrouwen, behalve dan die op de posters aan de muur. De mannen waren allemaal van verschillende leeftijden, maar vast ouder dan ze leken, en ze zaten op plastic stoeltjes naast elkaar, alsof ze ergens op wachtten. Achter een toonbank stond een jongen in westerse kleding, een spijkerbroek met een donkerblauwe coltrui. De bovenkant van de toonbank was van glas waaronder videohoezen keurig gerangschikt lagen. Links stonden kasten tegen de muur, vol video's en dvd's, en daarnaast glazen kasten met cd's met Indiase muziek. Meer naar achteren stond nog een kleine balie, zo eentje die je vroeger zag in een receptie van een dokterspraktijk. Erachter zat een donkere man. Boven hem hingen vier klokken met enorme cijfers die verschillende tijden aangaven, elk met een lichtreclame: Lahore, Quito, Bogotá, Santo Domingo. Op een verzameling lijstjes aan de muur stonden de tarieven voor telefoongesprekken naar Ecuador, Pakistan, Colombia, Roemenië, Marokko, Dominicaanse Republiek, Senegal, Argentinië ...

'Hebben jullie een film met een actrice die Muna Kulkarni heet?' vroeg ze de jongen achter de toonbank die haar observeerde.

'Of we er eentje hebben? We hebben ze allemaal!' antwoordde hij lachend in correct Spaans, maar met een vet accent. De mannen die bij elkaar zaten alsof ze aan het vergaderen waren, schoten ook in de lach. Uit een van de telefooncabines achter in de zaak kwam een jonge Afrikaan naar buiten. Hij haalde zijn portemonnee uit zijn broekzak, rekende het telefoontje af en liep daarna de zaak uit, zwaaiend naar de mannen bij de ingang.

'Welke film met Muna Kulkarni zou jij kiezen?'

Hij liep naar de kast en pakte een dvd zonder aarzelen.

'Deze. Het gaat over een man die verliefd wordt op een vrouw ... Het is moeilijk uit te leggen, maar hij is heel goed.

'En in welke taal is hij?'

'In Hindi met Engelse ondertiteling. Vijf euro.'

'Wanneer moet ik hem terugbrengen?'

'Terugbrengen? We verkopen hier alleen maar. Vijf euro per film en drie voor negen euro.'

'Zijn het illegale kopieën?'

'Illegaal? Welnee. We hebben hier alleen maar originelen.

Kijk, dit is Muna Kulkarni', zei de jongen, wijzend op een van de vrouwen op de hoes. 'En dat is zij ook', en hij wees naar een poster op de muur.

Sita keek aandachtig naar de foto's van de vrouw. Een prachtige vrouw met lang, zwart haar, soms opgestoken en soms los. Ze had een bijzondere blik.'

'Goed, ik neem deze.'

'Wil je er maar een? We hebben ze allemaal!'

'Voorlopig heb ik genoeg aan een. Dank je.'

'Wacht. Heb je deze gezien?' vroeg hij met een andere dvd in zijn hand.

'*Mughal-e-Azam*, de grootste Indiase film aller tijden', las Sita hardop.

'Dat is de beste Indiase film, een klassieker, zoals *Gone with the Wind*. Ik geloof dat hij vroeger in zwart-wit was en dat hij nu in kleur is, maar dat weet ik niet zeker.'

'Denk je dat ik die moet zien?'

'Dat is de belangrijkste film die we hebben. En hij kost ook maar vijf euro.'

'Ik weet het niet ...'

En terwijl Sita de tekst op de achterkant van de dvd las, haalde de jongen er nog een uit de toonbank tevoorschijn.

'En *Lagaan*?'

'De wat?'

'*Lagaan*! In 2002 kreeg hij een Oscarnominatie voor beste buitenlandse film, maar heeft die niet gewonnen.'

Sita bleef hem aankijken zonder iets te zeggen. Met een verdrietig en vermoeid gezicht. Ze voelde zich draaierig.

'Als je ze nu niet wilt kopen, kun je een andere dag terugkomen. We hebben ze altijd op voorraad. Hé, voel je je niet lekker?'

Toen Sita haar ogen opendeed, lag ze op de grond, midden in de telefoon annex videozaak, en zeven mannen met donkere ogen keken ernstig naar haar. De jongen zat op zijn knieën naast haar, haar koelte toewuivend met een krant en een blikje cola in zijn andere hand.

'Gaat het een beetje? Hoor je me?'

Sita knikte.

'Wat is er gebeurd?'

'Niets. Je bent gevallen. Je was even weg. Ik weet niet hoe dat heet ...'

'Een syncope.'

'Een wat?'

'Het is niets ... Dank je. Mag ik een slokje Coca-Cola?' vroeg ze hem. Ze probeerde rechtop te gaan zitten zodat ze uit het koude blikje kon drinken. Ze zag dat vier van de mannen, de oudste, met hun donkere, gerimpelde huid, gekleed in een gekleurde kurta die onder hun trui of anorak uit kwam, nog steeds op de witte plastic stoelen bij de ingang zaten, naast de kasten met glazen deuren waarin de cd's werden bewaard. Ze staarden naar haar met een gezicht dat ze vast ook trokken als ze naar een film keken die ze niet begrepen.

'Het spijt me. Echt.'

'Geeft niet. Nu hebben ze eens wat te vertellen als ze thuiskomen. Behalve elke dag naar de moskee gaan en hier even zitten, doen ze niet veel anders. Kun je overeind komen?'

'Ja, het gaat wel weer. Het is over, het stelde niks voor. Ik ben een beetje zwak.'

Een van de mannen reikte haar een stoel aan en Sita ging zitten om de cola op te drinken. Ze was gevallen en haar tas hing kruislings voor haar borst, zoals altijd als ze met de scooter was. De Indiase muziek die ze gehoord had toen ze de winkel binnenkwam, klonk nog steeds. Plotseling besefte ze verbaasd dat ze in Barcelona was. Ze had het gevoel dat ze ver weg was, mijlenver.

'Waar komen jullie vandaan?'

'We komen allemaal uit Pakistan, uit Punjab, vlak bij Lahore. Weet je waar dat ligt?'

'Ja, natuurlijk weet ik dat.'

'Nou zo natuurlijk is dat niet. Heel veel Barcelonezen weten niet waar Lahore ligt.'

'Wonen jullie allang in Barcelona?'

'Ik al bijna vijf jaar. Hij', wees hij naar de man van de telefooncabines die weer achter de kleine balie van witte formica had plaatsgenomen, 'was hier als eerste. Hij is hier elf jaar geleden komen wonen, in 1993, net als zijn neef, de eigenaar van die *halal*• slager op het Sant Agustí plein hierachter.'

Sita dronk het blikje leeg, stopte de twee films in haar tas, haalde een briefje van tien euro tevoorschijn, pakte haar helm en nam afscheid.

'Ik heet Hassan. Als je meer films wilt, weet je waar je moet zijn.'

Brahma, Vishnu en Shiva zijn de drie belangrijkste goden van het hindoeïsme en als drie-eenheid worden ze Omm genoemd. Omm is de klank van de universele kracht, de goddelijke kracht. Wilde ze misschien daarom in het Omm-hotel afspreken? Of omdat het het hipste hotel van dat moment was, het coolste, het meest trendy ingerichte? In tegenstelling tot veel mensen had zij er nog nooit iets gedronken. Sita voelde zich niet cool en wist weinig van de chill-outmuziek die in moderne bars werd gedraaid: zij luisterde het liefst naar liedjes van Leonard Cohen. In ieder geval hield ze zich verre van het overal overheersende design. Ze ging niet graag uit 's avonds, ze voelde zich niet op haar gemak in de bars. Ze zat liever rustig overdag in een buurtcafé, bij het raam van bar Martínez of bar Montseny op een anonieme hoek in Barcelona, dan in zo'n tent die voor je het wist verdwenen was. Familiecafés met aan de muur een oude spiegel van de Cacaolatreclame en met tafeltjes die de eigenaars zo'n dertig jaar geleden hadden gekocht toen ze de zaak openden. Ze had opnieuw de brief gelezen en zat voor haar computerscherm zonder goed te weten wat ze moest schrijven. 'Een dringende kwestie in verband met de Indiase actrice Muna Kulkarni', had die Nighat Nawaz geschreven.

Ze stuurde een korte e-mail en kreeg bijna onmiddellijk antwoord terug, juist toen ze haar computer wilde afsluiten. Sommige mensen leken te zijn vastgeplakt aan hun elektronische postvakje. Zoals ze vast wel zou weten was Muna Kulkarni een bekende actrice en ze wilde de zaken goed regelen. Ze kon haar niets verzekeren voor ze elkaar in levenden lijve hadden gezien, maar ze kon alvast verklappen dat er genoeg bewijzen waren die aantoonden dat ze familie van elkaar waren.

Sita wilde dit nieuws niet in haar eentje verwerken en belde meteen haar ouders.

Twee weken na de tragedie van de tsunami belde Mark Sita eindelijk op om haar te vertellen dat het goed met hem ging en dat hij had besloten te blijven om te helpen. Veel gewonden hadden verzorging nodig, er moesten lijken worden geïdentificeerd en lichamen gefotografeerd. Hun crematie kon niet langer worden uitgesteld. De foto's moesten snel worden ontwikkeld en gerangschikt zodat ze ten minste door familieleden konden worden geïdentificeerd, al was het maar aan de hand van een kleine afdruk ... Hij moest mensen helpen en troosten, mensen die alles hadden verloren en getraumatiseerd waren ... Hij had het gevoel dat hij niet kon weggaan en doen alsof er niets was gebeurd. Hoewel dit niet het rampgebied was waar de meeste gewonden en doden waren gevallen en waar nog steeds veel mensen werden vermist, was hij niet de enige buitenlander in Pondicherry of Karaikal die was gebleven als vrijwilliger zonder deel uit te maken van een niet-gouvernementele organisatie. Hij bleef voor onbepaalde tijd, ook al raakte hij daardoor zijn baan kwijt.

'Hij leeft. Je zou blij moeten zijn!' bleef Judith maar herhalen.

'Ja, ik ben ook blij, maar zoiets had ik niet verwacht. Ik weet het niet. Ik vind het onbegrijpelijk dat hij mij zo lang in onwetendheid heeft gelaten terwijl we samen zo'n fijne tijd hebben gehad. Hij heeft er gewoon niet bij stilgestaan hoe erg ik daaronder leed ...'

'Maar dat heeft hij toch uitgelegd! Hij heeft de tsunami overleefd en zo veel vernietiging om zich heen gezien. Dat is een traumatische ervaring. Dagen en nachten heeft hij geholpen mensen uit het puin te redden, wonden te genezen, zonder ergens anders aan te denken. Je zegt dat je hem kent, maar dan kun je toch wel begrijpen dat hij daar is gebleven?'

'Waarschijnlijk moet ik dat kunnen begrijpen. Maar stel je voor. Alle mannen die ik ontmoet, hebben altijd iets wat ze belangrijker vinden dan mij ... Ik dacht dat Mark anders was. Maar hij wordt overvallen door een natuurramp en in plaats van mij op te zoeken en te vieren dat hij het heeft overleefd, denkt hij alleen aan daar blijven ...'

'Jij zou precies hetzelfde hebben gedaan, Sita!'

'Nee, volgens mij niet. Maar dat doet er niet toe. Het is mijn eigen schuld. Ik weet niet hoe ik hem aan me moet binden. Ik ben niet in staat een langdurige relatie met mannen aan te gaan ...'

'Wat klets je nou toch over schuld? Wat ben jij een zeur!'

Sita en Judith waren in een van de behandelkamers van de praktijk. De muren hingen vol kindertekeningen en foto's van hun patiënten. Judith zat op haar stoel en tegenover haar zat Sita, alsof ze een moeder was die vertelde wat voor symptomen haar zieke kind vertoonde. Haar collega wist niet meer wat ze moest zeggen.

Het was donderdagavond en de volgende dag moest iedereen gewoon werken, maar in die wijk liepen veel mensen cafés in en uit. Sita parkeerde haar scooter in de Calle Muntaner, vlak bij de ingang van de club Underground. Het was de eerste keer dat ze er kwam. Ze had er onlangs over gelezen in een krantenartikel. Elke laatste donderdag van de maand draaiden ze muziek uit Bollywoodfilms en werd er tot in de vroege uurtjes vrolijk op gedanst. Met haar handschoenen nog aan bleef ze even in de ingang staan, kijkend naar de dansvloer en het soort mensen dat er naar binnen ging. Het leken allemaal aardige mensen. De sfeer leek niet op die van de paar discotheken waar ze weleens was geweest. Het publiek was jong, of misschien toch niet zo jong, en stond lachend te dansen op de dansvloer, hun armen opgeheven naar de schijnwerpers die gekleurd licht gaven. Ze bewogen zich zoals ze de danseressen in de films had zien dansen, met een aanstekelijke vrolijkheid. Mensen van haar leeftijd. De meesten waren ouder dan dertig, misschien zelfs veertig ... Waren dat jongelui? In een westerse stad in de eenentwintigste eeuw, duurde de jeugd eeuwig. Met twintig, dertig, veertig, vijftig, zestig, zeventig jaar ... iedereen kon nog jong zijn en een jong leven leiden. Sommige vrouwen droegen een rood plakkertje, een *bindi*•, op hun voorhoofd en veel gekleurde, glazen armbanden om hun pols.

'Hallo. Dj Kabir is de beste, hè?'

Ze herkende de sympathieke lach, die een rij hagelwitte tanden liet zien in een bruin gezicht, niet meteen.

'Herken je me niet? Ik ben Hassan. Wij hebben alle Indiase films die je zoekt.'

‘Hallo. Hoe gaat het?’

‘Dat wilde ik net aan jou vragen. Ben je weer beter? In de wijk hebben ze het er nog steeds over dat je viel. Hoe heette dat ook alweer?’

‘Een syncope.’

‘O ja, syncope. Ik moet het opschrijven.’

De muziek stond hard en ze moesten schreeuwen om elkaar te verstaan. Sita had haar handschoenen in de zakken van haar jas gestopt die ze nog aanhad.

‘Kom je net binnen of ging je weg?’

‘Ik weet het eigenlijk niet zo goed. Ik geloof dat ik er net ben. Ik ben hier voor het eerst. Ik wilde zien wat het was ...’

‘Wat wat was?’

‘Die muziek uit Bollywood.’

‘Nou je ziet het. Je hoeft alleen maar de dansvloer op en je te laten meeslepen door de muziek.’

‘Jemig. Ik geloof dat ik liever eerst even kijk. Ik ben nou niet bepaald een ster in dansen.’

‘Maar op deze muziek gaat het vanzelf. Je moet alleen het ritme aanvoelen en jezelf laten gaan. Deze muziek is geschikt voor iedereen en iedereen danst zoals hij wil.’

‘Oké, oké, maar ik wil eerst nog even kijken.’

‘Wil je iets drinken? Ik trakteer. Een cola voor het geval je weer een syn... een syncope krijgt.’

Voor Sita hem kon antwoorden, stond Hassan al bij de bar de drankjes te bestellen. Als die Underground iets had, dan was het wel een publiek met een aanstekelijk goed humeur. Iedereen straalde van vreugde.

‘Alsjeblieft. Een cola voor het geval dat, en eentje voor mij, voor als we versterking nodig hebben. Kom je hier vaker?’

Hassan en Sita gingen met hun glazen aan een tafeltje zitten ver verwijderd van de dansvloer en de schijnwerpers die de non-stop dansende menigte volgden.

'En hoe heet je?'

'Sita.'

'Sita? Hoe kom je aan die naam?'

'Ik ben in India geboren en woon hier sinds mijn ouders me hebben geadopteerd. Ik kwam op mijn zevende naar Barcelona en ik kan je verzekeren dat ik hier hoor. Catalaanser dan ik kun je niet zijn.'

Ze vatte heel ongedwongen haar verhaal samen en Hassan luisterde naar haar zonder ook maar iets in twijfel te trekken. Misschien was het voor het eerst dat iemand haar meteen geloofde en haar verhaal aanhoorde alsof het de gewoonste zaak van de wereld was.

'Ik heb neven in Mumbai, in de wijk Madanpuran. Een halve eeuw na de splitsing wonen er meer moslims in India dan in Pakistan.'

'Ben je hier alleen gekomen?'

'Nee, met een vriend ... Zie je die jongen die zo raar danst, alsof hij aan één stuk door gloeilampen aan het losschroeven is?'

Sita keek naar de dansvloer en barstte in lachen uit. In dagen had ze niet zo gelachen.

'En jij. Hoe ben jij in Barcelona terechtgekomen?'

'In Lahore was er geen toekomst voor mij. Ik wist niet wat ik daar moest doen om vooruit te komen ... Mijn beste vriend Khalid, de jongen die zo fanatiek danst, en andere kennissen belden me vanuit Barcelona op ... Khalids broer is de eigenaar van de telefoonwinkel waar ik werk. Die heeft hij samen met drie anderen uit Lahore geopend nadat ze al hun spaargeld bij elkaar hadden gelegd. In het begin heeft hij ook nog gasflessen langs de huizen gebracht, maar daar moest hij mee stoppen vanwege zijn rug.'

'Dat is vast zwaar werk.'

‘Vooral als je nog nooit fysieke arbeid hebt gedaan. We zijn echte stedelingen. Khalid en ik kwamen op het idee een deel van de winkel in te richten als videotheek met Indiase films. We kregen de kans het te proberen en we mogen niet klagen. Ik weet niet of het mazzel is of dat er gewoon steeds meer belangstelling is voor de Indiase cinema, maar allerlei soorten mensen komen dvd’s kopen.’

Khalid zwaaide uitbundig vanaf de dansvloer, omringd door meisjes die hun armen ophieven naar de lichten in het plafond.

‘En was je meteen gewend aan de stad?’

‘Mijn god, nee. Voor een Pakistaan is jullie manier van leven net zo vreemd als een cricketwedstrijd voor jullie. In het begin begreep ik er niets van. Niet alleen vanwege de taal, of eigenlijk de twee talen die jullie hier spreken, maar vanwege de vrijheid op straat, de respectvolle manier waarop de politie de mensen behandelt. In mijn land is dat wel anders ... Waar ik ook van onder de indruk was, was dat hier de bazen even hard werken als hun werknemers, dat de mensen uit liefde trouwen ...’

‘Dat proberen we tenminste.’

‘En de eerste keer dat ik naar het strand van Barceloneta ging. Mijn mond viel open van verbazing. Al die lichamen bijna naakt op het strand ... Als mijn moeder dat had gezien, had ze een hartaanval gekregen.’

Hassan liet voortdurend een aanstekelijke, klaterende lach horen en het was onmogelijk om niet mee te lachen.

‘Het indrukwekkendst van jullie manier van leven is jullie vrijheid. Het is niet makkelijk om van de ene dag op de andere dag ook zo vrij te leven!’

‘Daar heb ik nooit over nagedacht. Ik dacht eerder dat jullie moeite hadden om je aan te passen aan de strikte normen van hier ...’

'Zeg je dat vanwege de gebeurtenissen in El Raval? Het punt is dat Pakistanen en veel mensen uit andere landen die in deze wijk komen wonen, niet gewend zijn in flats te wonen. Wij wonen in huizen. Voor we beseffen dat de muren heel dun zijn en we de buren overlast bezorgen, hebben ze al geklaagd. En dat geldt ook voor de Senegalezen en Dominicanen. Ze moeten leren hun muziek zachter te zetten. En kinderen uit de Filipijnen, Marokko of Pakistan zijn niet gewend opgesloten in huizen te zitten. Ze hebben altijd veel op straat gespeeld en dat gaat hier niet vanwege het drukke verkeer. Aanpassen is moeilijk. We hebben heel andere gewoonten en niemand haalt ons op het vliegveld af met een handleiding!'

'Wil je niet terug naar Pakistan?'

'Op dit moment niet. Hier kun je beter leven, hoewel het niet het paradijs is dat velen denken te vinden als ze het vliegtuig uitstappen. Hier heb je toekomstmogelijkheden. Ik heb heel veel plannen. Ik ben gek op cinema, na cricket is dat wat mij het meeste boeit. Ik droom van de beste videotheek met Aziatische films in Barcelona. Een videotheek met een gerieflijke zaal waar mensen films kunnen kijken.'

Met elk nieuw nummer zweepte dj Kabir het publiek meer op. Het was een uitbarsting van vreugde. Met zijn armen in de lucht, aan één stuk door dansend en lachend, gebaarde Khalid zijn vriend ook te komen swingen. Maar Hassan maakte duidelijk dat hij later zou komen.

'Zeg, wat weet jij van Muna Kulkarni?'

'O, vond je de films leuk? Zie je wel, ik had het gezegd!'

'Ja, maar wat weet je van haar als mens?'

'Als mens zeg je? Dacht je soms dat ik haar kende? Ik heb geen flauw idee. Ik ken alleen haar films en nog wat dingetjes. Waarom vraag je dat?'

'O, gewoon. Zomaar.'

'En dat moet ik geloven? Wat wil je weten over Kulkarni? Ben je journalist of zo?'

'Nee, kinderarts.'

'Met een liefde voor films.'

'Ja, ik ga graag naar de bioscoop. Als het kan alleen.'

'Wat zijn jullie toch een rare vogels. Die manie om alles het liefst alleen te willen doen. "Dat is makkelijker. Praktisch." Wie begrijpt dat nou? Iedereen leeft in zijn eigen wereldje en daarmee uit. Buren bij mij op de trap hoeven niet eens te weten hoe de andere buren heten. Dat is toch niet normaal?'

Hassan schreeuwde harder alsof het volume van de muziek nog harder stond en hij gebaarde overdreven.

'Zal ik je een geheim vertellen?'

Hassan klokte in één keer zijn cola leeg en knikte.

'Ik heb morgen een afspraak met iemand die door Muna Kulkarni is gestuurd.'

'Wat? Waarom?'

'Ze willen me leren kennen', zei Sita geamuseerd.

'Maar waarom? Je bent kinderarts.'

'Als ik haar gesproken heb, leg ik alles uit. Misschien zijn we familie.'

Hassan stond met zijn mond vol tanden en zijn ogen glinsterden. Ze kende hem helemaal niet, maar ze had het gevoel dat ze de medeplichtige broer die ze nooit had gehad, had gevonden. Het kon haar niet schelen dat ze maar heel weinig wist van de Pakistaanse jongen die zo zijn best deed westers te lijken en er nog in slaagde ook.

'Wat zeg je? Is dat een grap?'

'Nee, ik geloof van niet. Ik leg het je nog uit. Het is laat en morgen moet ik vroeg op. Jij niet?'

'Dat ga je me zeker uitleggen. Morgen is het vrijdag en dan ben ik vrij. Dat is de dag dat ik naar de moskee ga. We zijn moslims, hè? Daarna heb ik een trainingswedstrijd cricket.

Zaterdag hebben we een echte wedstrijd op het veld van Sant Adrià de Besòs ...'

'Cricket in Barcelona? Dat is grappig. En waar trainen jullie?'

'In het park van de Tres Xemeneies, in Poble Sec ...'

'Geen idee waar dat is ...'

'Waar woon jij? Zeg, ik geef je het nummer van mijn mobiel. Als je gesproken hebt met die vertegenwoordiger van Muna Kulkarni, bel je me en vertel je me alles. Beloof je dat?'

'Afgesproken. Dat doe ik.'

Hassan schreef zijn nummer op een bierviltje van de Underground.

'Ik heb nog nooit een cricketwedstrijd gezien.'

'Je kunt niet dansen, je hebt nog nooit een cricketwedstrijd gezien ... Ben jij echt Indiaas?' vroeg Hassan, met zijn hoofd schuddend en lachend. 'Soms spelen we een potje op een bouwterrein achter de Rambla van El Raval met een tennisbal met isolatietape. Maar als we echt willen spelen, is het beste veld dat van Sant Adrià. Met een echte leren bal, zo'n snelle!'

'Misschien bel ik je een keer om te komen kijken.'

'Maar daarvoor moet je me uitleggen hoe dat zit met Muna Kulkarni, oké? Niet vergeten!'

Sita reed terug op haar scooter. Ze voelde de koude wind op haar gezicht en in haar hoofd klonken de vrolijke ritmes van de muziek uit Bollywood nog door.

Om zeven uur 's avonds die vrijdag waren bijna alle banken in warme tinten bij de ingang van het Ommhotel bezet. Ze hoorde allerlei verschillende soorten talen onder de enorme bolvormige lampen aan het plafond. Ze keek snel rond in die modern vormgegeven ruimte zonder dat iemand haar aandacht trok en besloot naar de rode balie van de receptie te lopen.

'Nighat Nawaz? Een moment, alstublieft,' zei een van de jongens in een zwart uniform en pakte een telefoon.

Ze keek naar een sculptuur van metalen emmers voor de kristallen deur die automatisch open- en dichtging als er iemand naar buiten of naar binnen ging. Waar zouden ze van zijn gemaakt?

'Sita? Ik ben Nighat Nawaz', zei de vrouw in het Engels en ze stak Sita haar hand toe nadat ze de lift was uitgekomen en de receptionist haar had aangewezen. 'Laten we een plekje zoeken waar we kunnen zitten. Het lijkt vol, maar er is altijd wel een bank vrij!'

Addis Abeba, 2005

De straat ging steil omhoog en het regende. Met een hand in zijn jaszak en met de andere een opgestoken paraplu boven zich houdend, liep Solomon zo snel hij kon. Hij ontweek plassen en ging opzij voor auto's om te voorkomen dat hij zou worden nat gespat. Een stel jongetjes speelde blootsvoets op straat in de plassen met modder. Twee vrouwen zaten op een stuk zeil op de grond, beschermd tegen de regen onder een grote, kleurige paraplu, bij een klein kraampje met uien en aardappels. Algeria Street. Hij had moeite met de nieuwe straatnamen. Vooral om ze te onthouden. Ze bestonden nog niet zo lang en niemand gebruikte ze. Je las ze alleen op de bordjes. Als je de weg vroeg of als iemand zijn adres gaf, zei men 'de straat tegenover de kathedraal', 'drie straten voorbij Meskal Square' of 'naast het bord van Ethiopian Airlines'. Aan het begin van die steile straat stond een rij paraplu's in allerlei soorten en maten bij een ijzeren, groen geverfde omheining en een bord waarop stond dat het verboden was foto's te maken. De rij mensen stond te wachten bij de ambassade van de Verenigde Staten, sinds lange tijd een dagelijks terugkerend verschijnsel. De meesten waren mannen, maar er stonden ook vrouwen tussen, vooral jonge.

Er viel een gestage motregen. Sinds hij de auto had verkocht, draaide elke activiteit in de stad uit op een excursie. Hij vond het fijn om te wandelen, als kind had hij altijd veel gelopen. Hij nam alleen een taxi of een minibusje als hij ergens te laat dreigde te komen. Zijn leven zou binnenkort veranderen en niets kon hem nog echt schelen. Hij hoopte op een ommekeer, hij had deze definitieve, laatste verandering nodig. Het getoeter van auto's, motoren en vrachtwagens vermengde zich met de monotone en aanhoudende preek die klonk uit de speakers van een kerk vlakbij. Hij kon zich al niet meer voorstellen hoe het was om in een stad te leven waar je niet op elk tijdstip van de dag de preken van orthodoxe kapelaans hoorde. Niemand begreep er iets van, omdat ze werden verkondigd in het Ge'ez, het klassieke Ethiopisch dat al sinds de twaalfde eeuw niet meer werd gesproken en alleen nog als liturgische taal in de kerk werd gebruikt. Toen hij bij de rij voor de Amerikaanse ambassade kwam, vouwde iedereen zijn paraplu in. Het leek eindelijk op te houden met regenen. Hij klapte hem ook in en liep door, verder de straat omhoog. Er stonden veel gewapende mannen. Aan de voet van de straat en in een aantal wachttorens. Hij observeerde de gezichten van de wachtenden, fantaserend over de beweegredenen van die mensen om Ethiopië te willen verlaten. Of beter gezegd om naar de Verenigde Staten te vertrekken, een van de landen waar veel Ethiopiërs woonden. Terwijl hij doorliep, vroeg hij zich af wat er zou gebeuren als iedereen vertrok. Hij moest blijven. Hij moest iets doen voor het land zodat er welvaart zou komen. Zodat op een dag de democratie niet meer een wassen neus was, er water en voedsel voor iedereen zou zijn en de gemiddelde levensverwachting van de Ethiopiërs de zesenveertig jaar zou overschrijden ... Yeshi had zelfs dat niet eens gehaald. Elke keer als hij eraan dacht dat hij weduwnaar was, dat Yeshi dood was, dat hij eenzamer was dan ooit, moest hij zich dwingen verder te gaan. Woedend kneep hij in de opgerolde paraplu en liep verder omhoog. Hij was de rij bij de Amerikaanse ambassade en het zwaarbewaakte gebouw al ruim gepasseerd. Achtendertig jaar was hij, weduwnaar en wees. Reden genoeg om je eenzaam te voelen. Zijn zussen woonden ver weg. Maskarem was maar een keer teruggekomen, tijdens een rondreis van twee weken, waarin ze Ethiopië had laten zien aan haar Engelse man, die liever een Afrikadeskundige wilde zijn zonder dat hij zijn twee-onder-eenkapwoning in de buitenwijken van Londen verliet. Aster was getrouwd met een docent die ze had leren kennen in de bibliotheek, kort nadat Solomon naar Cuba was vertrokken. Ze was verhuisd naar Awasa, de universiteitsstad ten zuiden van Addis Abeba. Ze had twee kinderen, net als Maskarem. Hadden Yeshi en hij maar kinderen gehad ... Maar ze hadden ze niet kunnen krijgen, daar had haar ziekte een stokje voor gestoken. In Ethiopië was er een tekort aan artsen, medicijnen en ziekenhuizen. Wat zou er gebeuren als uiteindelijk alle goede artsen naar andere landen vertrokken? Niet veel anders dan wat er nu al gebeurde. Zieke mensen gingen dood, de een na de ander, zonder dat een dokter ze had onderzocht, zonder dat iemand iets voor ze had kunnen doen. Hij had er goed aangedaan om bij de familie van Sintayehu langs te gaan en afscheid te nemen. Zijn vader was ook omgekomen in de oorlog tegen Somalië. Op zijn wandelingen door de stad wipte hij bij zijn kennissen aan als hij in de buurt was om gedag te zeggen. In de verte zag hij het hek al. De weg, die ooit was geasfalteerd, was niet meer steil en hij naderde de twee bewakers van de Spaanse ambassade. Alleen grote wegen en een op de tien straten in Addis Abeba waren met asfalt bedekt, maar van veel straten was het wegdek zo slecht dat je het asfalt niet meer zag. In de poort stonden alleen die twee mannen in hun beige uniform. Het contrast met de drukte bij de Amerikaanse ambassade was verbazingwekkend. De bewakers kenden hem al van de vorige drie keer dat hij er was geweest. Met een beetje geluk was dit de laatste keer. Hij liet zijn papieren zien en ze openden het hek om hem toegang te verlenen. De weg met kiezelstenen liep door een goed verzorgde tuin, omringd door hoge eucalyptusbomen. Hier waande je je in een andere wereld. De verschillende schakeringen groen van de planten, de struiken in rode tinten langs het pad, het goed onderhouden gazon, de wilgen, de palmbomen en de stilte. Je kon er de vogels horen fluiten. Rechts van het pad stonden vijf blauwe taxi's geparkeerd naast andere auto's van ambassadewerknemers. De taxichauffeurs stonden iets verderop te praten en te roken. Het verbaasde hem dat er zo veel taxi's waren. De vorige keren had er geen een gestaan. De rood met gele vlag was doorweekt, opgehesen aan een mast op een zichtbare plek in de tuin, naast een moderne bronzen buste van een koning, in een bloeiend bloembed. Het idee dat er nog koningen en koninginnen waren, vond hij grappig. In Ethiopië, een van de oudste koninkrijken ter wereld, behoorden de koningen en keizers tot het verleden. Hij liep het bordes op en voor hij naar binnen ging, zag hij een jongen die hem erg deed denken aan de jongen die hij ooit zelf was geweest. Hij leunde op de trapleuning en keek naar de tuin. Hij zong zachtjes, maar hard genoeg dat Solomon kon horen dat het een liedje over wolven was. De jongen zag hem en hield op met zingen. Hij zag er goedgekleed uit, met kleren in heldere kleuren en nieuwe, witte sportschoenen. Zijn uitdrukking was triest, net als die van hem waarschijnlijk, ook al had hij mooie kleren aan en ging het hem ogenschijnlijk goed. Solomon had behoorlijk lang haar met krullen die veel weg hadden van kurkentrekkers. De jongen daarentegen was bijna kaalgeschoren en je zag zelfs kale plekken.

'Hallo', zei hij zonder die donkere blik te kunnen ontwijken.

De jongen antwoordde niet.

'Hoe heet je?'

De jongen bleef stil, als verlamd. Solomon zag dat zijn blik onrustig was. Hij keek niet gelukkig.

'Biruk', zei hij met een dun stemmetje toen Solomon al bij de deur was.

'En wat doe je hier? Moet je niet naar school?'

Biruk had een plastic pop uit een sciencefictionfilm in zijn handen en begon de pop te betasten. Hij liet hem zien hoe hij met zijn wapen kon schieten zonder antwoord te geven.

'Het ga je goed', zei Solomon en hij gaf de jongen een aai over zijn bol voor hij naar binnen liep.

De ruimte was voller dan ooit. Het viel hem op dat de meeste vrouwen en sommige mannen een baby in hun armen hadden of in een kinderwagen. Een meisje dat net kon lopen, liep lachend rondjes om een laag tafeltje. De donkere huid van de kleine kinderen contrasteerde met de lichte, blanke huid van de volwassenen die zaten te wachten en bijna alle stoelen bezet hielden. Sommigen droegen safarikleding, met korte broeken, laarzen en een camera om hun nek alsof ze verwachtten dat er elk moment een afstammeling van Haile Selassies roofdieren uit een van de kamers kon komen en ze die voorgoed moesten vastleggen. Er waren minstens zes kleine kinderen, twee volwassenen voor elk kind.

'Ik ben Solomon Teferra en kom mijn paspoort met visum ophalen,' zei hij in vloeiend Spaans met een Cubaanse tongval.

'Ja, dat moet alleen nog getekend worden. U moet wachten tot we klaar zijn met die mensen, die vertrekken morgen', zei een vrouw van achter een balie.

'Ik wacht wel zolang. Ik ga hier graag weg met het paspoort in mijn zak.'

Toen hij zich omdraaide, zag hij dat iedereen in de ruimte had meegeluisterd. Een van de baby's huilde en de stelletjes hervatten hun gesprek weer. Hij ging naar buiten. De jongen met het trieste gezicht stond er nog en speelde met het plastic figuurtje, hetzelfde liedje zachtjes zingend. Nu begreep hij wat dat jongetje daar deed en waarom hij niet naar school was. Hij wist dat er elke dag weeskinderen het land verlieten, geadopteerd door ouders van over de hele wereld, zonder dat ze elkaar ooit eerder hadden gezien. Hij had er weleens met Yeshi over gesproken. Aangezien zij geen kinderen konden krijgen, konden ze er misschien een adopteren, net zoals een paar kennissen van hen. Maar toen Yeshi ziek werd, kwam het idee niet meer ter sprake en belandde het op de stapel projecten die ze nooit meer samen zouden realiseren.

Een van de bezoekers uit de wachtkamer kwam naar buiten. Hij was lang en slank, en hij droeg gepaste kleding voor een afspraak in een ambassade van een grote stad om papierwerk te regelen. Zijn kleren waren niet geschikt voor een excursie naar een berg van vierduizend meter hoog. Zouden die farangi's ook in hun eigen steden rondlopen in laarzen met korte broeken?

'Hallo', begroette hij Solomon in het Spaans met een gezicht van iemand die zin had in een praatje. 'U gaat toch naar Spanje?'

'Ja, naar Barcelona.'

'Wat toevallig. Wij komen uit Barcelona. Bent u er weleens geweest?'

'Nee, ik ben alleen op Cuba geweest.'

'Voor we hier kwamen, wisten we niet dat zo veel Ethiopiërs Spaans spraken. U hebt zeker ook op Cuba gestudeerd?'

'Ja, ik heb de middelbare school op Isla de la Juventud gedaan en daarna heb ik architectuur in Havana gestudeerd. Maar mijn Spaans is niet meer zo vloeiend. Ik ben in 1988 teruggekeerd. Dat is alweer een tijd geleden.'

De jongen observeerde hen vanuit een hoek op het bordes.

'Biruk, kom', zei hij in het Catalaans en hij gebaarde hem te komen. 'Mijn vrouw en ik hebben hem net geadopteerd. We kennen elkaar pas acht dagen ... Kunt u hem in het Amhaars zeggen dat hij niet bang hoeft te zijn?'

'Bang? Waarvoor is hij bang?'

'Voor alles. Hij is heel onzeker en doodsbang ... Stelt u zich zijn situatie eens voor ...'

'Kent u zijn geschiedenis?'

'Nee, we hebben maar vier regels met gegevens ...'

'Hij zal het u wel vertellen.'

'We hopen dat hij op een dag zal praten ... Kunt u hem voor zolang zeggen dat hij niet bang hoeft te zijn?'

De jongen kwam verlegen naar de twee mannen toe lopen. Solomon hurkte om op zijn hoogte te komen en gaf hem een hand alsof hij een volwassene begroette.

'Salam, Biruk. Ik heet Solomon en ik ga ook naar Barcelona.'

Biruk keek naar de grond, geheel volgens de traditionele omgangsvormen dat je vreemden niet in de ogen kijkt.

'Je gaat naar Barcelona met nieuwe ouders. Wat een bofkont ben jij!'

De jongen keek verlegen op en keek hem zonder iets te zeggen aan met die enorme ogen, zo donker dat ze afstaken tegen het oogwit. Een stel verdrietige ogen. Nu hij vlak voor hem stond, zag hij hoe dun hij was en hoe groot de kale plekken waren op zijn hoofd, die veroorzaakt waren door hoofdzeer.

'Als u hem zover zou kunnen krijgen dat hij praat ... We maken ons zorgen over hem. Hij praat nu al acht dagen niet, alsof hij in een shock is ... We zijn bij een paar van de beste kinderartsen van Addis Abeba geweest en die zeiden dat we hem de tijd moesten gunnen en hem zo veel mogelijk onze liefde moesten laten blijken, maar we maken ons toch zorgen. Ze hadden ons verteld dat zodra de kinderen het weeshuis verlieten, ze heel blij waren, maar dat is niet het geval ... Misschien zeiden ze dat om ons over onze angst heen te helpen, zodat we niet van gedachten zouden veranderen.'

'Het zal voor hem niet makkelijk zijn', zei Solomon. 'Ik zou ook heel bang zijn.'

'Wilt u ons even alleen laten, dan probeer ik het.'

'Goed, ik heb er alles voor over.'

Solomon ging op de treden van het bordes zitten, met zijn gezicht naar de tuin. Hij haalde een pakje Nyala uit zijn jaszakje en stak een sigaret op. Vanaf daar kon hij de taxichauffeurs zien praten en roken. Een vogel landde op de witte, glazen bol van een lantaarn in de tuin. Op straat zag je dat soort lantaarnpalen niet. Wanneer de avond viel, kon je bijna nergens heen omdat het te donker was. Hij probeerde zich te herinneren wat hij voelde toen zijn moeder was overleden, toen Maskarem naar Londen vertrok, toen zijn vader naar het front in Somalië ging om te koken voor de soldaten, of toen de bus optrok richting de haven van Assab, en Aster alleen achterbleef, zwaaiend ... En hij begon zijn verhaal aan Biruk te vertellen, alsof het een sprookje was. Het verhaal over een jongetje dat in de heuvels van Entoto woonde, dat bang was voor de hyena's, een jongetje dat voorgoed afscheid moest nemen van zijn ouders en gescheiden werd van zijn dierbaren, dat een lange bootreis maakte naar het andere einde van de wereld, waar hij een andere taal moest leren om te studeren en de beste van de klas te worden, zoals hij zijn moeder had beloofd ... Een jongen die volwassen werd en trouwde met de vrolijkste vrouw die hij ooit had gekend en die hij een paar maanden geleden had verloren vanwege een ziekte ... Biruk kwam steeds een stukje dichter bij Solomon, tot hij ook op de trap zat, aandachtig luisterend naar alle details van Solomons relaas. Uiteindelijk ging hij naast hem zitten, op dezelfde trede.

'En omdat je alleen bent, ga je nu naar Barcelona?' zei Biruk met een heel klein stemmetje.

'Ja ...'

'Ik ook.'

En de jongen en Solomon omarmden elkaar op het bordes van de ambassade. Ze hielden elkaar vast zoals een drenkeling zich midden op zee vastklampt aan een reddingsboei. Solomon kon zijn tranen niet meer inhouden en barstte in huilen uit. Biruk bleef hem vasthouden. Hij had nog nooit een man zien huilen. Hij was ervan overtuigd dat mannen niet wisten hoe ze moesten huilen.

'Weet je, Biruk? Het gevoel dat je alleen op de wereld bent, kun je alleen delen met lotgenoten. Ik snap je.'

En toen begon Biruk op dezelfde fluisterende toon, bijna onhoorbaar, zijn verhaal te vertellen. Het verhaal van een jongen van een jaar of zeven, acht uit de bergen van Debre Tabor die van alles had meegemaakt tot hij wees werd, zonder opa's of oma's of andere familieleden. Na een jeugd waarin hij een nomadenbestaan had geleid, bleef hij alleen achter in de stad Gondar. Eerst was hij opgevangen door de Missionarissen van de Liefdadigheid nadat de politie hem op straat had gevonden, levend als een dakloze. De nonnen brachten hem met de auto, een lang traject, naar een centrum in Addis Abeba waar ze zieken en stervenden verzorgden en gezonde kinderen opvingen die geadopteerd konden worden. Zonder dat hij erom had gevraagd, of het überhaupt had kunnen voorkomen, was hij nu ver verwijderd van zijn geboortegrond, daar waar de Blauwe Nijl ontspringt, en hoewel hij het niet wilde, moest hij nog verder reizen, met die farangi's die hem hadden opgehaald met tassen vol kleurige kleren waar hij zich voor geneerde en speeltjes waarvan hij niet begreep hoe ze werkten of wat er leuk aan was.

Na een tijdje kwamen de nieuwe vader van Biruk en een vrouw met een vriendelijk gezicht naar buiten. Ze had een kleine digitale camera in haar hand en voor zij iets kon vragen, knikte Solomon dat ze kon filmen. De vrouw stapte op de jongen af en streelde zijn wang.

'We zouden graag beelden van Biruk willen filmen als hij Amhaars praat, of van u als u tegen hem praat, als u het niet erg vindt ... Voor het geval hij zijn taal vergeet ... Het spijt ons dat we niet meer kunnen zeggen dan vier zinnetjes en alleen van een tot tien kunnen tellen.'

Solomon bood aan te tolken en legde Biruk uit wat het echtpaar had gezegd: waar ze de volgende dag met het vliegtuig heen zouden gaan, hoe ze leefden, waarom ze daar aan het wachten waren, waar het paspoort voor was, waarom ze die middag opnieuw naar dokter Markos moesten ... Ze leken zelfverzekerd, maar moesten net zo bang zijn als Biruk. Ze gaven hem een kaartje met hun telefoonnummers en drongen erop aan dat hij contact met hen moest opnemen als hij in Barcelona was.

'Zodra ik in Barcelona ben, kom ik je opzoeken, dat beloof ik je. Wees niet bang, Biruk, ik krijg de indruk dat ze heel graag je ouders willen zijn en ik weet zeker dat je beter bij hen kunt wonen dan dat je alleen moet leven in de straten van Gondar ...'

Een van de mannen in safarioutfit met een camera om zijn nek was naar buiten gekomen om te roken. Achter hem liep een vrouw met een baby met een chocoladebruin huidje in haar armen.

'Die jongen moet gewoon zo snel mogelijk dit ellendige land verlaten en er nooit meer terugkeren! Hoe eerder hij dit land vergeet, hoe beter! Gelukkig is onze Paula nog maar klein en heeft ze hier maar even gewoond. Zo zal ze er geen enkele herinnering aan overhouden.'

Solomon keek ze aan zonder goed te weten wat hij moest zeggen. De nieuwe ouders van Biruk zeiden evenmin iets en leken zich te generen voor de situatie.

Hij ging het kantoor van Yohannis binnen na twee keer kort geklopt te hebben. Yohannis zat voor zijn beeldscherm en was aan het telefoneren. Toen hij Solomon zag, gebaarde hij dat hij even moest wachten. Overal waar je keek, zag je tekeningen uitgevouwen op een grote tafel of op een prikbord gehangen tegen de muur ... Er lagen boeken over Japanse architectuur op een stapel en enkele tussen de tekeningen. De ruimte was groot en gastvrij met parket op de grond en bruingeelgeschilderde muren. Boven de tafels hingen identieke, verchroomde lampen. Achter Yohannis' bureau hing een nieuw schilderij aan de muur. Yohannis verzamelde hedendaagse Ethiopische kunst. De hele studio Kebede was een mix van Scandinavische stijl en Ethiopisch moderniteit en ongetwijfeld een van de beste plekken om te werken als architect. Vanuit het raam van deze kamer op de vierde verdieping keek je uit op Churchill Avenue. Solomon had de afgelopen jaren hetzelfde uitzicht gehad vanuit het aangrenzende vertrek. Aan de ene kant zag je het stadhuis met de obelisk ervoor op een heuvel liggen. Aan de andere kant het treinstation en het bronzen standbeeld van de Leeuw van Juda, vaag zichtbaar tussen de bomen en de auto's. Hij staarde naar de mensen die overal overstaken zonder acht te slaan op de verkeerslichten, als die het al deden, en de wit met blauwe minibusjes die hen toeterend ontweken. Twee mannen bonden twee kisten vast op de imperiaal van een auto langs de kant van de weg. Op het dak van een gebouw stonden schotelantennes; die schoten de laatste tijd als paddestoelen uit de grond. Het uitzicht deed hem denken aan Yeshi. De wroeging die hij had gevoeld, omdat hij op zijn werk was en niet aan haar zijde zat, de lange telefoongesprekken met de dokter terwijl hij uit het raam keek ... Nog steeds stonden de dagen vers in zijn geheugen gegrift dat hij op- en neerging van het ziekenhuis naar het laboratorium met de buisjes bloed van Yeshi om ze te laten analyseren, dat hij haar schone kleren en eten bracht, of dat hij met Yeshi's broers afsprak wie haar eten bracht en wie kleren ... Een opname in het ziekenhuis, waar alleen medische zorg werd geboden, was een zeer gecompliceerd logistiek probleem voor de familie van de zieke.

Yohannis Kebede was een van de meest gerenommeerde architecten in Ethiopië en Solomon had veel aan hem te danken. Werken als zijn assistent en opdrachten uit zijn naam uitvoeren, waren een enorme uitdaging en een unieke ervaring geweest. Yohannis had zijn hele jeugd doorgebracht tussen Zweden en Denemarken dankzij een beurs van de Zweedse regering. Een deel van zijn studie had hij afgerond in Uppsala en een ander deel in Kopenhagen. Eind jaren zestig had er in Ethiopië een ongekende sfeer van vrijheid geheerst. Het langst had hij in Denemarken gewoond waar hij had gewerkt voor de architecten Friis en Moltke, die volgens Yohannis voorgoed hun stempel hadden gedrukt op zijn stijl. Voor hij terugkeerde naar Ethiopië, had hij een aantal jaren architectuur aan de universiteit van Nairobi in Kenia gedoceerd. Solomon vertrok op advies van zijn leermeester naar Barcelona. Hij bewonderde Yohannis en luisterde naar hem als naar een vader of een oudere broer.

'Solomon, wat fijn je te zien!' zei Yohannis nadat hij de telefoon had opgehangen en op Solomon was afgestapt om hem energiek de hand te schudden waarbij hij met zijn andere hand Solomons elleboog vasthield.

'Ik ben gekomen om afscheid te nemen. Ik vertrek over drie dagen.'

'Drie dagen ... Zullen we samen een hapje eten?'

'Graag.'

'Kom, dan gaan we nu meteen.'

Yohannis pakte zijn jasje van de stoelleuning en liep zijn kantoor uit. In de gang kwamen ze twee jonge architecten tegen die net waren afgestudeerd en die met Solomon aan een project hadden gewerkt. Ze schudden hem de hand en wensten hem een goede reis.

'We gaan lopen, zo krijg ik nog een beetje beweging. Ik zit zo veel uren achter dat bureau', zei Yohannis.

'Hoe gaat het met de Japanse tuinen?'

'We wachten alleen nog op toestemming om met het werk te beginnen! Het project is afgerond en goedgekeurd, en ik ben zeer tevreden.'

Ze liepen een stuk over Churchill Avenue in de richting van het station, gevolgd door het geschreeuw van de chauffeurs van de minibusjes die de route afriepen en waarschuwden dat ze op het punt stonden te vertrekken. Een lange rij blauwe minibusjes stond te wachten met het zijportier open; in sommige zaten passagiers, maar de chauffeurs vertrokken pas als de meeste zitplaatsen waren bezet. In deze wijk stonden veel kantoren, banken en instituten en er liepen dan ook veel mannen met stropdas en vrouwen in mantelpakje en op hooggehakte schoenen. Ook zag je veel straatventers met kranten. Sommige mannen wachtten tot iemand zijn krant uithad en vroegen dan of zij hem mochten lezen.

'Zullen we naar Lalibela gaan?'

'Goed idee.'

Lalibela was een van de traditionele restaurants van de stad en een van Yohannis' lievelingsrestaurants. Het had de pretentie art deco te zijn, maar was het niet. Ze serveerden ook Italiaanse gerechten, maar eerlijk gezegd leken die niet op het origineel. Het was er gezellig. Ze sloegen de avenue naar het stadion in. Het trottoir stond zo vol kraampjes met bananen, sinaasappels, horloges, schoenen, kleren of reistassen dat de voetgangers op de weg moesten lopen. De auto's toeterden als ze voorbij wilden rijden. In het restaurant namen ze meteen de trap naar de tweede verdieping die veel rustiger was. Het was nog vroeg en weinig tafeltjes waren bezet. Een lachende vrouw die hen beiden goed kende, liep op hen af met een messing karaf water, een waskom en een handdoek zodat ze hun handen konden wassen. Al snel kregen ze een schaal met injera, doro wot, *mesir wot*•, shiro wot, *goment*•, harde eieren ... niets ontbrak.

'Eet maar veel, want dat zul je nog missen. Ik denk niet dat je veel injera zult eten in Barcelona. Naar wat ik heb gehoord, wonen er maar zeven verdwaalde Ethiopiërs', zei Yohannis terwijl hij een stuk injera afscheurde en wat shiro wot pakte. Hij stak alles met een elegant gebaar in zijn mond.

Solomon en Yohannis aten en praatten zoals ze zo vaak hadden gedaan, eveneens aan die tafel bij het raam van waaruit ze uitkeken op het stadion en de indrukwekkende Nani Tower, een moderne wolkenkrabber van groen glas die nog niet zo lang geleden officieel was geopend en een nieuw referentiepunt in de stad was.

'Heb je alles geregeld?'

'Volgens mij wel. Mijn koffer is gepakt, het visum in mijn paspoort is gestempeld, de pakjes van Nyala ... Ze hebben een flat gevonden in een centraal gelegen wijk en ik kan lopend naar mijn werk ...'

'Hoe gaat het nu met je?'

'Eerlijk gezegd niet zo goed', zei Solomon, achterovergeleund met zijn rug tegen de stoel. 'Het is niet makkelijk om opnieuw te beginnen. Het is heel vermoeiend. Ik mis Yeshi heel erg. Ik geloof niet dat ik deze baan had aangenomen als

Yeshi nog had geleefd. Ik voel me een verrader omdat ik wegga ...'

'Dat moet je niet zeggen.'

'Ik zou hier moeten blijven werken. Er is zo veel te doen!'

'Je hebt al genoeg bijgedragen aan de ontwikkeling van ons land. En je vertrekt om mee te blijven werken aan de vooruitgang van Ethiopië, toch?'

'Ik weet het niet. Misschien wel.'

'Natuurlijk wel! Als we de infrastructuur en de stedenbouwkunde willen verbeteren, moeten we samenwerken met buitenlandse kantoren. Dat is de enige manier om financiële steun te krijgen van de Wereldbank en de African Development Bank ... Je verblijf op Cuba, waar je Spaans hebt geleerd, komt nu goed van pas. Bovendien, zo lang ga je niet. Je doet alsof je voorgoed gaat!'

Ze aten de injera bijna helemaal op. De serveerster nam de schaal mee en kwam terug met twee dampende glazen thee die een aroma van kardemom verspreidden.

'Het zal je goed doen om hier een tijdje weg te zijn en te werken op een internationaal kantoor. Op dit moment is Barcelona de ideale stad voor een architect als jij. Toevallig kwam ik laatst een Spaanse technicus tegen van Agencia Española de Cooperación Internacional die Engels sprak. Ik had het over jou en hij wist meteen wie je was. Het ziet ernaar uit dat ze je werk serieus nemen en ze denken al na over de projecten waaraan je gaat werken op het nieuwe kantoor van de coöperatie. We moeten daar gebruik van maken met mensen zoals jij, die voet krijgen in Spanje.'

'Ik heb een contract voor een jaar. Als ik me er niet prettig voel, kom ik eerder terug.'

Solomon nam kleine slokjes van zijn thee, die nog erg warm was.

‘Er is altijd werk voor je in mijn studio, dat weet je’, antwoordde Yohannis. ‘In de wijk Kazanchis heerst een ware bouwkoorts. De komende jaren zal er genoeg werk voor alle architecten van de hele stad zijn. En als je terugkomt, zullen alle straten in Addis Abeba een naam hebben. Die Duitsers van het Centrum für Internationale weet-ik-veel willen voor het einde van het jaar vijfhonderd straatnaambordjes hebben opgehangen met de bijbehorende feestelijkheden. We klagen steen en been dat we een land zijn dat functioneert op basis van hulp uit rijke landen, maar ik zou niet weten wat we zonder hen zouden moeten doen. En we hebben alleen maar meer steun nodig.’

‘En buigen de Duitsers zich ook over de nummering van de straten?’

‘Inderdaad. Elk huis zal methodisch en logisch genummerd worden. Het werd hoog tijd dat dat gebeurde in een stad met meer dan vier miljoen inwoners. Beter dat de farangi’s het doen, dan dat het niet gebeurt. Als je terugkomt, hebben de straten een naam- en nummerbordjes en hoef je niet meer naar het postkantoor, maar krijg je je post thuisbezorgd.’

‘Dat geloof zelfs jij niet’, zei Solomon lachend. ‘Dat zal nog decennia duren voor we een goed functionerende postbezorging hebben en we de namen van de straten die ze voor ons bedenken, kennen. Addis is nog steeds een jonge stad, het gaat allemaal niet zo snel!’

Solomon zette het glas thee neer en stak een sigaret op. Hij keek zijn vriend strak aan, zijn blik werd getrokken naar zijn tanden die opvallend wit waren.

‘Ik heb mijn huis opgeruimd en ik heb veel papieren en overtollige zaken weggegooid. Een paar dagen geleden heb ik alle kleren van Yeshi naar haar zus en een paar buurvrouwen gebracht. Ik heb niets meer van haar bewaard. Ik weet niet of ik daar goed aan heb gedaan ...' zei hij de rook uitblazend.

'Natuurlijk wel. Je moet je gevoel volgen ...'

'En weet je wat ik tussen een stapel papieren vond? Een knipsel uit de Cubaanse krant *Granma* samen met een artikel waarin stond dat de Afrika-Cuba in 1982 naar de haven van Barcelona werd gesleept om hem te slopen!'

'Dat meen je niet.'

'Jawel. De geschiedenis van de boot die mij naar Cuba bracht, eindigde in Barcelona. En misschien begin ik daar een nieuw leven. Vind je dat niet ongelooflijk toevallig?'

Het was tijdens een feest van een gezamenlijke vriend. Yoseph opende feestelijk zijn architectenstudio in een huis met een voortuintje en een overdekte patio erachter. De muziek was buiten en binnen te horen en overal stonden vrienden en kennissen te drinken, roken, praten of te eten. Yeshi danste op elke plaat en wist niet van ophouden. Ze was het vrolijkst van allemaal en niemand kon zo ritmisch bewegen als zij. Met haar handen op haar middel bewoog ze haar schouders van achter naar voren en lachte. Ze lachte veel. Tijdens het dansen leerden ze elkaar kennen. Die dag zeiden Solomon en Yeshi nauwelijks iets tegen elkaar. Ze vertelden elkaar niets. Ze dansten alleen maar uren achter elkaar. Alsof ze de enigen waren. Dansen zonder elkaar aan te raken, tegenover elkaar bewegend op de muziek van Aster Aweke, Teddy en Gigi. Dansen, met alleen maar oog voor elkaar, als in een rituele paringsdans. Yeshi had lang haar, opgestoken in een dikke, krullende staart die ook bewoog op het ritme van de muziek.

'Ik had gehoord dat je nooit danste.'

'Ik weet wel dat iedereen zegt dat ik serieus ben, maar ik ben ook Ethiopiër. Dansen zit me in het bloed.'

Daarna dronken ze een aantal keren koffie op het dak van het Britse consulaat, dat Yoseph had omgetoverd tot het aangenaamste café van Addis Abeba. Het had een warme uitstraling dankzij de houten structuur en een grote muurschildering van een kunstenaar die weldra ook bekend zou zijn buiten hun kring van vrienden en die deze plek tot hun vaste ontmoetingspunt had gedoopt. Het uitzicht was op elk uur van de dag spectaculair. Ze brachten vele uren samen door aan een tafeltje dat afgezonderd lag van de bar, alle details van de stad in zich opzuigend vanaf die stadse vuurtoren, en ze vertelden elkaar verhalen over hun jeugd. Solomon was al niet meer zo jong en voelde intuïtief aan dat deze vrouw, die bijna tien jaar jonger was dan hij, de vrouw was naar wie hij altijd op zoek was geweest. De vrouw die hij tot dan toe nergens had aangetroffen. Op een heldere middag, toen je in de verte de heuvels zag liggen rond de immense en chaotische stad die in alle richtingen zonder enige stadsplanning uitdijde, durfde hij te zeggen dat hij de rest van zijn leven met haar wilde samen zijn, dat hij haar levenslust dag in dag uit om zich heen wilde voelen. Yeshi lachte en zei ja. Wat ze toen nog niet wisten, was dat hun leven samen maar vijf jaar zou duren. Een krappe vijf jaar. Tot Yeshi's ziekte de kop opstak, onoverwinnelijk, en het voor alles te laat werd.

Yeshi werkte in een antiekwinkel in de wijk Piazza. Een winkel met voornamelijk religieuze kitsch: zilveren kruisen in allerlei formaten en bijbels uit de veertiende en vijftiende eeuw met perkamenten bladzijden en leren omslag. Sommige kruisen waren niet eens zo oud, maar leken het wel. En veel bijbels waren niet eens vijftig jaar, maar werden verkocht alsof ze vier eeuwen oud waren. Ze hielp vooral de klanten. De meesten waren buitenlanders die koopwaar zochten voor hun winkels in Parijs, New York en Londen. Sommigen zochten concrete voorwerpen voor verzamelaars en musea.

Ze hield van haar werk, ze vond het fijn om contact te hebben met Europeanen en Noord-Amerikanen en elke dag vertelde ze Solomon in geuren en kleuren over wat ze die dag had meegemaakt. Heel soms had ze te maken met de leveranciers van de antiquiteiten, gesloten, vreemde snuiters die de indruk wekten dat ze het liefst het hele land aan de farangi's in de uitverkoop deden.

Solomon stak het Plein van de Revolutie over en liep naar de wijk Arat Kilo waar bijna al zijn vrienden een huis hadden en waar hij ooit ook zou willen wonen als hij het juiste plekje vond. Met Yeshi was hij ver uit het centrum gaan wonen. Hij passeerde het oude keizerlijke paleis en liep de straten omhoog naar de weg die naar de heuvels van Entoto leidde, precies zoals vroeger. Even was hij in de verleiding naar het Huis van de Leeuwen te gaan, een vervallen dierentuintje met een paar leeuwen in een kooi die afstamden van de leeuwen van Haile Selassie. De plek herinnerde hem aan zijn vader. Als hij daar was, leek het of hij een beetje dichter bij zijn vader was. Maar uiteindelijk liep hij door naar een minibushalte in Shiro Meda om daar een busje te nemen naar Entoto. Aan beide kanten van de straat was er markt met verschillende kraampjes, voornamelijk met kleren en netela's. Ezels bepakt met sappig gras daalden de weg naar Entoto af, terwijl vrouwen met manden maïs op hun hoofd, kuddes geiten en meisjes met bundels sprokkelhout op hun rug omhoogliepen. Hun pad werd gekruist door atleten die trainden in de heuvels van Entoto om in de voetsporen van Haile Gebreselassie te treden, in de hoop een olympische medaille te winnen. Hun felgekleurde sporttenue van synthetische materialen en hun moderne schoenen contrasteerden met de kleding van de mensen die dezelfde weg gebruikten om hun bestemming te bereiken. De minibus zette hem af voor de ingang van de Entoto Mariamkerk. Rond de kerk groeiden nog steeds eucalyptusbomen en zaten nog steeds zieke en stervende mensen. Hij had gehoord dat ze 's nachts van het omheinde plein werden weggejaagd en dat het werd afgesloten. Hij wilde er niet aan denken waar die mensen dan heen moesten, of waar ze de nacht doorbrachten. Hij beklom de trap en ging voor het gebouw staan. Rustig observeerde hij alle details, de afbeeldingen van de Maagd die op de ramen en op de muren waren gehangen door kerkbezoekers. De afbeeldingen waren van karton, al dan niet geplastificeerd. Uit de luidsprekers klonk gezang. Een vrouw zat onbeweeglijk geknield voor een muur. Een andere kuste de muur, raakte hem aan met beide handen en betastte daarna haar buik. Dit gebaar herhaalde ze keer op keer. Ze bewoog haar handen van de muur naar haar buik met theatrale, felle gebaren. Solomons ogen vulden zich met tranen. Hoe vaak had hij Yeshi die gebaren niet zien maken bij dezelfde muren? Volgens het geloof zouden de heilige muren van de tempels genezende krachten hebben. God genas als hij wilde ook het lichaam, niet alleen de ziel. Daarom zaten die zieke mensen daar uren achter elkaar ineengedoken. Om te genezen of om te sterven, zo dicht mogelijk bij God.

Hij had stokjes wierook van sandelhout meegebracht en hij brandde die in de kerk. De karakteristieke geur van sandelhout mengde zich met die van de eucalyptusbossen.

Barcelona 2005

'Heel lang heb ik gefantaseerd over dit moment, maar ik had het me nooit zo voorgesteld ... Alles lijkt zo vanzelfsprekend ... Hier met jou te zijn, met je te praten en plannen te maken om de stad te bezichtigen, alsof er niets is gebeurd ...' zei Muna in het Engels.

Zij en Sita waren alleen in die zaal vol zuilen, een voorbeeld van modernistische architectuur, met een moeilijk te definiëren inrichting. De banken waren asymmetrisch en bekleed met granaatkleurig fluweel. De serveerster had hun net twee potjes thee gebracht en koekjes waar ze niet om hadden gevraagd.

'Hoe had je je het voorgesteld?'

'Ik weet het niet precies. Waarschijnlijk zoals een scène in een film, dramatisch, met veel gehuil ...'

'Ik ben blij dat je niet wilde dat we elkaar voor het eerst zagen op het vliegveld ...'

Sita schonk de thee in de twee kopjes en was even afgeleid door de verschillende soorten suiker die waren geserveerd. Uiteindelijk nam ze een grillig klontje dat leek op een stukje amberkleurig glas dat je weleens op het strand vond. De vrouw tegenover haar had jarenlang over dit moment gefantaseerd. Hoewel alles anders ging dan ze zich had voorgesteld, ze had erover nagedacht. Maar voor Sita was alles te onverwachts, te abrupt, vreemd. Ze wist niet goed wat ze voelde.

'Waarom heeft niemand gezegd dat ik familie had? Waarom is mij niet eens verteld in welk dorp de nonnen van Nasik mij hebben opgehaald?'

'Waarschijnlijk omdat ze dachten dat dat het beste voor je

was. Je was klein. Ze dachten vast dat het zinloos was om te praten over wat je had achtergelaten ... Herinner je je echt niets?'

Sita schudde haar hoofd terwijl ze door de grote ramen naar buiten keek. Je kon de tuinen zien waar de Passeig de Gràcia ophield. Een oude vrouw op een bank naast de fontein gaf droog brood aan de duiven.

'Ik herinner me helemaal niets. Alles wat je me in de laatste e-mails hebt geschreven, was nieuw voor mij.'

'Het schrijven heeft me goed gedaan en me geholpen alles op een rijtje te zetten ... Ik heb nooit meer iets gehoord van Nadira, noch van Pratap. Ik weet niet eens of ze nog leven ... Waarschijnlijk niet ... of misschien wel. Van Raj heb ik ook nooit meer iets gehoord. Die zal nu jouw leeftijd hebben. Nadira gaf jullie allebei de borst, dat herinner ik me nog als de dag van gisteren.'

'Het is vreemd te bedenken dat ik het heb gered dankzij mijn zus ... onze zus. Ik snap nog steeds niet wat de zusters ertegen konden hebben om alles wat ze van mij wisten te vertellen ...'

'Het spijt me dat ik zo plotseling in je leven ben opgedoken. Ik kan me voorstellen dat dat heel vreemd is.'

Muna observeerde Sita, zoekend naar sporen van het meisje van wie zij zo gehouden had, maar na dertig jaar kostte het haar moeite ze te vinden.

'Waarom heb je eerst Nighat naar Barcelona gestuurd?'

'Ik wilde er zeker van zijn dat jij het was. Ik was bang dat ik me zou vergissen, dat je ... Ik weet het niet, bang dat je geld zou vragen. Ik wist niet hoe ik daarop zou moeten reageren ... Nu ik dat zo zeg, klinkt dat belachelijk. Het spijt me.'

'Het kost me inderdaad moeite het te geloven. We hebben een totaal verschillend leven geleid. Het mijne is veel simpeler ... Sorry, maar ik zit midden in een moeilijke periode. Ik heb heel wat voor mijn kiezen gekregen en val van de ene heftige emotie in de andere.'

De twee dronken in stilte hun thee.

'Ik kom je morgenochtend ophalen ...'

'Willen je ... ouders me echt leren kennen?'

'Dolgraag. Eigenlijk hadden ze vandaag al mee gewild, maar ik heb gevraagd of ze nog even geduld wilden hebben. Morgen gaan we bij hen eten. Lijkt je dat een goed idee?'

'Geweldig. Door het tijdsverschil ben ik de kluts een beetje kwijt. Ik ben nu al zo lang achter elkaar wakker. Ik duik zo meteen mijn bed in.'

Sita verliet het hotel Casa Fuster, toen het al bijna donker werd. Het was nog niet zo laat, maar 's winters waren de dagen korter. Als haar scooter daar niet geparkeerd had gestaan, was ze liever naar huis teruggewandeld. Ze kende niemand die in hetzelfde schuitje zat als zij. Graag was ze er beter op voorbereid geweest, was ze sterker geweest. Ze was vast niet de enige bij wie opeens een zusje van de andere kant van de planeet voor de deur stond. Inderdaad, van een andere planeet. Het besef dat ze een Indiase zus had die zich zes nachten in een super-de-luxe vijfsterrenhotel kon veroorloven, was vreemd. Een zus die in één nacht uitgaf wat veel Indiërs in een heel jaar verdienden.

Bij de receptie zeiden ze dat Muna in haar kamer op haar wachtte. Ze nam de lift naar boven. Het modernistische gebouw was prachtig. Zo'n luxehotelkamer had ze nog nooit gezien. Muna had zich westers gekleed: een spijkerbroek met een ecru trui die de zwarte kleur van haar lange, steile haar nog beter deed uitkomen.

'Goedemorgen. Heb je lekker geslapen?'

'In een hotel als dit kun je onmogelijk niet goed slapen. Ik ben weer helemaal bijgekomen!'

'Heb je al ontbeten.'

'Ja, dank je. Kom, ik heb een paar cadeautjes uit India meegebracht.'

Muna liep naar het bureau naast het raam en pakte een pakje in cadeaupapier. Ernaast lagen er nog vier.

'Alsjeblieft. Ga zitten. Ik hoop dat je het mooi vindt.'

Sita begon het pakje uit te pakken. Er kwam een zwartfluwelen doosje tevoorschijn. Toen ze het opende, kon ze haar ogen niet geloven ...

'Muna, dat is veel te veel ...'

'Het is alleen een traditionele ketting met bijpassende oorbellen.'

'Zijn ze van goud?'

'Ja, natuurlijk. Ik wilde je heel graag authentieke sieraden uit Maharashtra geven. In India nemen we elke gelegenheid te baat om sieraden te dragen. Hier, pak dit ook uit.'

Bij het openen gleed een turkooizen zijden sari met zilveren borduursels langs een rand uit het papier. Ze durfde hem bijna niet uit te vouwen, zo mooi opgevouwen als hij was.

'Deze is voor als je naar Mumbai komt! Je moet hem altijd zo opbergen, met dit stukje sandelhout erin.'

'Dank je wel. Je had echt niets hoeven mee te nemen. Dit is te veel ...'

Ze namen een taxi voor het hotel en reden via de Gran de Gràcia naar het Güellpark. Sita had besloten de plekjes te laten zien die iets persoonlijks voor haar betekenden. De school die ze had bezocht als kind en waar haar moeder had lesgegeven, lag recht tegenover de ingang van het park. Destijds was er geen schoolplein en daarom staken elke ochtend en middag alle kinderen, hand in hand, twee aan twee, de kleine Calle Olot over en klommen ze de trappen op naar het grote plein om te spelen. Sommige mozaïekafbeeldingen van Gaudí op de banken kon ze wel dromen en met de jongetjes en meisjes uit haar klas verzonnen ze geheime schatkaarten tussen de gekleurde tegelstukjes.

'Zullen we even gaan zitten?' vroeg Sita. 'Ik ben hier al in geen jaren meer geweest. Dit plein is een van mijn belangrijke stadsgezichten.'

Op de golvende mozaïekbanken zaten weinig mensen. Een paar Japanners die aan één stuk door foto's maakten en oudere mensen die de krant lazen in de zon.

'Wat een prachtige plek. En wat heerlijk dat ik hier anoniem kan rondlopen.'

'Ik neem aan dat je in India voortdurend wordt herkend op straat.'

'Ja, wij acteurs en actrices moeten accepteren dat we belangrijk zijn voor de mensen en dat we attent voor hen moeten zijn. We mogen ze niet teleurstellen ...'

'Hier klagen sommige filmsterren dat mensen hen op straat aanspreken.'

'Dat weet ik. In de Verenigde Staten ook, en dat snap ik niet. We danken onze naam en bekendheid aan het publiek. In India is alles anders. Daar kijkt men niet alleen naar een film, daar beleven ze een film. De mensen lachen, huilen, dansen, zingen ...'

'Dansen en zingen ze in de bioscoop?'

'Nou en of. Ik zal nooit de eerste keer vergeten dat ik naar de bioscoop ging ... die uitbarsting van vitaliteit heeft zo'n enorme indruk gemaakt!'

Na een wandeling door het Güellpark bleven ze staan kijken naar Sita's lagere school. Daarna liepen ze behoorlijk steile straten af naar de Travessera de Dalt.

'Hier heb ik met mijn klasgenootjes gelopen. Kijk, in die bakkerij kochten we iets lekkers voor na school.'

Een taxi bracht hen naar Sita's ouderlijke huis, waar ze gewoond had tot ze haar studie medicijnen had afgerond, helemaal boven aan de Calle Cartagena. Vanaf het kleine dakterras had je een prachtig uitzicht over de hele stad, vanaf Montgat tot de Montjuïc met de nieuwe wolkenkrabber Torre Agbar van Jean Nouvel, de Sagrada Familia van Gaudí, die nog altijd in de steigers staat, en op de achtergrond de diepblauwe zee. Sita's ouders waren al gepensioneerd, maar ze waren nog steeds zeer actief. Ze ondernamen van alles en waren nooit gestopt met hun wekelijkse cursus Engels om de taal die ze met zo veel moeite hadden geleerd niet kwijt te raken. Ze hadden een heerlijke rijstschotel gemaakt en alle spullen klaargezet om bij het toetje de vele dia's en perfect geordende fotoalbums te bekijken.

'Dit is de eerste foto die we van Sita kregen', zei Irene de ingelijste zwart-witfoto op de kast pakkend.

'Ik heb veel bewondering voor wat jullie hebben gedaan ...'

Muna bekeek alle foto's geëmotioneerd en met veel aandacht.

'Ongelooflijk als je bedenkt wat ons tweeën allemaal is overkomen voor we elkaar terugzagen ... Ik vind het erg dat ik je niet eerder heb opgezocht, Sita ...'

Sita had een paar dagen vrijgenomen om die met Muna door te brengen. Dat was het minste wat ze kon doen. Haar ouders hadden voorgesteld Muna de stad te laten zien als zij moest werken, maar uiteindelijk had ze besloten dat ze liever zelf alle tijd met haar doorbracht. Haar ouders vergezelden hen wel naar veel plekjes.

'Ik wil je om een gunst vragen', zei Sita tegen Muna. 'Ik wil je voorstellen aan een speciale vriend. Ik ken hem nog niet zo lang, maar ik mag hem erg graag.'

Zonder te bellen, gingen ze naar de telefoonwinkel annex videotheek in de Calle Sant Pau. Zoals altijd zat er een aantal Pakistanen over ditjes en datjes te praten op de plastic stoeltjes bij de ingang. Alle telefooncabines waren bezet.

'Hallo, Hassan!'

'Hallo, Sita, dat is alweer een tijdje geleden. Heb je vrij vanochtend?'

'Ja, en ik heb een verrassing voor je. Ik wil je voorstellen aan mijn zus Muna.'

Muna zette haar zonnebril af en gaf hem een hand.

'Muna? Muna Kulkarni?'

'Ik heb een blikje Coca-Cola meegebracht voor het geval je een syncope krijgt', zei Sita schaterend.

Hassan kwam achter de toonbank vandaan en schudde Muna de hand. De helft van de mannen in de zaak kwam dichterbij, ongelovig. Een man liep de winkel uit en keerde terug met twee vrouwen in een salwar kameez en een donkerbruine man die in de winkel ernaast werkte. Het waren Indiërs en vaste klanten van de videotheek.

'Muna Kulkarni! Namasté', riepen de twee vrouwen uit die met een stralende glimlach haar handen pakten.

De winkel stroomde steeds voller. Iedereen kwam dichterbij om Muna een hand te geven of ging gewoon voor haar staan, naar haar kijkend zonder iets te zeggen, vooral de mannen. Met een glimlach om hun lippen en als verlamd. De zaak liep over van euforie.

'Hé, straks stikken we nog. Kun je niet zeggen dat ze een beetje achteruit moeten?' zei Sita tegen Hassan, geamuseerd over de reactie van de mensen.

Nog steeds kwamen er mensen de zaak inlopen tot er niemand meer bij kon. Buiten keek een menigte Indiërs en Pakistanen door de ruiten naar binnen. Er ontstond een opstopping in de Calle Sant Pau. Een paar mannen praatte druk gebarend in hun mobiel waarbij Muna's naam meerdere keren viel. Voorbijgangers informeerden bij het zien van die uitzinnige menigte nieuwsgierig wie er binnen was en als ze tijd hadden, bleven ze staan kijken.

'Mogen we een foto maken?' vroeg Hassan.

'Van mij wel ...'

Muna zei dat het geen probleem was en opeens begonnen digitale en wegwerpcamera's te flitsen.

'Wat heb je gedaan? Heb je soms de hele buurt gewaarschuwd?'

'Het nieuws heeft zich kennelijk als een lopend vuurtje verspreid. Ik zei toch dat ze een begrip was?'

De fotosessie duurde lang. Eerst moest Muna op de foto met Hassan en alle vaste klanten, daarna met de verkoopsters van de toko's en hun mannen, vervolgens met de herenkappers uit de straat, en als laatste met het personeel van de halal slager van het Sant Agustíplein. Die hadden zelfs de zaak dichtgedaan en de rolluiken laten zakken. Niemand wilde achterblijven en de boel in de gaten houden. Muna had ongelooflijk veel geduld. Het was duidelijk dat ze gewend was aanbeden te worden door menigtes fans.

De volgende dag had Hassan een vergunning gekregen om een film van Muna op het Macbaplein te vertonen en om een klein straatfeestje te organiseren. Het Museu d'Art Contemporani de Barcelona was onder andere een soort ontmoetingspunt voor Pakistanen geworden. Ze hadden de twee verantwoordelijken van het Distrito de Ciutat Vella die ze om toestemming moesten vragen, probleemloos weten te overtuigen. Het waren klanten van de videotheek en ze kenden elkaar. Ze begrepen onmiddellijk dat de wijk een bezoek van Muna Kulkarni niet ongemerkt voorbij kon laten gaan. Zijzelf wilden haar ook ontmoeten!

Het zou vrijdagmiddag plaatsvinden, vlak nadat de duisternis was gevallen, ongeacht of het koud was. De gemeente had een groot scherm geïnstalleerd, die de muurschildering van Chillida bedekte, en een projector en rijen houten klapstoelen neergezet. Bovendien zou zij zorgen dat het feest ordelijk en veilig verliep. De rest moest Hassan organiseren. De Indiase vrouwen uit de wijk zorgden voor eten en degenen met een zaak regelden de drankjes. Geen alcohol. Khalid, Hassans vriend, maakte een muziekselectie en zette zijn installatie op het plein. Een feest zonder Bollywoodmuziek om op te dansen was niet compleet. Zijn muziekinstallatie was voldoende, omdat ze geen geluidsoverlast mochten veroorzaken.

Sita en Muna arriveerden ongezien op het Macbaplein toen de film bijna was afgelopen, zoals ze met Hassan hadden afgesproken. Het indrukwekkende, witte gebouw van Richard Meier werd gekleurd door de weerkaatsing van de filmprojectie op de muur ertegenover. Alle stoelen waren bezet en overal stonden mensen warm aangekleed. Een stel jongens stak de straat over met stoelen uit hun huis. Sita's ouders wilden het spektakel niet missen en waren ook van de partij.

'Er zijn bijna evenveel mensen als bij het laatste feest ter ere van de onafhankelijkheid van Pakistan dat we op de Rambla van El Raval vierden!' fluisterde Hassan tegen Sita voor hij Muna mee naar voren nam.

Muna droeg een zeer elegante sari, een rode, en had haar haar opgestoken met stoffen jasmijnbloemen die niet van echt te onderscheiden waren. Na de welkomstwoorden van Hassan en het applaus pakte Muna de microfoon en sprak de toeschouwers in het Hindi toe.

'Ze zegt dat het heel ontroerend is om te zien dat haar films zo veel betekenen voor mensen die zo ver van hun land wonen en dat ze blij is dat ze hier mag zijn', vertaalde Hassan naar het Spaans.

Het applaus en het geschreeuw vulden het plein dat wemelde van de vrouwen in een salwar kameez of sari in allerlei kleuren, jongens met baseballpetten en skateboards en kinderen die rondrenden zonder goed te weten ter ere waarvan dat feest was.

'Mijn vrouw maakt de beste *pakora's*•. Proef maar.'

'Papadums?' vroeg een ander met een dienblad vol versgebakken pannenkoekjes van linzenmeel.

Twee vrouwen met een bindi op hun voorhoofd liepen op Muna af met een kan mangosap en vulden haar glas.

'De mango's hier smaken niet zoals thuis, maar we moeten het ermee doen!'

Muna praatte met verschillende mensen en bedankte ze allemaal voor hun vriendelijkheid. Het gemeenteraadslid van het Districto de Ciutat Vella wilde met haar op de foto. Constant flitsten er camera's. Sommige mensen filmden. Khalid zette zijn installatie aan en begon als eerste midden op het plein te dansen. In een mum van tijd dansten de meeste mensen en zaten nog maar een paar mensen op de stenen banken tegenover de gevel van het museum. Mensen van allerlei leeftijden bewogen op de maat van de vrolijke muziek, ieder op zijn manier, zonder enige gêne.

'Hé, vandaag ga je wel met je voetjes van de vloer, vandaag zul je niet ontsnappen!' zei Hassan tegen Sita met zijn armen in de lucht en een grote glimlach.

De dagen vlogen voorbij. Sita wilde Muna uitzwaaien op het vliegveld. Ze namen met zijn tweeën een taxi, die zich een weg baande door de middagspits van de Calle Balmes. Op de terugweg nam Sita de bus.

'Ik geloof dat ik deze reis terug naar Mumbai nodig heb om al mijn gevoelens op een rijtje te zetten ... Bedankt voor deze fantastische dagen', zei Muna. 'Wat zou er van ons zijn terechtgekomen als we in Shaha waren gebleven, bij Nadira en Pratap?'

'Omdat ik me dat niet meer herinner, kost het me moeite om me dat af te vragen.'

'Ik wil je niet nog eens kwijtraken, Sita! We zullen elkaar niet meer uit het oog verliezen, hè?'

Sita pakte de draad van haar dagelijkse leventje weer op en gaf de verschijning van een zus als Muna een plekje. Haar werk op het gezondheidscentrum slokte al haar tijd op. Ze vond het niet erg om in te vallen voor Judith wanneer haar kind ziek was en haar moeder en schoonmoeder niet konden oppassen. Het centrum had veel patiënten, maar ze zorgden dat de mensen niet te lang moesten wachten. Sinds ze daar werkte, was het haar opgevallen dat er steeds meer kinderen van buitenaf kwamen. In het centrum was het druk en het patiëntenbestand was zeer gevarieerd.

'Een team van Ethiopische en Noord-Amerikaanse paleoantropologen dat bezig is met opgravingen in het oosten van Ethiopië, heeft menselijke resten gevonden die ogenschijnlijk ouder zijn dan die van de beroemde Lucy, waarvan werd aangenomen dat ze ouder dan 3,2 miljoen jaar was. De vondst van twaalf vroege, fossiele hominiden met een geschatte leeftijd van tussen de 3,8 en 4 miljoen jaar zal van belang zijn bij het beter begrijpen van de eerste fases van de menselijke evolutie voor Lucy ...'

Ze wilde net de krant dichtslaan en haar koffie betalen toen ze het bericht las. Ze had de herinnering aan Mark en de woede over zijn plotselinge verdwijning achter zich gelaten, maar dat bericht bracht haar in een keer weer op de stranden van Pondicherry. Ze dacht terug aan de lange wandelingen langs de kust, hand in hand, rood koraal en vreemd gevormde schelpen verzamelend en aan één stuk door pratend en elkaar details uit hun leven vertellend die ze nog niet van elkaar wisten. Mark vergeten was niet makkelijk, maar er zat niets anders op.

Toen Hassan haar belde om te vragen of ze donderdag meeging naar Underground hoefde ze niet lang na te denken.

'Ik had gedacht dat je nee zou zeggen. Wat een verrassing!'

'Nou hier ben ik dan.'

Ze gingen met hun drankjes aan een tafeltje zitten. Het was nog vroeg en er dansten nog niet zo veel mensen op de dansvloer. Hassan was alleen gekomen. Zonder vrienden.

'Ik kan nog steeds niet geloven wat er is gebeurd ... Soms word ik wakker en denk ik dat ik alles heb gedroomd. Het was een enorm geschenk! In El Raval duurt het lang voor ze het bezoek van Muna zijn vergeten', zei Hassan lachend. 'Wist je dat de winkeliers de foto's die ze hebben gemaakt, in hun etalages hebben opgehangen?'

'Dat meen je niet!'

'Echt waar. Zelfs op de spiegels in de kapperszaken. Dan kunnen de klanten ze zien terwijl ze worden geknipt.'

Ze moesten allebei lachen. Hassan was altijd goedgehumeurd, maar vanavond was zijn vrolijkheid aanstekelijk.

'Je moet weer eens naar onze wijk komen!' zei Hassan en hij gaf haar een vriendschappelijk klapje op haar schouder. Het was de eerste keer dat hij haar durfde aan te raken.

'Hebben jullie in de videotheek ook een foto opgehangen?'

'Geen foto, maar een poster van Muna met mij en die hebben we op de glazen deur gehangen. Met daaronder een uitvergrote kopie van een artikel uit *El Mirador de los Inmigrantes* met foto's van het feest.'

'Wat?'

'*El Mirador de los Inmigrantes*, een weekblad dat wordt gemaakt door een buurman, ook een Pakistaan. "Bollywoodsterren brengen ons een bezoek!" heet het.'

'Binnenkort kom ik. Dat wil ik weleens zien.'

'Morgen?'

'Binnenkort, maar niet zo snel.'

De sympathie van Hassan en het feit dat met hem alles leuk was, gaven haar een prettig gevoel.

'Laten we dansen!'

'Nu? Maar ze draaien nog niet eens Indiase muziek. Deze plaat is zo langzaam.'

'Daarom juist.'

Voor Sita het wist stond ze op de dansvloer met haar armen om Hassans nek en zijn armen rond haar middel. Alleen zij tweeën. Ze waren even lang en het was onmogelijk dat hun wangen elkaar niet raakten. De dj die zijn act aan het voorbereiden was, stak uitbundig zijn duim op naar Hassan. Ook al hadden ze uit dezelfde stad kunnen komen, uit Lahore of Mumbai, uit New Delhi of Karachi, ze werden gescheiden door vele kilometers, door veel dingen. Hassan had aftershave opgedaan. Het was een oud luchtje, dat heel erg leek op dat van haar opa. Een geur die haar deed denken aan haar eerste jaren in Barcelona. Toen ze nog logeerde bij de ouders van haar moeder, dat was het luchtje dat haar opa gebruikte als hij zich had geschoren in de kleine badkamer in hun huis aan de Calle Anglesola. De straat was verdwenen uit het commerciële centrum van L'Illa Diagonal. Maar de geur niet. Het liedje was afgelopen en zonder iets te zeggen keerden ze terug naar hun tafeltje. Meteen daarna werd het volume harder gezet en klonk een liedje uit Bollywood. De dansvloer vulde zich met vrolijke mensen die onstuimig begonnen te dansen.

'Ik heb je nog nooit zo zwijgzaam gezien.'

'Dat is niet grappig', zei Hassan serieus.

'Ik bedoelde het ook niet als grapje! Ik zei alleen dat ik nog nooit had meegemaakt dat je zo lang achter elkaar stil was.'

Hassan keek haar strak aan.

'Omdat ik niet goed weet hoe ik mijn gevoelens onder woorden moet brengen.'

Het was druk op straat en zelfs met de scooter kwam je langzaam vooruit. Sita legde de weg vanaf haar huis naar de Ramblas af alsof ze in een zeepbel zat, alle gevoelens binnen de helm. Geïsoleerd van de wereld. Hassan was vroeg opgestaan en was zonder veel te zeggen vertrokken. Hij had zelfs geen koffie gewild. Ze hadden de nacht samen doorgebracht, een nacht vol passie, maar tegelijkertijd vreemd, teder en ongemakkelijk voor allebei. Sita had niet durven vragen naar zijn liefdesleven, maar ze merkte dat hij niet zo ervaren en zenuwachtig was. Gelukkig was ze die dag vrij. Ze parkeerde de scooter en liep de videotheek in de Calle Sant Pau binnen. Er was niemand. Hassan stond niet achter de toonbank en de stoelen bij de ingang waren leeg.

'Hallo, kan ik je helpen?' vroeg de jongen van de telefoonzaak van achter zijn toonbank.

'Ik zoek Hassan. Zijn mobiel staat uit.'

'Hij zit vast in de moskee. Die is hier vlakbij, op de eerste verdieping van het gebouw waar ook Mohameds winkel zit. Je weet waar dat is, hè?'

'Ja, dank je. Als ik hem niet vind, zeg hem dan dat ik ben langs geweest en dat hij me moet bellen ...'

Ze zag de poster van Muna en Hassan op de deur en lachte. Toen ze bij het gebouw kwam, stond de straat vol met mannen uit Pakistan en de Maghreblanden met zwart haar en donkere ogen, die uit de moskee kwamen. Er waren ook een paar vrouwen met een witte sluier. Ze kon zichzelf niet met een sluier voorstellen. Of in een wereld waar de mannen de dienst uit leken te maken. Hassan had verteld dat je weinig

Pakistaanse vrouwen in Barcelona zag, omdat er op elke tien mannen die hun land hadden verlaten om hun geluk te beproeven in Barcelona, een vrouw was die hetzelfde had gedaan. Hassan zag haar het eerst, op de stoep aan de overkant, met de helm die ze vergeten was vast te maken aan de scooter. Hij kwam verlegen op haar af, ze herkende hem bijna niet.

'We gaan iets drinken bij zee', zei Sita beslist.

Ze liepen over de Ramblas tussen een stroom toeristen. In Barcelona bestond geen laagseizoen. Ze zag toeristen foto's maken met de mimespelers en de levende standbeelden die het hele jaar door te zien waren. Aan het einde van de Ramblas, vóór je de Paseo de Colón overstak naar de houten brug, rook je de intense zeelucht al. Ze hoorden de scheepshoorn van een boot die uitvoer.

'Het heeft geen kans van slagen, Hassan. We kunnen beter vrienden blijven. Denk je ook niet?'

Hassan keek naar een vlucht meeuwen die over een vissersboot vloog voor het terras, waar ze een tafeltje hadden gevonden.

'Denk je ook niet?' herhaalde Sita.

'Ja, je zult wel gelijk hebben. Het zou te ingewikkeld zijn.'

'We hoeven het niet eens te proberen. We zouden ongelukkig worden. Ik zou niet in jouw wereld kunnen integreren ...'

'Hoe weet je dat nou?'

'Omdat ik dat niet zou kunnen. Dat weet ik gewoon.'

Wat Sita niet over haar lippen kon krijgen was dat ze niet verliefd op hem was.

'Je bent opgegroeid in een samenleving waar mannen en vrouwen worden gescheiden. Op school heb jij koranlessen gehad ...'

'Jij hebt jaren in een katholiek nonnenklooster gewoond,

alleen met meisjes! Dat is hetzelfde!'

'Dat is niet hetzelfde. Ik was nog heel klein. Ik was zeven toen ik hierheen kwam.'

'De Koran krijgt altijd overal de schuld van. Let op je woorden, Sita, anders word ik nog kwaad.'

Hassan was nog nooit zo serieus en gespannen geweest. De zin had als een dreigement geklonken en Sita wist niet hoe ze hem moest uitleggen dat het niets met het geloof te maken had, of misschien wel, maar ze wist niet hoe ze moest afmaken wat ze begonnen was te zeggen. Het maakte niet uit. Ze had niet met hem de nacht moeten doorbrengen, maar dat kon ze niet meer terugdraaien.

'Ik kan beter gaan. Ik hoef niets', zei Hassan. 'Mocht je me ooit nodig hebben, dan weet je me te vinden. Maar ik geloof niet dat jij mij ooit nodig hebt. Dag.'

Sita bleef zitten, zonder de juiste woorden te vinden, en keek hoe hij over de houten brug wegliep, over het water naar de stad. Aan de ene kant lagen de zeilboten van de Nautische Club en aan de andere kant een boot die weldra naar de eilanden zou uitvaren, beladen met passagiers en auto's.

Ze bestelde een water met bubbels en bleef lange tijd daar zitten, kijkend naar de bedrijvigheid in de haven en een vlucht meeuwen. Een meisje roeide energiek een lange, smalle boot. Ze keek haar na tot ze uit het zicht verdween. Opnieuw hoorde ze de scheepshoorn van een boot die vertrok.

De volgende patiënt die middag was nieuw. Sita deed de deur van haar praktijkruimte open om hem te roepen.

'Biruk Álvarez!'

Een vrouw stond op en liep op haar af, terwijl een jongen en een man aan tafel bleven zitten om een puzzel af te maken. Beiden hadden een donkere huid, kroeshaar en fijne gelaatstrekken. Opvallende verschijningen.

'Ze komen zo. Ze moeten nog maar vier stukjes ...' verontschuldigde de vrouw zich aan de andere kant van de tafel waaraan Sita zat.

'Biruk komt uit Ethiopië. Hij is hier pas drie weken en we zijn gekomen om hem te laten onderzoeken en te laten inenten, vooral omdat de school daarnaar vraagt ... In principe is hij nergens tegen ingeënt, maar we weten het niet zeker ...'

'Hoe oud is hij?'

'Dat weten we ook niet precies. We wachten op het onderzoek van de tropische geneeskunde ...'

'Maar ongeveer weet u het toch wel?'

'Tussen de zes en de acht jaar. Hij weet het zelf ook niet. Hij heeft nooit over zijn leeftijd nagedacht. We wachten ook op de uitslag van het bloedonderzoek ... De tb-test was negatief ...'

Biruk verscheen in de deuropening met Solomon in zijn kielzog, die de voltooide puzzel op een boek droeg alsof hij een dienblad vasthield met kristallen glazen.

'Hier is hij. Dit is Biruk. Kijk, Biruk, dat is jouw dokter.'

Sita stond op, boog zich naar de jongen toe en gaf hem een hand. Biruk glimlachte.

'U hebt hem ingepakt. Hij vindt het vreselijk om steeds maar gekust te worden.'

Biruk lachte weer, alsof hij het had begrepen.

'Hallo. Ik heet Solomon', zei de man die met uitgestoken hand op Sita kwam aflopen.

'Aangenaam.'

'Ik weet niet wat we zonder Solomon aan zouden moeten. Hij is een Ethiopische vriend en spreekt vloeiend Spaans. Hij is meegekomen als tolk. Biruk heeft moeite zich aan ons aan te passen, te aanvaarden dat hij zijn omgeving en alles wat hij kent, heeft achtergelaten, en te begrijpen dat we hier twee talen spreken ... Een geluk dat Solomon bijna vanaf het begin ook in Barcelona was om hem te steunen en uit te leggen wat er allemaal gebeurt en wat hij wel en niet mag!'

Sita nam zijn gewicht en lengte op, beluisterde hem, keek naar zijn ogen, naar de twee misvormde teennagels, alsof er een steen op was gevallen, en de kale plekken die waren veroorzaakt door het hoofdzeer. Hij had nog steeds korsten op zijn hoofd. Toen er een verpleegster binnenkwam om de eerste twee vaccinaties te geven, was het Solomon die naast Biruk ging zitten om te zeggen dat hij niet bang hoefde te zijn, dat het maar twee kleine prikjes waren en dat hij hard in zijn hand moest knijpen en hardop en langzaam tot tien moest tellen om te zien hoever hij kwam tot ze klaar waren.

'Ant, hulet, sost, arat, amest ...'

Solomon wende ook geleidelijk aan de nieuwe stad. Hij was aan het werk gegaan en kwam tot de ontdekking dat vanaf Barcelona Addis Abeba niet zo ver weg was als hij had gedacht. Hij belde regelmatig naar Yohannis en naar zijn partners van het project waaraan hij werkte. Hij ontving en verstuurde alle dagen veel e-mails waardoor hij het contact met wat hij had achtergelaten niet verloor. Als hij niet werkte, wandelde hij door de diverse wijken, pleinen en straten op zoek naar de gebouwen die hij wilde zien en die hij in een schriftje had opgeschreven ... Voor hij het wist was hij gewend te wandelen over vlakke en goed geasfalteerde straten, zonder plassen of kuddes geiten die hem vies maakten, of de dikke, zwarte uitlaatgassen van kapotte vrachtwagens, auto's en motorfietsen. Hij ontdekte de metro. Dit net van ondergrondse treinen fascineerden hem. Soms nam hij de metro en stapte hij uit op een halte met een suggestieve naam om dan van daaraf terug te lopen. Hij vond het fijn om te dwalen, in rondjes te lopen en zich te laten leiden door wat hij zag, zonder plattegrond of kompas. Hij probeerde niemand de weg te vragen, alsof hij heel goed wist waar hij was en van niemand aanwijzingen nodig had om zijn weg te vinden. De mensen leken aardig en kalm. Men had hem verteld dat in Europa de mensen zich alleen maar met zichzelf bemoeiden, dat ze onaardig waren en er hard en arrogant uitzagen. Maar dat was niet zijn indruk. Tenminste niet van het stukje Europa waar hij terechtgekomen was. De marktkooplui van de overdekte markt van Llibertat, waar hij zijn inkopen deed, dachten dat hij Cubaan was. Zijn accent verried hem. En als hij zei dat het niet zo was, begonnen ze altijd een babbeltje. Ze waren nieuwsgierig naar wie hij was en wilde meer dingen over Ethiopië weten. Maar het liefst ging hij naar het strand en luisterde naar de golven die op het strand braken. Hij ging vlak bij het water zitten, sloot zijn ogen, en de zeelucht bracht hem terug naar zijn tijd op Cuba, aan de verloren uren die hij lezend doorbracht met de avonturen van Jim Hawkins op Schateiland.

Hij ging regelmatig eten bij Biruk en zijn ouders. Zij hadden zich ontpopt tot zijn Barcelonese familie. Biruk wilde graag dat hij kwam. Samen maakten ze de ene puzzel na de andere en spraken ze Amhaars. Zijn ouders hadden hem van alles gegeven en Biruk en Solomon brachten uren door op de grond van zijn kamer, op zoek naar puzzelstukjes en ondertussen vertelden ze elkaar van alles. In de kamer van dat jongetje lagen meer spullen dan Yeshi en hij in hun hele huis hadden verzameld. Terwijl Yeshi toch heel mooie voorwerpen had meegenomen uit de winkel waar ze had gewerkt.

Die middag in mei toen ze het gezondheidscentrum uitliep en de zon nog scheen, stond voor Sita al vast dat ze naar de bioscoop ging om de nieuwste film van Wim Wenders te zien. Ze had Judith voorgesteld samen te gaan, maar haar collega zei dat ze naar huis moest. Ze wilde haar kind in bad doen en eten geven en op haar man wachten om samen te eten. Sita reed op de scooter de Calle Rosselló omhoog in de richting van de wijk Gràcia. Ze had nog tijd over voor een kopje koffie voor ze het filmtheater Verdi binnenging. Daar draaide altijd goede films. Sinds ze Muna had leren kennen, keek ze op een andere manier naar films, ook al was het altijd al een van haar hobby's geweest. Thuis had ze alle films met Muna gezien die ze haar vanuit Mumbai had opgestuurd.

Toen de lichten aangingen, was de aftiteling nog bezig. Ze bleef zitten, zoals bijna iedereen in de zaal. Terwijl de ene naam na de andere over het scherm rolde, klonk een nummer van de laatste plaat van Leonard Cohen dat ze al kende omdat een vriend haar een illegale kopie had gegeven. Het liedje ging over brieven die lang nadat ze waren verstuurd, werden herlezen en ze moest denken aan de tsunami die Mark uit haar leven had gesleurd. Ze zat altijd ergens vooraan in de bioscoop en wist niet of er weinig of veel mensen waren. Voor haar zaten maar drie mensen die ook niet opstonden en bleven praten. Ze trok haar jasje aan en toen ze opstond, zag ze hem. Daar zat hij, midden in de bioscoopzaal, alleen. Sita kon het niet laten om naar hem toe te gaan.

'Hallo, dokter!' zei Solomon, nog steeds zittend, met zijn Cubaanse tongval.

'Hallo. Hoe gaat het met Biruk?'

'Redelijk goed. Hij gaat al naar school, maar hij vindt er niks aan. Hij zit de hele dag stil, luistert alleen ... Buiten de klas is hij al open, maar tijdens de les lijkt hij wel stom ...'

'Dat gaat wel over. Ik was precies zo toen ik hier kwam op zijn leeftijd ...'

'Wanneer kwam u hier, en waarvandaan?'

Ze liepen de bioscoop uit en ze vertelden elkaar wie ze waren en wat ze deden. Voor ze het wisten, zaten ze tegenover elkaar aan een tafeltje in Salambó, een van de weinige plekken waar Sita zich op haar gemak voelde en waar ze graag heen ging na de film. Je kon er altijd een hapje eten en de muziek stond er niet zo luid. De cilindervormige lampen aan het plafond creëerden een aangename sfeer. Mensen namen plaats aan de tafels om hen heen, die op een rij stonden langs de muur, anderen vertrokken terwijl zij tweeën bleven doorpraten.

'Als we jouw en mijn verhaal mengen met dat van mijn zus, dan kunnen we wel een film maken.'

'Jammer genoeg zijn er in de wereld te veel verhalen als het onze ... En vanaf hier lijken ze bijna onwaarschijnlijk!'

De serveerster verscheen met twee glazen theepotten. De theeblaadjes kleurden het hete water geleidelijk aan. Solomon wist niet goed hoe die moderne theepot werkte en Sita schonk voor hen beiden de thee in.

'Vreemd om te bedenken hoeveel dingen er moeten gebeuren voor twee mensen elkaar ontmoeten', zei Sita.

Solomon nam de kop thee tussen zijn twee handen en liet zijn ellebogen op tafel rusten.

'Die zin zegt Sean Penn in een film die ik onlangs thuis op dvd heb gezien en die veel indruk maakte ...'

'Wie?'

'Sean Penn.'

'Moet ik weten wie dat is?'

Toen ze de uitdrukking op Solomons gezicht zag, barstte ze in lachen uit.

'Nee, ik geloof niet dat dat moet', constateerde ze lachend.

Solomon moest ook lachen. Het was lang geleden dat hij had gelachen en als je niet vaak genoeg lacht, voelt het vreemd aan als je het weer probeert.

'Maar hier voel je je goed, toch?' vroeg Sita, plotseling ophoudend met lachen. Ze kon het niet nalaten hem strak aan te kijken.

'In Barcelona kun je goed leven, maar het is hier totaal anders dan in mijn stad ... Op het kantoor werken architecten van over de hele wereld en het project is interessant, maar ik geloof niet dat ik hier kan wennen en ik tel de maanden af voordat ik weer terugga ... Er moet wel iets heel belangrijks gebeuren, wil ik niet teruggaan naar Addis Abeba voor het jaar om is.'

Sita luisterde aandachtig. En observeerde hem. Zijn elegante gebaren, de verlegen blik, de bijzondere kleur van zijn huid, zijn knappe uiterlijk dat zo anders was dan dat van alle mannen die ze had gekend.

'Als je me vroeg wat mijn redenen zijn om hier in Barcelona te blijven wonen en niet ergens anders heen te gaan, zou ik niet weten wat ik moest zeggen. Hier ben ik opgegroeid, hier liggen mijn roots, hier is mijn cultuur, maar ...'

'Ik weet niet of ik aan dit alles ooit kan wennen. Alles wat ik om me heen zie, vind ik moeilijk te begrijpen', klonk er uit het diepst van Solomon voordat Sita was uitgesproken. Hij hield het kopje thee vast alsof het een boei was midden op een zee vol onbekende gevoelens.

'Wat bedoel je daarmee?'

'Alles. Jullie manier van leven, het comfort, de prijzen! De bioscoop bijvoorbeeld. Ik betrap me er altijd op dat ik de prijzen omreken naar birrs ... En het zijn zo veel birrs dat ik bijna had gedacht geen kaartje te kopen. En dat geldt voor zo veel dingen.'

'Ik denk dat je daar niet te veel bij stil moet staan. Deze wereld is zo vreemd en zo onevenwichtig dat het soms beter is om er niet over te piekeren ... Zijn er ook Ethiopische films?'

'Steeds meer. Maar ze worden bijna allemaal buiten Ethiopië geproduceerd. Je zou kunnen zeggen dat de Ethiopische cinema gemaakt wordt door Ethiopiërs die in de Verenigde Staten leven! *Journey to Lasta, Thirteen Months of Sunshine* ... Waarschijnlijk zeggen die titels je niets.'

'Nee.'

'Eerlijk gezegd interesseerde films me niet zo. In Addis ging ik zelden naar de bioscoop. Eigenlijk alleen als ik een film wilde zien waar iedereen over sprak. Maar hier heb ik ontdekt dat het een leuk uitje is als je alleen bent. En ik zie hier heel andere films. Bijvoorbeeld de film die we net hebben gezien!'

Solomon was de jongste weduwnaar die Sita ooit had ontmoet. Een weduwnaar van zijn leeftijd en zo aantrekkelijk was een te curieuze combinatie om daar geen onschuldige gedachten over te hebben. Ze had het stukje papier met zijn naam in het Amhaars en zijn telefoonnummer op het bord geprikt dat in de keuken naast de telefoon hing. Elke keer als ze erlangs liep, kwam ze in de verleiding hem te bellen, maar ze deed het niet. Geen van beiden leken ze hun hart open te willen stellen voor nieuwe gevoelens. Solomon had haar verteld dat in Addis Abeba de mensen nooit belden voor een afspraak. Ze kwamen elkaar gewoon tegen op straat of zo en dan besloten ze samen een hapje te eten met een vriend of met de hele familie van hun buren. Of ze gingen zomaar langs bij vrienden of familie, omdat iedereen altijd welkom was en nooit ongelegen kwam. De enige plek waar ze hem toevallig tegen het lijf kon lopen, was het Verditheater. Hij had haar verteld dat hij er vlakbij woonde en regelmatig naar de film ging, minstens twee keer per week.

Het duurde bijna een maand voor ze hem tegenkwam op de trap van de bioscoop. Hij kwam net uit een van de zalen boven en zij ging naar boven om de volgende voorstelling te gaan kijken.

'Hallo, Ik dacht dat je zou bellen!'

'Ik ook!' lachte Sita een paar treden onder hem, halverwege de trap, als aan de grond genageld. Solomon was nog aantrekkelijker dan in haar herinnering.

'Wat wil je zien?'

'Niets geloof ik. Om je de waarheid te zeggen, ben ik alleen gekomen om jou te zien!'

DERDE DEEL

Van: sita.riba@yahoo.com
Verzonden: woensdag 12 juli 2006 11:48
Aan: j.torres@hotmail.com
Onderwerp: bericht uit Addis Abeba

Lieve Judith,

Eindelijk heb ik de rust om je te schrijven. Vergeef me dat ik je alleen groepsmails of berichten in telegramstijl stuur, maar dat komt door de slechte internetverbinding (als ik überhaupt al verbinding krijg). Bovendien heb ik nauwelijks de tijd om vanuit een Internet Center te mailen. Ik zit nu achter de computer op Solomons kantoor en maak gebruik van de gelegenheid dat hij de hele middag op pad is om bouwprojecten te bekijken. Wie had ooit gedacht dat ik in Ethiopië zou gaan wonen? Laat staan dat dit land de plek zou worden die zin aan mijn leven zou geven. Maar zo is het wel! Ik woon hier nu al een paar maanden en ik weet niet hoelang ik nog blijf. Maar één ding weet ik wel: ik mis jullie niet. Sorry, zo hard bedoel ik het niet. Ik denk natuurlijk vaak aan jullie, en aan iedereen die ik in Barcelona heb achtergelaten. Mijn ouders, de familie, jij ... Maar ik ben liever hier, in de wetenschap dat jullie er zijn. Hier betekent alles wat ik elke dag doe, hoe weinig dat ook is, heel veel en is heel belangrijk. Ik hou waanzinnig veel van Solomon. Geen enkele man heeft me het gevoel gegeven wat ik voel als ik bij hem ben. Ongelooflijk. Uiteindelijk was er een Ethiopische architect voor nodig, een weduwnaar bovendien, om me uit de put vol melancholie te halen. En hij dan ... Hij zegt dat hij nog steeds niet gelooft wat hem is overkomen. Ondanks al onze verschillen, lijken we toch heel erg op elkaar en gaat alles bijna vanzelf tussen ons. Naarmate je ouder wordt, word je steeds gevoeliger en heb je het meteen door als er iets gebeurt wat er echt toe doet.

De Ethiopische samenleving, tenminste in de stad, is moderner dan ik had gedacht. Het interesseert niemand dat we samenwonen zonder dat we zijn getrouwd. Het leven gaat in Addis Abeba veel trager dan in Barcelona. Het lukt je hier niet eens om de helft te doen van wat je allemaal op één dag in Barcelona kunt doen. Alles kost veel meer tijd en gaat met een slakkengangetje: reizen, papierwerk regelen, persoonlijke relaties ... En dat langzame ritme is precies wat ik nodig had! De plotselinge verschijning van Muna, Marks verdwijning, Solomon ontmoeten ... Ik heb deze meer bedaarde manier van leven nodig om alle gevoelens een plekje te kunnen geven.

Onze toekomst als stel is onzeker. We willen allebei graag een gezinnetje stichten, maar alles is nog zo pril. Solomon heeft een zware klap te verduren gekregen met de dood van zijn vrouw. Aan de andere kant, als we langer wachten, word ik te oud. Ik ben al rond de veertig. Ik heb nooit precies geweten hoe oud ik was. Ongetwijfeld een paar jaar ouder dan wat er in mijn paspoort staat. We hebben ook al een paar keer gesproken over de mogelijkheid om een kindje te adopteren. Voor mij is dat zoiets als de cirkel rondmaken, een kindje dezelfde kans op een familie geven als ik heb gekregen van zuster Valentina en mijn ouders. Ik voel veel respect voor ze, het was vast allemaal veel moeilijker dan het leek en dan ze mij hebben doen geloven. Hier in Addis denk ik veel aan ze, aan wat ze voor mij hebben gedaan, aan het weeshuis ... Op straat wemelt het van de kinderen die proberen te overleven en pakjes Kleenex of snoep verkopen. Ik kijk vaak naar ze, vooral als ik vastzit in een verkeersopstopping. Altijd heb ik kleingeld op zak om iets van ze te kopen, maar soms ook sinaasappels of bananen om aan ze uit te delen als ze naar me toe komen.

Ik werk nog steeds in het ziekenhuis, en ik help ook een handje in de privékliniek van dokter Markos. Het werk in het ziekenhuis is heel zwaar. Iedereen zegt dat ik in een van de beste ziekenhuizen van het land werk, dat dit niet niets is ... Laat ik je alleen vertellen dat de familieleden van de patiënten eten meebrengen van huis, de patiënten aan- en uitkleden, bloed- en of urinemonsters naar de laboratoria van de privéklinieken brengen en later de uitslagen ophalen ... Kun je je voorstellen wat al dat geregel voor iedereen betekent? En stel je voor dat je geen familie hebt met middelen om voor je te zorgen? De hele gezondheidszorg is als een reis terug in de tijd. Solomon had me al verteld wat hij had doorstaan toen Yeshi was opgenomen, maar nu zie ik het met eigen ogen. Dagelijks beleef ik de onzekerheid mee, maar ik zie ook de wil om vooruit te komen en de enorme solidariteit tussen alle mensen. De beste röntgenapparaten zijn bijvoorbeeld geschonken door ziekenhuizen uit de meest onvoorstelbare plekken. Verbazingwekkend genoeg kent het land weinig corruptie en alle buitenlandse hulp, of het nu geld of materiaal is, komt ook op de juiste plek. Er blijft weinig aan de strijkstok hangen en het is duidelijk zichtbaar.

De meeste kinderen die we bezoeken in de kliniek van dokter Markos zijn kinderen die geadopteerd zullen worden, of een kans op adoptie hebben als ze niet seropositief zijn of een ernstige ziekte onder de leden hebben. Wij zorgen dat ze aansterken. Wanneer de kinderen door Spaanse gezinnen worden geadopteerd, treed ik als tolk op. Met sommige kinderen heb ik medelijden als ik zie wat voor adoptieouders ze krijgen ... Sommige mensen komen naar de praktijk alsof ze een product hebben aangeschaft en door ons een kwaliteitscontrole willen laten uitvoeren. Geobsedeerd vragen ze of die vlek of pukkel een fabricagefout is. Ik begrijp dat ze bang zijn een ziek kind te adopteren, maar ze weten toch dat ze dat risico lopen! Als je zelf een kind op de wereld zet, krijg je ook geen garantie dat het helemaal gezond is! Ik weet wel dat jij dit hard vindt klinken, maar de laatste tijd zie ik met lede ogen aan hoeveel kinderen het land verlaten. Ik wil niet eens weten hoeveel er elke dag vertrekken naar Frankrijk, de Verenigde Staten, Zweden ... De gezondste kinderen vertrekken. Niemand adopteert zieke kinderen, logisch ... Een paar dagen geleden droomde ik dat Ethiopië zonder kinderen kwam te zitten, zonder toekomst, dat alle kinderen die waren achtergebleven, stierven, dat we niet met genoeg artsen waren om de zieken te genezen en dat ze de gezonde kinderen meenamen ... Alle vliegtuigen op de luchthaven van Bole zaten vol Ethiopische jongens en meisjes die weggingen ... Badend in het zweet werd ik wakker en ik was totaal van de kaart. Nu nog beklemt dat angstgevoel me. Ik weet dat het weeskinderen zijn, dat de buitenlanders hen adopteren omdat de Ethiopiërs die dat zouden kunnen doen, het niet doen, dat er niet genoeg goede weeshuizen zijn zodat ze in hun eigen land kunnen opgroeien in een min of meer beschermde omgeving, dat er niet genoeg instellingen zijn met financiële middelen die kunnen voorkomen dat ze elkaar besmetten met allerlei ziektes en die ze kunnen laten studeren ... Maar er zijn bijna vijf miljoen Ethiopische wezen en elk jaar worden er maar een stuk of duizend geadopteerd door buitenlanders. Dat is een druppel op de gloeiende plaat. Ethiopië zal niet zonder kinderen of toekomst achterblijven, ook al droom ik dat!

Vorige maand heb ik het centrum van de Missionarissen van Liefdadigheid bezocht. Wat een bijzondere plek. Het is bijna met geen pen te beschrijven. Voor het complex waar ze zieke en op sterven liggende mannen en vrouwen opvangen, staat nog een ijzeren poort in turkooisblauw met een bord waarop staat dat het het huis van de kinderen is. Ziek en gezond, klein en groot. Toen ik er was, waren er veel zieke kinderen, vooral blinden en geestelijk gehandicapten. En een veertigtal kinderen die redelijk gezond leken en wachtten op adoptieouders. Ze waren al ouder, tussen de vier en twaalf jaar. Er was niet één baby. Zodra er eentje arriveert, vertrekt hij meteen. Ik heb mijn hulp aangeboden als vrijwillige kinderarts en ik ga er zo vaak heen als ik kan. Er is veel werk te doen.

Addis Abeba is geen toeristische stad en heeft niets aantrekkelijks te bieden, eerder het tegendeel. Misschien bevalt het me hier daarom zo goed en voel ik me op mijn gemak tussen de verkeerschaos van toeterende auto's en motorfietsen, de kuddes geiten en karren getrokken door ezels of paarden, de gaten in de weg die zich vullen met water als het regent, het contrast tussen het moderne leven en het traditionele ... De politieke situatie heeft zich een beetje gestabiliseerd, hoewel de oppositie achter tralies zit en ze af en toe gewoon mensen arresteren om ze te intimideren. Het is een jonge democratie, nog heel kwetsbaar, als je het überhaupt een democratie kunt noemen ... De relatie met de buurlanden is evenmin duidelijk. Noch met Eritrea, noch met Somalië. Er zijn voortdurend Ethiopische troepenbewegingen, dan aan de ene dan aan de andere grens ... We hopen alleen dat er niet een brandhaard te veel ontstaat. We proberen er niet te veel aan te denken en ons te concentreren op ons werk en het dagelijkse leven.

Als je hoorde wat de mensen hier verdienen, zou je met je oren klapperen. Ik zou hier makkelijk mijn hele leven kunnen rondkomen van het geld dat ik heb verdiend met de verkoop van mijn flat in Barcelona. Ik heb er geen spijt van, hoewel mijn ouders het niet begrijpen. Ik liep daar te veel met mijn ziel onder mijn arm. Ik was niet gelukkig. Ik kon niet langer op dezelfde voet doorgaan in Barcelona. Ik moest alle schepen achter me verbranden en met een schone lei beginnen.

In de kliniek en in het ziekenhuis heb ik heel sympathieke verpleegsters leren kennen. Met hen oefen ik het Amhaars, dat ik stapje voor stapje onder de knie begin te krijgen en begin te praten, weliswaar vermengd met het Engels. Lezen en schrijven is een ander verhaal. Dat is zo ingewikkeld! Binnenkort krijg ik les, want de taal door middel van zelfstudie leren is te moeilijk. Solomon heeft geen familie in Addis Abeba. De enige familie die hij in Ethiopië heeft, is zijn zus Aster die in Awasa in het zuiden woont. Daarom creëren we een familie om ons heen van mensen die ons dierbaar zijn. Hier zijn de gezinnen niet zo omvangrijk en iedereen komt bij elkaar en vormt zo een nieuwe familie. Dat een buitenlandse, een farangi zoals ze ons noemen, naar Ethiopië komt om met een Ethiopiër te gaan samenwonen, verbaast iedereen en ik ben een rariteit. Het tegenovergestelde komt vaker voor: Ethiopiërs die met farangi's trouwen, Ethiopiërs die naar het buitenland vertrekken ... Of farangi's die hun steentje willen bijdragen aan de ontwikkeling van het land, maar die slechts kort blijven. Een paar weken geleden heb ik een buitengewone vrouw leren kennen. Ze heet Catherine Hamlin en ze is een tweeëntachtigjarige Australische arts die al zevenveertig jaar in Ethiopië woont en bijzonder werk verricht. Met haar man, die al dood is, heeft ze het Addis Ababa Fistula Hospital opgericht om de levens te redden van vrouwen die zijn verminkt na een moeilijke bevalling. Dat leg ik je allemaal nog weleens rustig uit.

Wat kan ik je nog meer vertellen? Ik spring van de hak op

de tak. Ik heb haast. Solomons kantoor ligt op de vierde verdieping van een modern gebouw aan Churchill Avenue. Vanuit het raam zie ik een enorm gebouw in aanbouw met een onmogelijke steiger, gemaakt van boomstammen en touwen. Ik zie ook mijn auto, een tweedehandse witte Volkswagen kever die het nog goed doet. Zonder auto is het lastig om je door de stad te verplaatsen tenzij je veel tijd hebt en minibusjes of taxi's kunt nemen of veel van lopen houdt. Ons huis is heel eenvoudig en staat in een rustige wijk met veel bomen. We hebben een kleine tuin met een mangoboom en veel bougainvilles die me doen denken aan mijn kindertijd in Mumbai. Solomon wilde niet meer in het huis wonen dat hij met Yeshi had gedeeld en vroeg zijn partner, Yohannis, om een ander huis in de wijk Arat Kilo te zoeken. Yohannis is meer dan zijn compagnon, meer dan zijn meester, hij is als een soort grote broer. Hij maakt deel uit van de familie die we om ons heen hebben gevormd. Hij heeft in Scandinavië gestudeerd en hij is een van de weinigen die er niet voor hebben gekozen om in het buitenland te blijven waar ze prettiger kunnen werken en meer geld verdienen. Hij is al heel lang geleden teruggekeerd naar Ethiopië. Zijn vrouw is een schat, een muzieklerares uit Tigray, dat in het noorden van het land ligt, vreselijk mooi en gracieus. Ik vind het fantastisch om met haar te praten (ze spreekt vloeiend Engels, net als Yohannis en zo veel anderen), het ene kopje koffie na het andere drinkend (Ethiopische koffie is niet te vergelijken met de onze, hij wordt getrokken). Zij geeft me inzicht in de Ethiopische samenleving en dankzij haar leer ik hoe alles functioneert. Ik leer heel interessante mensen kennen. Ik heb veel bewondering voor al die Ethiopiërs die elke dag hard werken om hun land vooruit te helpen in plaats van te emigreren naar een land waar ze een makkelijker leven kunnen hebben.

Volgens mij heb ik je nu van alles op de hoogte gebracht. Wat Muna betreft weet ik niet zo goed wat ik moet schrijven. Ik heb nog steeds nauwelijks de tijd genomen om rustig over haar na te denken. Soms vraag ik me af wat een zus is. Voor ik haar leerde kennen, leefde ik in de veronderstelling dat ik er geen een had. Ik kan me niets van haar herinneren. Mijn eerste herinneringen gaan terug naar het klooster in Nasik. Alles wat er daarvoor is gebeurd, heeft zich niet in mijn geheugen gegrift. Als ze me nooit heeft kunnen vergeten, waarom wachtte ze dan al die jaren om me te zoeken? Ze heeft me al uitgelegd dat ze wachtte op het juiste moment, tot ze alles al bijna had gedaan, dat haar leven een tornado van emoties en filmopnames is geweest ... Waarschijnlijk heeft ze gelijk. Om een moeilijk verleden onder ogen te zien, moet je zeker zijn, sterk in je schoenen staan en wachten tot het juiste moment daar is. We hebben een paar keer met elkaar gebeld sinds ik in Addis Abeba ben. Ze staat erop om ons uit te nodigen om naar Mumbai te komen en wil onze vliegtickets betalen. Misschien gaan we binnenkort. Solomon wil graag naar India, het land bezoeken waar ik ben geboren. Hij zegt dat we daarna dan alleen nog naar Cuba moeten, waar ik nog nooit ben geweest, en dan hebben we alle gebieden gemarkeerd!

Gisteren heb ik een heel lange e-mail van Muna ontvangen. Ze vertelde me dat er onlangs in India een wet is aangenomen die arbeid voor kinderen beneden de veertien jaar verbiedt. Het duurt nog drie maanden voor hij van kracht is en ze zegt dat het evenmin een garantie is dat de twintig miljoen jongens en meisjes die werkzaam zijn in de huishouding of in steen- of tapijtfabrieken, kunnen ophouden met werken ... Maar het is ongetwijfeld een stap voorwaarts. Hoe meer ik denk aan het verleden van Muna die kindslaaf was en het heeft geschopt tot Bollywoodfilmster, hoe verbaasder ik ben over mijn geschiedenis en het geluk dat ik heb gehad.

Ik laat het hierbij voor vandaag. Ik kijk uit naar berichten van jou! We moeten proberen contact te blijven houden. Jij hebt geen smoesjes, want de computer op de praktijk werkt uitstekend en je kunt me e-mails sturen wanneer je wilt. Ook al zijn het maar een paar regeltjes, het hoeft geen kilometers lang bericht te zijn zoals dit!

Doe mijn kleine patiëntjes de groeten!

Schrijf snel terug.

Een dikke zoen!

Sita

Verklarende woordenlijst

Adei abeba Wilde, gele bloemen die op de velden van Ethiopië groeien na het regenseizoen.

Amhaars De officiële taal in Ethiopië. Een Semitische taal.

Autoriksja Een lichte motorfiets met een karretje eraan waarin passagiers worden vervoerd.

Bidi Een goedkope sigaret, meestal opgerolde laurierbladeren vastgemaakt met een touwtje.

Bindi Een decoratief plakkertje voor op het voorhoofd ter vervanging van de tikka. De meest traditionele zijn vermiljoenrood en ze zijn meestal rond of ovaal. Ze lijken van fluweel te zijn.

Birr Ethiopische munt.

Biryani Indiase rijstschotel met vlees, groente en noten.

Chapati Een soort Indiaas brood van grof meel en water dat in een pan op het vuur wordt gebakken.

Dabo Ethiopisch brood, rond en meestal dik.

Derg Ethiopische afkorting voor de Provisorische Militaire Bestuurlijke Raad.

Dhal Typisch Indiaas gerecht van linzen en specerijen. Het wordt als een soort soep gegeten. Vooral arme gezinnen eten veel dhal met chapati's.

Diwali Een belangrijk feest dat in heel India wordt gevierd ter ere van de goden Rama en Lakshmi dat ongeveer vier of vijf dagen duurt. Ook wel het Lichtfeest genoemd omdat er veel kaarsen worden aangestoken. In sommige streken van India luidt het het begin van een nieuw jaar in.

Doro wot Een Ethiopisch stoofgerecht dat wordt gemaakt van stukjes kip met een pikante saus. *Doro* is Amhaars voor kip en *wot* betekent saus.

Dosa Zie **Masala dosa.**

Farangi Amhaars woord voor buitenlander.

Fukera Ethiopische krijgsmuziek die eeuwen geleden door de stammen werd gezongen bij een aanval om hun krijgers aan te moedigen en hun rivalen angst aan te jagen.

Gabi Traditionele witte, geweven, katoenen omslagdoek voor mannen.

Gandhi topi Een hoofddeksel dat in bepaalde streken door mannen wordt gedragen. Gandhi droeg het ook.

Ganesha Hindoeïstische god met olifantenhoofd. Het is de meest geliefde god in India, de god van het dagelijkse leven.

Ghat Stenen trappen die afdalen in de heilige rivieren van India zodat men zich in het water kan reinigen en de bijbehorende gebeden kan doen. De was wordt er ook op gedaan.

Golguppa Ook *pani puri* genoemd. Een kleine, holle, gefrituurde chapati die in kruidenwater wordt gedoopt en met een pikant sausje wordt gegeten. Een tussendoortje.

Goment Ethiopische kool.

Halal Arabisch voor rein, toegestaan. Halal slagers verkopen vlees van bepaalde dieren die volgens islamitische voorschriften ritueel zijn geslacht, waarbij het dier met de kop richting Mekka wordt geplaatst en leegbloedt.

Hindi Een van de officiële talen in India, de voornaamste, hoewel maar 20 procent van de bevolking het als moedertaal spreekt.

Idli Een zoet, gestoomd rijstballetje, typisch Zuid-Indiaas.

Injera Een licht gefermenteerd, plat brood dat bij elke maaltijd in Ethiopië wordt geserveerd. Het wordt bereid met een beslag van *teff*. Met een stukje brood wordt wat van de andere gerechten, zoals *doro wot* (gestoofde kip), *mesir wot* (puree van rode linzen) of *shiro wot* (puree van peulvruchten), opgeschept en opgegeten.

Khat Of *chat* of *qat* is een groenblijvende struik (*Catha edulis*) die veel wordt verbouwd in Ethiopië. De kleine blaadjes worden verkocht op de markt. Men kauwt op het blad en slikt het sap door. Het middel heeft een stimulerende werking. Het heeft een sociale functie en wordt veel genuttigd. Het is niet verboden en het wordt naar de buurlanden geëxporteerd.

Kolo Een knapperig tussendoortje van graanproducten, peulvruchten en pinda's. Het wordt aangeboden aan onverwachte bezoekers en het wordt meegenomen als snack voor onderweg.

Kurta Een lang overhemd dat in India door mannen wordt gedragen. Je ziet het ook in Pakistan.

Marathi Een van de officiële talen van India die vooral in de deelstaat Maharashtra wordt gesproken.

Masala Specerijenmengsel. Ook de benaming van het Indiase gerecht van rijst met vlees en dit mengsel.

Masala chai Of chai. Zwarte thee met specerijen, met name kardemom en zwarte peper, en melk die in India veel wordt gedronken.

Masala dosa Aan één kant gebakken flinterdunne rijstpannenkoek die in Zuid-India wordt gegeten.

Mausi Tante in het Marathi. Vaak wordt het ook gebruikt voor een vrouw die geen familie, maar wel dierbaar is.

Mesir wot Ethiopisch stoofgerecht van rode linzen. In het Amhaars betekent *mesir* linzen en *wot* saus.

Namasté Een groet in het hindoegeloof.

Netela Een handgeweven doek met een kleurrijke rand waarmee Ethiopische vrouwen zich bedekken als ze een kerk binnengaan (christelijk orthodox).

Oromo Etnische groep in Ethiopië met een eigen taal, het Afaan Oromo, en een sterke cultuur.

Paan Betelblad met betelnoot, gevuld met specerijen als peper, kruidnagel en koffiebonen. Meestal wordt het op straat verkocht, vaak naast restaurants. Door hierop te kauwen worden het speeksel en de mond rood. De smakeloze resten worden uitgespuugd.

Pakora Een snack van groente of vlees door meelbeslag gehaald en gefrituurd.

Papadum Een krokant dun pannenkoekje van linzen, kikkererwten of rijstebloem. Wordt geserveerd bij alle Indiase maaltijden.

Puja Rituele ceremonie waarbij gebeden worden gereciteerd en gezongen en offergaven worden aangeboden, die verschillende keren per dag wordt gevierd.

Pullao Indiaas groentegerecht met specerijen.

Riksja-wallah Wallah is het Hindi woord voor man, dat tevens een suffix is waarmee verschillende beroepen worden aangeduid: *riksja-wallah* (fietschauffeur), *taxi-wallah (taxichauffeur), doodh-wallah (melkman), chai-wallah (theeverkoper).*

Sadhoe Een kluizenaar of een hindoeïstische geestelijke die zich toelegt op meditatie. De meesten van hen zijn makkelijk te herkennen. Ze lopen bijna naakt rond en dragen lange, witte baarden en kettingen. Ze leven van aalmoezen.

Sai Baba Een Indiase heilige die door mensen uit de laagste kasten als een god wordt beschouwd. Zijn beeltenis, een oudere man met lange, witte baard kom je overal tegen: in auto's, huizen, kantoren ...

Salam Een groet die in veel landen wordt gebruikt. In het Arabisch betekent het 'vrede', in Ethiopië betekent het 'hallo'.

Salwar kameez Een tweedelig kledingstuk dat bestaat uit een rechte broek en een lange, wijdvallende tuniek, dat zowel door mannen als door vrouwen wordt gedragen. Mannen dragen meestal effen, lichtkleurige, van katoen; vrouwen bedrukt met patronen en van fijnere stoffen.

Sambar Speciale saus die Zuid-India met rijst wordt gegeten.

Samosa Gefrituurde driehoekvormige snack, gevuld met groente of vlees en kruiden.

Sarpoi Een soort brits waar mensen op straat of in cafés op uitrusten en theedrinken. Je ziet ze in veel oosterse landen.

Sati Weduweverbranding, oud Indiaas ritueel waarbij een weduwe zich met het lijk van haar echtgenoot laat verbranden. Tegenwoordig is het verboden.

Sera bet Zo werden de koks aan het paleis van Haile Selassie in Addis Abeba genoemd.

Shiro wot Ethiopische puree van peulvruchten.

Sindoor Een vermiljoenrode verfstof waarmee een haarstreng wordt geverfd of stip op het voorhoofd wordt gemaakt.

Sita De godin van de landbouw. Ze is ook een belangrijke personage uit de *Ramayana*, het grote en beroemde epos uit India dat het verhaal vertelt van prins Rama en zijn vrouw Sita.

Tabla Percussie-instrument waarmee het ritme wordt gespeeld in een muzikaal geheel.

Teff Graansoort die in Ethiopië wordt verbouwd waarmee injera wordt gemaakt, een soort brood dat bij alle maaltijden wordt gegeten.

Tella Populaire drank in Ethiopië, een ongefilterd bier dat thuis wordt gebrouwen.

Tikka Een gekleurde markering met een heilige connotatie die hindoes op hun voorhoofd aanbrengen met verfstof. Er bestaan ook plakkertjes, *bindi's*, die veel vrouwen op hun voorhoofd dragen ter versiering.

Urdu Een van de officiële talen in India die vooral in de deelstaten Jammu en Kasjmir en New Delhi wordt gesproken. Na de onafhankelijkheid van India in 1947 werd het Urdu de moedertaal voor de moslims en tegenwoordig wordt het ook in Pakistan gesproken.

Victoria Terminus Station Heet tegenwoordig Chhatrapati Shivaji Terminus

Dankbetuiging

Begin 2003 begonnen we dit boek te schrijven en we zijn dankbaar voor de opmerkingen en bijdragen van iedereen die dit avontuur met ons heeft beleefd. We hopen dat alle personen die ons hebben geïnspireerd en die zich in het boek herkennen, hier geen bezwaar tegen hebben en het eerder beschouwen als een soort bescheiden eerbetoon.

Onze dank gaat met name uit naar Ennatu die een belangrijke bron van inspiratie is geweest en die ons in juli 2002 met elkaar in contact heeft gebracht.

Naar Ricard Domingo voor zijn onvoorwaardelijke, constante en onontbeerlijke steun.

Naar Abera Kumbi voor jeugdherinneringen waarvan hij ons deelgenoot heeft gemaakt, voor zijn aanstekelijke vreugde en voor zijn introductie tot de geschiedenis en het dagelijkse leven van Addis Abeba. Onze Solomon zou zonder hem niet hebben bestaan.

Naar Abraham Berhe Gebreyesus, omdat hij veel meer is dan een leraar Amhaars van enkele Ethiopische jongens en meisjes die nu ook horen bij Barcelona, en voor de overheerlijke injera van zijn zus Rahel.

Naar de familie Meherkhamb uit Kolpewadi in India, omdat ze ons welkom heette zonder onze taal te begrijpen. Vooral omdat ze de moeite nam zich open te stellen voor onze manier van leven. En naar de families Ghoderao en Sansare uit Nasik, Shaha en Ujani, omdat ze de herinnering levend houden.

Naar Margaret Fernandes, Nirmala Dias en Merlyn Villoz van het Regina Pacisklooster in Mumbai en het Dev-Mataklooster in Nasik voor hun gastvrijheid en hun hulp elke keer dat we daar om vroegen.

Naar de dokters Paloma Rodríguez Mur, Helena Pallaresa en Vicky Fumadó voor hun inspiratie. En naar dokter Markos Wudineh voor de toewijding aan zijn kleine patiëntjes.

We zijn Marina Penalva-Halpin en Martina Torrades van het literair agentschap Pontas erkentelijk voor hun onmisbare steun en hun altijd interessante meningen. En Vanessa Intriago, omdat zij zorgde dat alles op rolletjes liep.

We willen ook onze redacteuren Ester Pujol, Ana D'Atri en Emili Rosales bedanken.

En we bedanken onze ouders, Radhu Ghoderao, Sita Sansare, Josep Miró en Electa Vega, Joan Soler en Teresa Pont, omdat zij ons vleugels hebben gegeven om uit te vliegen.